CIVILIZATIONS

Laurent Binet est l'auteur de *HHhH* (prix Goncourt du premier roman) et de *La Septième Fonction du langage* (prix Interallié). Il a été professeur de lettres pendant dix ans en Seine-Saint-Denis.

Paru au Livre de Poche :

HHhH

RIEN NE SE PASSE COMME PRÉVU

LA SEPTIÈME FONCTION DU LANGAGE

LAURENT BINET

Civilizations

ROMAN

GRASSET

ISBN : 978-2-253-10176-5 – 1re publication LGF

« L'art donne vie à ce que l'histoire a assassiné. »

Carlos FUENTES,
Cervantès ou la Critique de la lecture

« En raison de cette confusion dans laquelle ils vivaient, sans aucune bonne intelligence, leur conquête fut très facile. »

Inca Garcilaso DE LA VEGA,
Commentaires royaux sur le Pérou des Incas

PREMIÈRE PARTIE

La saga de Freydis Eriksdottir

1. Erik

Il y avait une femme qui s'appelait Aude la Très-Sage, fille de Ketill au nez plat, qui avait été reine. C'était la veuve d'Olaf le Blanc, roi-guerrier d'Irlande. À la mort de son époux, elle était venue dans les Hébrides et jusqu'en Écosse où son fils, Thorstein le Rouge, devint roi à son tour, puis les Scots le trahirent et il périt dans une bataille.

Quand elle connut la mort de son fils, Aude prit la mer avec vingt hommes libres et partit en Islande où elle colonisa les territoires situés entre la rivière du Déjeuner et celle du Saut de Skrauma.

Arrivèrent avec elle beaucoup de nobles hommes qui avaient été faits prisonniers lors d'expéditions vikings à l'ouest et que l'on disait esclaves.

Il y avait un homme nommé Thorvald qui avait quitté la Norvège pour cause de meurtre, avec son fils, Erik le Rouge. C'étaient des fermiers qui cultivaient la terre. Un jour, Eyjolf la Fiente, parent d'un voisin d'Erik, tua des esclaves de ce dernier parce qu'ils avaient provoqué un glissement de terrain. Erik tua Eyjolf la Fiente. Il tua aussi Harfn le Duelliste.

Alors il fut banni.

Il colonisa l'île aux Bœufs. Il prêta ses poutres à son voisin mais quand il vint les réclamer, celui-ci refusa de les rendre. Ils se battirent et d'autres hommes moururent. Il fut banni à nouveau par le thing de Thorsnes.

Il ne pouvait plus rester en Islande et ne pouvait pas rentrer en Norvège. C'est pourquoi il choisit de voguer vers le pays qu'avait aperçu le fils d'Ulf la Corneille, un jour que celui-ci avait été dérouté vers l'ouest. Il baptisa ce pays Groenland, car il dit que les gens auraient fort envie d'y aller si ce pays portait un beau nom.

Il épousa Thjodhild, petite-fille de Thörbjorg Poitrine de Knörr, avec qui il eut plusieurs fils. Mais il eut aussi une fille d'une autre femme. Elle s'appelait Freydis.

2. Freydis

Sur la mère de Freydis, nous ne savons rien. Mais Freydis, comme ses frères, avait hérité de son père Erik le goût des voyages. Aussi embarqua-t-elle sur le bateau que son demi-frère, Leif le Chanceux, avait prêté à Thorfinn Karlsefni pour que celui-ci retrouve le chemin du Vinland.

Ils voyagèrent vers l'ouest. Ils firent étape au Markland, puis ils atteignirent le Vinland, et retrouvèrent le campement que Leif Eriksson avait laissé derrière lui.

Le pays leur parut beau et boisé, les forêts étant à peu de distance de la mer, avec des sables blancs le long des côtes. Il y avait là beaucoup d'îles et de hauts-fonds. Le jour et la nuit étaient de longueur plus égale qu'au Groenland ou en Islande.

Mais il y avait aussi des Skraelings qui ressemblaient à des trolls de petite taille. Ce n'était pas des Unipèdes comme on le leur avait raconté mais ils avaient la peau foncée et aimaient les étoffes de couleur rouge. Les Groenlandais leur échangèrent celles qu'ils possédaient contre des peaux de bête. On commerça. Mais un jour, un taureau mugissant qui appartenait à Karlsefni s'échappa de son enclos et effraya les Skraelings. Alors ils attaquèrent le campement et les hommes de Karlsefni auraient été mis en déroute si Freydis, furieuse de les voir fuir, n'avait ramassé une épée pour se porter au-devant des assaillants. Elle déchira sa chemise et se frappa les seins du plat de l'épée en insultant les Skraelings. Elle était dans une fureur démente et elle maudissait ses compagnons pour leur lâcheté. Alors les Groenlandais eurent honte et firent demi-tour, et les Skraelings, effrayés par la vision de cette créature plantureuse, hors d'elle-même, se débandèrent.

Freydis était enceinte et avait mauvais caractère. Elle se brouilla avec deux frères qui étaient ses associés. Comme elle voulait s'approprier leur bateau qui était plus grand que le sien, elle ordonna à son mari Thorvard de les tuer, ainsi que leurs hommes, ce qui fut fait. Freydis tua leurs femmes avec une hache.

L'hiver avait passé et l'été approchait. Mais Freydis n'osa pas rentrer au Groenland car elle craignait la colère de son frère Leif, quand il saurait qu'elle s'était rendue coupable de meurtre. Cependant, elle sentait que désormais on se défiait d'elle et qu'elle n'était plus la bienvenue au campement. Elle équipa le bateau des deux frères, puis embarqua avec son mari, quelques hommes, du bétail et des chevaux. Ceux de la petite colonie qui restaient au Vinland furent soulagés de son départ. Mais avant de reprendre la mer, elle leur dit : « Moi, Freydis Eriksdottir, je jure que je reviendrai. »

Ils mirent cap au sud.

3. Le sud

Le knörr aux larges flancs cingla le long des côtes. Il y eut une tempête et Freydis pria Thor. Le navire manqua se briser sur les rochers des falaises. À bord, les bêtes prises de terreur ruaient si fort que les hommes étaient sur le point de s'en débarrasser parce qu'ils craignaient qu'elles les fassent chavirer. Mais à la fin, la colère du dieu s'apaisa.

Le voyage dura plus longtemps qu'ils se l'étaient figuré. L'équipage ne trouvait nulle part où aborder car les falaises étaient trop hautes et quand ils découvraient une plage, ils apercevaient des Skraelings menaçants qui brandissaient leurs arcs et leur lançaient des pierres. Il était trop tard pour mettre cap à l'est et Freydis ne voulait pas faire demi-tour. Les hommes pêchaient du poisson pour se nourrir et comme certains burent de l'eau de mer, ils tombèrent malades.

Au milieu des rameurs, entre deux bancs, un jour où nul vent du nord ne leur venait en aide pour gonfler les voiles, Freydis accoucha d'un enfant mort-né qu'elle voulut nommer Erik comme son grand-père, et qu'elle rendit à la mer.

Enfin, ils trouvèrent une crique où accoster.

4. Le Pays de l'Aurore

L'eau y était si peu profonde qu'ils purent rejoindre à pied la plage de sable. Ils avaient emporté toutes sortes de bestiaux. Le pays était beau. Ils n'eurent d'autres soucis que de l'explorer.

Il y avait des prairies et des forêts aux arbres bien espacés. Le gibier y était abondant. Les rivières regorgeaient de poissons. Freydis et ses compagnons décidèrent d'établir un campement près de la côte, à l'abri du vent. Ils ne manquèrent pas de provisions, aussi pensèrent-ils rester là pour y passer l'hiver, car ils devinaient que les hivers devaient être plus doux, ou du moins plus courts que dans leur pays natal. Les plus jeunes étaient nés au Groenland, les autres venaient d'Islande ou de Norvège, comme le père de Freydis.

Mais un jour qu'ils avaient pénétré plus avant à l'intérieur des terres, ils découvrirent un champ cultivé. Il y avait des rangées de plantations bien alignées, comme des épis d'orge jaune dont les grains étaient croquants et juteux. Ainsi surent-ils qu'ils n'étaient pas seuls.

Ils voulurent eux aussi cultiver l'orge croquante mais ils ne savaient pas comment s'y prendre.

Quelques semaines plus tard, des Skraelings surgirent du haut de la colline qui surplombait leur campement. Ils étaient grands et bien bâtis, la peau huileuse, la face peinte de longs traits noirs, ce qui effraya les Groenlandais mais cette fois-ci personne n'osa bouger en présence de Freydis, de peur de passer pour un lâche. Du reste, les Skraelings semblaient moins hostiles que mus par la curiosité. Un des Groenlandais voulut leur donner une petite hache pour les amadouer, mais Freydis le lui interdit, et elle leur offrit à la place un collier de perles et une broche en fer. Les Skraelings parurent grandement apprécier ce dernier cadeau, ils se passèrent l'objet de main en main et se le disputèrent, puis Freydis et ses compagnons comprirent qu'ils souhaitaient les inviter dans leur village. Seule Freydis accepta l'invitation. Son mari et les autres restèrent au campement, non parce qu'ils avaient peur de l'inconnu, mais au contraire parce qu'ils avaient failli mourir précédemment dans une situation semblable. Ils désignèrent Freydis comme leur émissaire et leur déléguée, ce qui la fit rire car elle avait bien compris qu'aucun d'eux n'aurait le courage de l'accompagner. De nouveau, elle les insulta, mais cette fois-ci la honte n'eut aucun effet. Alors elle suivit seule les Skraelings, qui enduisirent sa peau blanche et ses cheveux rouges avec de la graisse d'ours, puis ils s'enfoncèrent avec elle dans des marais, à bord d'une barque creusée dans un tronc. On pouvait facilement tenir à dix dans cette barque, tant les arbres étaient gros dans ce pays. La barque s'éloigna et Freydis disparut avec les Skraelings.

On attendit son retour pendant trois jours et trois nuits, mais personne ne partit à sa recherche. Même son mari Thorvard n'aurait pas osé s'aventurer dans ces marais.

Puis, au quatrième jour, elle revint avec un chef skraeling qui portait des bijoux de couleurs vives autour du cou et aux oreilles. Il avait les cheveux longs mais rasés d'un seul côté, et l'on pouvait difficilement imaginer stature plus remarquable.

Freydis dit à ses compagnons qu'ils étaient ici au Pays de l'Aurore et que ces Skraelings s'appelaient le Peuple de la Première Lumière. Ils livraient une guerre à un autre peuple qui vivait plus à l'ouest et Freydis était d'avis qu'il fallait les aider. Et quand ils lui demandèrent comment elle avait compris leur langage, elle répondit en riant : « Eh bien, peut-être que moi aussi, je suis une völva ? »

Elle appela l'homme qui avait voulu donner sa hache aux Skraelings et, cette fois-ci, la lui fit remettre au sachem qui l'accompagnait (car c'est ainsi qu'ils désignaient leurs chefs). Neuf mois plus tard, elle accoucherait d'une fille qu'elle nommerait Gudrid, comme son ex-belle-sœur, la femme de Karlsefni, veuve de Thorsteinn Eriksson, qu'elle avait toujours détestée (mais ce n'est pas la peine de parler des gens qui n'interviendront pas dans cette saga).

La petite colonie s'installa dans le voisinage du village skraeling et non contents de cohabiter sans incidents, les deux groupes s'entraidèrent. Les Groenlandais enseignèrent aux Skraelings à chercher du fer dans la tourbe et à le travailler pour en faire des haches, des lances ou des pointes de flèche. Ainsi, les Skraelings purent s'armer efficacement pour défaire leurs ennemis. En échange, ils apprirent aux Groenlandais à cultiver l'orge croquante, en enfonçant les graines dans de petits tas de terre, avec des haricots et des courges pour qu'ils s'enroulent autour des grandes tiges. Ainsi pourraient-ils faire des stocks pour l'hiver, quand le gibier viendrait à manquer. Les Groenlandais ne désiraient rien d'autre que de rester dans ce pays. En gage d'amitié, ils offrirent une vache aux Skraelings.

Or, il arriva que des Skraelings tombèrent malades. L'un d'eux fut pris de fièvre et mourut. Puis il n'y eut pas longtemps à attendre pour que les gens meurent les uns après les autres. Alors les Groenlandais prirent peur et voulurent partir mais Freydis s'y opposait. Ses compagnons avaient beau lui dire que tôt ou tard, l'épidémie viendrait jusqu'à eux, elle refusait d'abandonner le village qu'ils avaient construit, faisant valoir qu'ici ils avaient trouvé une terre fertile et que rien ne garantissait qu'ils croiseraient ailleurs des Skraelings amicaux avec qui ils pourraient commercer.

Mais le sachem à la forte carrure fut frappé à son tour par la maladie. En rentrant dans sa maison, qui était un dôme tenu par des poteaux arqués recouverts de bandes d'écorce, il vit des morts inconnus joncher le seuil et comme une gigantesque vague emporter son village et celui des Groenlandais. Et lorsque cette vision se fut dissipée, il se coucha, brûlant de fièvre, et demanda qu'on aille chercher Freydis. Quand celle-ci vint à son chevet, il lui dit à l'oreille quelques mots tout bas, en sorte qu'elle fut seule à les savoir, mais il déclara de manière que tout le monde entende qu'heureux étaient les gens qui étaient chez eux partout sur la terre, et que le don du fer que les voyageurs avaient fait à son peuple ne serait pas oublié. Il lui parla de sa situation à elle, et lui dit qu'elle aurait une très grande destinée, ainsi que son enfant. Puis il s'affaissa. Freydis le veilla toute la nuit mais au matin, il était froid. Alors elle retourna auprès de ses compagnons et dit : « Allons, maintenant, il faut charger le bétail sur le knörr. »

5. Cuba

Freydis ne songeait toujours qu'à descendre plus au sud. Ils longèrent les côtes pendant des semaines, si bien qu'ils manquaient de tout à bord et ne pouvaient compter que sur la pêche et l'eau de pluie, mais partout où il leur semblait qu'une terre était propice, jamais Freydis ne voulait y accoster, ce qui suscita d'abord la nervosité puis la méfiance et enfin la colère de ses compagnons. Freydis leur disait : « Voulez-vous de nouveau vous retrouver en danger de mort ? Voulez-vous qu'un Unipède vous transperce le ventre d'une flèche ? » (Car c'est ainsi qu'était mort son autre demi-frère, Thorvald fils d'Erik, et elle savait que tous avaient en mémoire cet épisode funeste.) « Nous continuerons notre voyage jusqu'à son terme ou nous mourrons en mer, si tel est le caprice de Njörd ou le souhait de Hel. » Mais nul ne connaissait le terme dont parlait Freydis.

Enfin, ils trouvèrent une terre qui était peut-être une île. Freydis, sentant qu'elle ne pourrait contenir plus longtemps l'impatience de ses compagnons, accepta d'y accoster.

Le knörr entra dans un fleuve superbe. Sur toute la côte qu'il courut pour arriver jusqu'à terre, ils trouvèrent une eau très limpide.

Ils n'avaient jamais vu de terre aussi belle. Tout près du fleuve, ce n'était qu'arbres verts, avec chacun les fleurs et les fruits de son espèce. Les fruits avaient une merveilleuse saveur. Beaucoup d'oiseaux et d'oiselets chantaient très doucement. Les feuilles des arbres étaient si grandes qu'on pouvait couvrir les maisons avec elles. Le sol était très plat.

Freydis sauta à terre. Elle arriva à des maisons qu'elle pensait être celles de pêcheurs, mais leurs occupants s'enfuirent avec effroi. Dans l'une d'elles, elle trouva un chien qui n'aboyait pas.

Les Groenlandais firent débarquer le bétail et les Skraelings, intrigués par les chevaux, réapparurent. Ils étaient nus et de petite taille mais bien faits de corps ; leur peau était sombre et leurs cheveux noirs. Freydis s'avança en pensant qu'une femme enceinte saurait les amadouer. Elle proposa à l'un d'eux de monter à cheval et lui fit faire le tour du village en marchant à côté de lui, la bride à la main. Les Skraelings en furent tout joyeux et émerveillés. Ils offrirent de la nourriture à leurs invités et les accueillirent dans leurs maisons. Ils leur proposèrent également des feuilles roulées qu'ils faisaient brûler et qu'ils portaient à la bouche pour en aspirer la fumée.

Alors Freydis et ses compagnons s'installèrent avec eux et le village des Skraelings devint leur village. Ils bâtirent leurs propres maisons à la manière de leurs hôtes, rondes et couvertes de paille. Ils bâtirent aussi un temple pour honorer Thor avec des piliers et des poutres de bois. Les Skraelings leur montrèrent comment extraire l'eau de grosses noix qui poussaient dans les arbres aux grandes feuilles car cette eau était délicieuse. Ils leur nommèrent les choses : ainsi l'orge croquante s'appelait *maïs* dans leur langue. Ils leur montrèrent comment dormir dans des filets tendus entre deux arbres qu'ils appelaient *hamacs*. Il faisait si chaud toute l'année qu'ils ignoraient ce qu'était la neige.

C'est ici que Freydis accoucha. Son mari Thorvard traita Gudrid comme sa propre fille, et Freydis en fut touchée. Elle se mit à considérer Thorvard moins durement qu'elle ne l'avait fait jusqu'alors.

Les Skraelings devinrent de bons cavaliers et ils apprirent à forger le fer. Les Groenlandais apprirent à reconnaître les animaux et à tirer à l'arc. Il y avait des tortues et toutes sortes de serpents ainsi que des lézards aux écailles de pierre et à la mâchoire allongée. Dans le ciel volaient des vautours à tête rouge.

Les deux groupes se mélangèrent si bien que d'autres enfants naquirent. Certains avaient les cheveux noirs, d'autres les cheveux blonds ou rouges. Ils entendaient les deux langues de leurs parents.

Mais de nouveau, des Skraelings furent frappés par la fièvre et moururent. Comme les Groenlandais étaient épargnés, ils comprirent qu'ils n'avaient rien à craindre de la maladie mais qu'ils l'avaient apportée avec eux. Ils comprirent qu'ils étaient la maladie. Les hommes du Nord offrirent aux défunts des sépultures sur lesquelles ils gravèrent des runes. Ils prièrent Thor et Odin. Malgré cela, les Skraelings continuaient à tomber malades. Les Groenlandais pensèrent que s'ils restaient, leurs hôtes allaient tous périr, et qu'ils demeureraient seuls. Ils eurent pitié. À contrecœur, ils décidèrent de repartir. Ils démontèrent le temple de Thor pour l'emporter mais laissèrent quelques bêtes aux Skraelings en cadeau d'adieu.

Après leur départ, la fièvre ne cessa pas. Les Skraelings continuèrent à mourir, jusqu'à frôler l'extinction. Les survivants se dispersèrent sur le reste de l'île avec leurs bêtes.

6. Chichen Itza

De Freydis, il faut dire maintenant qu'elle s'en alla vers l'ouest en longeant les côtes avec sa fille Gudrid, ainsi que son mari Thorvard et leurs compagnons. Ils connurent que le pays qu'ils laissaient derrière eux était bien une île et puis, comme à son habitude, Freydis voulut mettre cap au sud. Mais ses compagnons refusaient de naviguer un jour de plus sans savoir où ils allaient, aussi Freydis proposa-t-elle de jeter à la mer les poutres du temple de Thor, de sorte que celles-ci leur indiquent la route à suivre. Elle déclara qu'ils débarqueraient là où Thor ferait aborder les poutres. Dès qu'elles dérivèrent du bateau, les poutres furent poussées vers la terre qui se trouvait le plus à l'ouest, et il parut aux gens du bateau qu'elles se déplaçaient moins lentement qu'on l'aurait attendu. Après cela, la brise de mer se leva ; ils firent voile vers l'ouest devant le cap d'une île qu'ils nommèrent l'île aux Femmes. Puis ils touchèrent une grande terre qu'ils pensaient être la terre ferme et pénétrèrent dans un fjord. Ils virent que celui-ci était démesurément large et long, et bordé de très hautes montagnes de chaque côté. Freydis donna le nom de sa fille à ce fjord. Après cela, ils explorèrent les lieux et découvrirent que Thor avait touché terre avec les poutres sur un promontoire avançant dans la mer au nord de la baie.

Il y avait une rivière peu profonde dans laquelle le knörr put s'engager grâce à son faible tirant d'eau. Ils remontèrent la rivière jusqu'à un village. Il était tard et comme le soleil allait se coucher, Freydis conduisit ses gens sur des bancs de sable sur l'autre rive. Le jour suivant, plusieurs Skraelings arrivèrent en barque ; ils leur apportèrent des poules à tête rouge et un peu de maïs mais à peine de quoi suffire au déjeuner de quelques hommes, et ils leur dirent de prendre ces vivres et de s'en aller. Or, cette fois-ci, les Groenlandais voulaient rester car Thor leur avait désigné cet endroit. Alors les Skraelings revinrent en costume de guerre, armés d'arcs et de flèches, de lances et de boucliers. Les Groenlandais, trop las pour fuir, choisirent de se battre. Mais ils furent vite débordés par la multitude des Skraelings qui blessèrent dix d'entre eux et les firent tous prisonniers.

Ils les auraient massacrés sur place si un fait inattendu ne s'était produit sous leurs yeux. L'un des Groenlandais qui combattaient à cheval tomba de sa monture, ce qui effraya grandement les Skraelings, qui poussèrent des cris. En effet, ils avaient cru que le cavalier et le cheval ne faisaient qu'un. Ils se concertèrent puis ils alignèrent les Groenlandais et les attachèrent ensemble pour les emmener avec eux, ainsi que leur bétail et leurs armes.

Ils traversèrent des forêts et des marécages sous une chaleur écrasante. L'humidité était si forte que les hommes du Nord se sentaient fondre comme neige dans le feu. Puis ils parvinrent à une ville telle qu'ils n'en avaient jamais vu. Il y avait des temples en pierre et des pyramides à plusieurs étages et des statues de guerriers disposées en colonnade, ainsi que d'imposantes têtes de serpents sculptées qui leur rappelaient la proue des knörrs et des langskips, à ceci près que ces serpents-là avaient des plumes.

Ils furent menés dans une arène en forme de H, où se déroulait un jeu de balle. Deux équipes s'affrontaient, chacune dans sa moitié de terrain, se renvoyant une grosse boule faite d'une matière étrange, à la fois souple et dure, qui rebondissait très haut. Le but, à ce qu'ils comprenaient, était de renvoyer la boule dans le terrain adverse en la maintenant en l'air et sans utiliser les mains ni les pieds, mais seulement les hanches, les coudes, les genoux, les fesses ou les avant-bras. Deux anneaux de pierre étaient accrochés aux murs de la fosse, à l'intersection des deux moitiés de terrain, mais il ne fut pas donné aux Groenlandais de connaître leur rôle à ce moment-là. Des gradins permettaient à un large public de suivre la partie. À la fin du jeu, on sacrifiait certains joueurs en leur tranchant la tête.

Douze Groenlandais, dont Freydis et son mari Thorvard, furent jetés dans la fosse. De l'autre côté du terrain, douze Skraelings, vêtus seulement de genouillères et de coudières, leur faisaient face. La partie s'engagea et les Groenlandais, qui n'avaient jamais joué à ce jeu auparavant, voyaient la balle retomber dans leur camp sans pouvoir la renvoyer, ou bien, s'ils y parvenaient, commettaient des fautes en ne respectant pas les règles d'un jeu dont ils ignoraient tout. La peur les gagnait au fur et à mesure qu'ils perdaient car ils comprenaient qu'ils seraient sacrifiés en cas de défaite. Mais soudain la balle heurta l'un des anneaux de pierre, sans toutefois passer dedans, ce qui provoqua un murmure dans le public. Alors Freydis exhorta ses partenaires à viser l'anneau. Et c'est Thorvard, son mari, qui réussit un tir très chanceux en s'aidant de son genou, si bien que la boule s'éleva dans l'air, décrivit un grand arc de cercle et traversa l'anneau, sous la clameur furieuse du public. Tout de suite après, le jeu s'arrêta et les Groenlandais furent déclarés vainqueurs. Le capitaine de l'équipe adverse fut décapité. Mais les Groenlandais ignoraient que dans certains cas exceptionnels, le meilleur joueur de l'équipe gagnante était lui aussi exécuté, ce qu'il devait considérer comme un grand honneur. C'est ainsi que Thorvard, mari de Freydis, eut la tête tranchée sous les yeux de sa femme et de sa fille adoptive, Gudrid, qui pleurait dans les bras de sa mère. Alors Freydis dit à ses compagnons : « Nous sommes à la merci de Skraelings plus féroces que des trolls, et si nous voulons survivre, nous devons nous attirer leurs bonnes grâces en faisant tout ce qu'ils exigeront de nous. » Puis elle déclama une visa :

> *Voici que j'ai appris qu'au sud*
> *Thorvard a connu sa fin sur terre*
> *Cruelle, la norne, pour moi, Odin a choisi*
> *Trop tôt le défenseur des tranchants.*

Et comme son chant s'élevait dans les airs, au grand étonnement des Skraelings, il retomba finalement comme une flèche :

> *Ne va pas me croire furieuse*
> *Je me cherche meilleure occasion.*

Le corps de Thorvard fut cérémonieusement jeté dans un lac au fond d'un gouffre. Les autres Groenlandais furent épargnés mais ils furent d'abord traités comme des esclaves. Certains travaillaient dans des mines de sel à ciel ouvert ou cultivaient du coton tel qu'ils en avaient vu jadis rapporté de Myklagaard par des Suédois, et ces tâches étaient les plus pénibles. D'autres servaient comme domestiques ou étaient affectés aux cérémonies rituelles en l'honneur des nombreux dieux skraelings, au premier rang desquels se tenaient Kukulklan, le serpent à plumes, et Chac, le dieu de la pluie.

Un jour, Freydis s'approcha d'une statue représentant un homme couché appuyé sur les coudes, les genoux repliés, la tête tournée ceinte d'une couronne. Le jarl skraeling au service duquel elle avait été placée lui expliqua avec des signes qu'il s'agissait de Chac, le dieu de la pluie. Alors elle alla chercher un marteau et le déposa sur le ventre de la statue. Elle dit au jarl qu'elle connaissait bien ce dieu sous le nom de Thor. Quelques jours plus tard, un violent orage s'abattit sur la cité. Or, le pays sortait d'une longue période de sécheresse.

Une autre fois, la fille de Freydis, Gudrid, s'amusait avec un jouet skraeling doté de petites roues. Freydis s'étonna que hormis ce jouet, les Skraelings n'eussent pas de chariots ni de charrues. Mais eux ne voyaient pas l'intérêt de si gros véhicules, trop lourds pour être tirés ou poussés par des bras humains. Alors Freydis demanda à ses compagnons de construire un chariot, et qu'on aille chercher une jument qu'elle fit atteler. Les Skraelings furent très contents de cette découverte mais ils le furent encore davantage quand ils connurent qu'une charrue dotée d'un soc en fer et tirée par un cheval ou un bœuf pouvait grandement aider au labourage et accroître la culture du coton. C'est ainsi que Freydis contribua à la prospérité de la cité car celle-ci échangeait son coton avec les cités voisines contre du maïs ou des pierres précieuses.

En témoignage de reconnaissance, ils octroyèrent à Freydis et ses compagnons le droit de boire du chocolat, une boisson mousseuse dont ils faisaient grand cas mais que Freydis trouva amère.

Ainsi, les Groenlandais cessèrent d'être des esclaves et furent traités comme des hôtes. On les autorisa à assister aux jeux de balle et à participer aux cérémonies autour des puits sacrés. Les Skraelings leur enseignèrent la science des étoiles et les rudiments de leur écriture, dont les dessins étaient semblables à des runes mais beaucoup plus travaillés.

Ils purent croire pendant un temps que la fille de Loki les avait enfin oubliés. Mais Hel n'était pas si distraite. Les premiers Skraelings tombèrent malades. On leur fit boire beaucoup de chocolat mais à la fin ils moururent. Freydis savait qu'avant longtemps, ils devineraient que les étrangers avaient apporté la maladie. Elle se hâta d'organiser la fuite du groupe. Par une nuit sans lune, ils quittèrent la cité en emportant leur bétail et prirent la route de la côte pour rejoindre leur navire. La jument qui avait servi d'attelage était grosse et les ralentissait mais ils ne voulaient pas l'abandonner. Au matin, ils entendirent les clameurs dans la cité et ils savaient que les Skraelings allaient se lancer à leur recherche. Ils pressèrent le pas du mieux qu'ils purent. Le knörr les attendait là où ils l'avaient laissé.

Mais les Skraelings du village voisin s'étaient aperçus de leur retour et ils s'étaient mis en tête de les arrêter, alors les Groenlandais embarquèrent aussi vite que possible. Or, la jument enceinte était restée à l'arrière et quand tous furent montés à bord, il ne manquait plus qu'elle, qui avançait péniblement sur la plage. Déjà, les Skraelings avaient surgi en poussant des cris de guerre et ils étaient après elle. Les Groenlandais l'encouragèrent et l'exhortèrent car, même si elle était épuisée, il ne lui manquait que quelques foulées pour atteindre la passerelle. Mais le knörr qui avait attendu jusqu'à l'ultime instant dut larguer les amarres pour ne pas subir l'abordage des assaillants. Les Groenlandais virent des Skraelings attraper la jument par l'encolure, comme ils l'avaient vu faire.

Ils mirent cap au sud sans un mot.

7. Panama

Qui sait combien de lieues parcourut le knörr ? Les Groenlandais ramaient la tête basse quand la mer démontée ne permettait pas de gonfler les voiles sans risquer de chavirer. Les jours succédaient aux nuits. Seuls les mugissements du bétail et le vagissement des nouveau-nés signalaient la vie à bord.

Ils accostèrent sous une pluie battante. Ils étaient sales, hirsutes et affamés. Devant eux se tenait un pays qu'ils pressentaient hostile, quoique verdoyant. Il y avait beaucoup d'oiseaux de toutes sortes qui volaient dans le ciel. Ils en tuèrent plusieurs grâce à leurs arcs. Mais la plupart ne voulaient pas se risquer à explorer un endroit qu'ils craignaient habité par d'autres Skraelings, plus féroces que les précédents. Au contraire, ils étaient d'avis de se ravitailler et, après avoir campé le temps nécessaire pour reprendre des forces, de remettre cap au nord et de rentrer chez eux. Freydis s'y opposait farouchement mais l'un de ses compagnons lui parla en ces termes : « Nous savons tous pourquoi tu refuses de rentrer au Groenland. Tu as peur que ton frère Leif te punisse pour les crimes que tu as commis au Vinland. Je peux te promettre qu'aucun de nous ne dira rien, mais si Leif apprenait quand même ce que tu as fait, tu devrais te soumettre à la sentence de ton frère ou au jugement du thing. »

Freydis garda le silence. Mais au matin, ses compagnons découvrirent le knörr à moitié immergé et renversé sur le flanc. Alors le groupe fut comme frappé d'abattement. Personne n'osa l'accuser ouvertement d'avoir sabordé leur navire mais chacun n'en pensait pas moins. Cependant, elle prit la parole et leur parla ainsi : « Maintenant, vous voyez que la voie de la mer est fermée. Aucun de nous ne retournera au Groenland. Mon père avait nommé ainsi ce pays qu'il avait découvert pour attirer des Islandais comme vous, afin de renforcer sa colonie. En vérité, la terre n'était pas verte mais blanche, la plus grande partie de l'année. Ce soi-disant pays vert n'était pas accueillant comme ici. Regardez ces oiseaux dans le ciel. Regardez ces fruits dans les arbres. Ici, nous n'avons pas besoin de nous couvrir de peaux de bête ni de faire du feu pour nous réchauffer ou de nous abriter du vent dans des maisons de glace. Nous allons explorer cette terre jusqu'à ce que nous trouvions le meilleur emplacement pour fonder notre propre colonie. Car c'est ici qu'est le véritable Groenland. Ici, nous achèverons l'œuvre d'Erik le Rouge. »

Alors certains acclamèrent Freydis mais d'autres restaient silencieux et accablés car ils avaient peur de ce que cette terre leur réservait encore.

8. Lambayeque

Ils traversèrent des marécages, des forêts épaisses comme des écheveaux de laine, des monts enneigés. Ils connurent à nouveau le froid, mais plus personne ne contestait les ordres de Freydis, comme si la perte du knörr, en leur ôtant tout espoir de retour, avait brisé leur volonté.

Ici et là, ils croisaient des Skraelings qui venaient leur échanger des bijoux en or ou en cuivre contre des clous de fer ou des bols de lait frais. Ils découvrirent une mer à l'ouest. Ils firent des radeaux. Plus ils descendaient la côte, plus les bijoux qu'on leur proposait étaient finement ouvragés. Il arriva qu'un Skraeling offrit à Gudrid des boucles d'oreilles représentant un sacrificateur tenant une tête coupée, et cela plut à sa mère. Freydis jugea qu'il était bon de s'installer chez un peuple d'orfèvres. En outre, ces Skraelings cultivaient des champs à perte de vue. Des canaux sillonnaient la plaine. Elle sut que ce pays se nommait Lambayeque.

Les Skraelings reçurent le fer et les bêtes de trait comme des cadeaux de la providence. Ils virent dans les visiteurs des envoyés de Naylamp, leur dieu. Ainsi Freydis fut-elle honorée comme une grande prêtresse, couverte d'or et investie de grands pouvoirs. Ses hôtes lui sacrifièrent des prisonniers avec leurs couteaux rituels dont le manche était à l'effigie de Naylamp et la lame en forme de demi-lune. C'était un peuple de bóndis très habiles pour travailler les métaux. Peu de temps après l'arrivée des Groenlandais, ils forgeaient des marteaux en fer de toute taille. Freydis les fascinait avec ses cheveux rouges.

Cependant, comme elle savait ce qui allait advenir, elle prophétisa qu'une maladie s'abattrait sur eux ; ainsi, quand effectivement ils tombèrent malades et commencèrent à mourir, son crédit s'accrut encore. Elle les incita à sacrifier davantage de prisonniers et à intensifier les récoltes. Les Groenlandais, grâce à leur bétail et à leur connaissance du fer, s'acquirent des positions avantageuses au sein de ce peuple. De plus, comme ils les voyaient épargnés par la maladie, les Skraelings se confortaient dans leur idée qu'ils étaient d'origine divine.

Puis il arriva qu'un Skraeling frappé par la fièvre survécut et se rétablit. Il fut suivi d'un autre et peu à peu, le mal apporté par les étrangers perdit de sa force. Alors les Groenlandais surent qu'ils étaient arrivés au terme de leur voyage.

9. La mort de Freydis

Des années passèrent sans hiver. Les Groenlandais apprirent à creuser des canaux et à cultiver des légumes inconnus, rouges, jaunes, violets, tantôt juteux, tantôt farineux. Freydis devint reine. Elle épousa le jarl d'une ville voisine nommée Cajamarca, et le banquet organisé pour sceller cette alliance fut grandiose. On fit couler à flots l'akha, une bière à base de maïs, et on servit du poisson grillé, de l'al-paga qui était une sorte de mouton élancé, ainsi que des cuys rôtis à la broche, qui étaient comme des lapins duveteux aux petites oreilles, dont la chair était tendre et goûteuse.

Freydis eut encore plusieurs enfants et mourut comblée d'honneurs. Elle fut enterrée avec ses ser-viteurs, ses bijoux et sa vaisselle. Une tiare en or ceignait son front. Un collier à dix-huit rangées de perles rouges recouvrait sa poitrine. Dans une main, elle serrait un marteau de fer, et dans l'autre, un cou-teau demi-lune.

Gudrid avait grandi et, sans avoir les cheveux rouges de sa mère, était parvenue à conquérir une place éminente chez les Lambayeques. Aussi, lorsque de violentes tempêtes balayèrent la région, et que tous se lamentaient à propos des récoltes perdues et des champs inondés, ce fut elle qui convainquit les Skraelings que Thor souhaitait leur dire quelque chose. Pour elle, il ne faisait pas de doute qu'il fal-lait partir et, en digne fille de sa mère, elle entraîna vers le sud un grand nombre de Skraelings et de Groenlandais, désormais unis en un même peuple. On raconte qu'ils trouvèrent un grand lac, mais cette saga n'en dira pas davantage, car nul ne sait de façon certaine ce qui est advenu par la suite.

DEUXIÈME PARTIE

Le journal de Christophe Colomb
(fragments)

Vendredi 3 août

Nous partîmes le vendredi 3 août 1492, à huit heures, de la barre de Saltes. Nous allâmes vers le sud, jusqu'au coucher du soleil, sous un vent vif, pendant soixante milles qui font quinze lieues ; ensuite, au sud-ouest, puis au sud quart sud-ouest, ce qui était le chemin des Canaries.

Lundi 17 septembre

J'espère que le Très-Haut, qui tient en ses mains toutes victoires, très bientôt nous donnera terre.

Mercredi 19 septembre

Le temps est bon et, s'il plaît à Dieu, tout se verra au retour.

Mardi 2 octobre

La mer est toujours étale et bonne. Qu'à Dieu grâces infinies en soient rendues.

Lundi 8 octobre

Grâce à Dieu, l'air est très doux comme en avril à Séville, et c'est plaisir d'être là tant il est parfumé.

Mardi 9 octobre

Toute la nuit, nous avons entendu passer des oiseaux.

Jeudi 11 octobre

À la deuxième heure après minuit, la terre parut, distante de deux lieues.

Vendredi 12 octobre

Nous avons atteint une petite île qui, dans la langue des Indiens, s'appelle Guanahani. Alors sont venus des gens nus, et je me suis rendu à terre, avec Martín Alonso Pinzón, capitaine de la *Pinta*, et Vicente Yañez, son frère, capitaine de la *Niña*.

Arrivé à terre, je pris possession de ladite île au nom de Vos Altesses.

Aussitôt se rassemblèrent là beaucoup de gens de l'île. Moi, afin qu'ils nous aient en grande amitié et parce que j'ai connu qu'ils étaient gens à se rendre et convertir bien mieux à notre Sainte Foi par amour que par force, j'ai donné à quelques-uns d'entre eux quelques bonnets rouges et quelques perles de verre qu'ils se sont mises au cou, et beaucoup d'autres choses de peu de valeur dont ils eurent grand plaisir ; et ils en devinrent si nôtres que c'était merveille.

Il me parut qu'ils étaient gens très dénués de tout. Ils vont nus, tels que leur mère les a enfantés, et les femmes aussi.

S'il plaît à Notre Seigneur, au moment de mon départ, j'en emmènerai d'ici six à Vos Altesses, pour qu'ils apprennent à parler. Je n'ai vu dans cette île aucune bête d'aucune sorte sauf des perroquets.

Samedi 13 octobre

Dès l'aube vinrent à la plage beaucoup de ces hommes, tous jeunes, et tous de belle allure. Ce sont gens très beaux. Leurs cheveux ne sont pas crépus mais lisses et gros comme les crins du cheval.

Ils vinrent à la nef sur leurs barques qui sont faites d'un tronc d'arbre tout d'une seule pièce, et si grandes que dans quelques-unes allaient quarante hommes.

Ils donnaient tout pour n'importe quoi qu'on leur offrît. J'étais très attentif et m'employai à savoir s'il y avait de l'or. À force de signes, je pus comprendre qu'au sud était un roi qui en avait énormément.

Ainsi je décidai d'aller au sud-ouest chercher l'or et les pierres précieuses...

Vendredi 19 octobre

Ce que je veux, c'est voir et découvrir le plus que je pourrai pour revenir auprès de Vos Altesses en avril, si Dieu le veut.

Dimanche 21 octobre

Les bandes de perroquets obscurcissent le soleil.

Je veux partir pour une autre île, très grande, qui doit être Cipango si j'en crois les indications des

Indiens que j'emmène avec moi, laquelle ils nomment Colba.

Mardi 23 octobre

Je voudrais aujourd'hui partir vers l'île de Cuba, que je crois être Cipango, sur les indications que me donnent ces gens sur sa grandeur et sa richesse. Je ne veux pas m'arrêter longtemps puisque je vois qu'il n'y a pas de mine d'or ici.

Mercredi 24 octobre

Cette nuit, à minuit, j'ai levé l'ancre pour aller à l'île de Cuba qui, d'après ce que j'entendis des Indiens, est très étendue, de grand commerce, bien pourvue d'or et d'épices, visitée de grandes nefs et de marchands. Je crois que s'il en est comme me le signifient tous les Indiens – car je ne comprends pas leur langage –, c'est bien là l'île de Cipango dont on conte des choses si merveilleuses et qui, sur les sphères que j'ai vues et sur les peintures des mappemondes, est située en ces parages.

Dimanche 28 octobre

L'herbe est aussi haute qu'en Andalousie au mois d'avril. Je dis que cette île est la plus belle que les yeux aient jamais vue, pleine de très belles et très hautes montagnes, quoique de peu d'étendue. Par ailleurs, le sol a une élévation semblable à celle de la Sicile.

Les Indiens disent qu'il y a des mines d'or dans cette île et des perles. En effet, j'ai vu un lieu propice à la formation de ces dernières et des coquillages qui en sont indice. J'ai cru comprendre que là venaient des navires de fort tonnage appartenant au Grand Khan et que la terre ferme est distante de dix jours de navigation.

Lundi 29 octobre

Pour prendre langue, j'envoyai deux chaloupes à un village. Tous les hommes, femmes et enfants du village s'enfuirent, abandonnant les maisons et tout ce qui s'y trouvait. J'ordonnai qu'on ne touchât à rien. Les maisons avaient la forme de tentes militaires, mais aussi grandes que les pavillons royaux ; elles n'étaient pas disposées en rues, mais de-ci de-là, l'intérieur bien balayé et leurs ustensiles bien arrangés. Toutes ces maisons sont faites de très belles branches de palmier, sauf une qui est très longue avec un toit fait de terre et recouvert d'herbe. Nous y trouvâmes beaucoup de statues à figure de femme et beaucoup de têtes en manière de masques bien travaillés. Je ne sais s'ils ont cela comme ornement ou pour les adorer. Il y avait dans ces maisons des chiens qui n'aboient jamais et de petits oiseaux sauvages apprivoisés.

Il doit y avoir là du bétail parce que j'ai vu des squelettes de têtes qui me semblent être des vaches.

Dimanche 4 novembre

Ces gens sont très paisibles et craintifs, nus comme je l'ai déjà dit, sans armes et sans lois. Les terres sont très fertiles.

Lundi 5 novembre

À l'aube, j'ordonnai de tirer la nef à terre, puis les autres navires, mais non tous ensemble, afin que pour plus de sûreté il en restât toujours deux au mouillage, quoique ces gens soient très sûrs et qu'on pourrait, sans crainte, mettre tous les navires en cale sèche.

Lundi 12 novembre

Hier, six jeunes hommes sur une barque ont accosté la nef ; cinq d'entre eux sont montés à bord. J'ai ordonné de les retenir et je les emmène. Ensuite, j'ai envoyé des hommes à une maison de la rive ouest du fleuve. Ils m'ont ramené six têtes de femmes, filles et adultes, et trois enfants. J'ai fait cela parce que les hommes se comporteront mieux en Espagne, ayant des femmes de leur pays, que sans elles.

Cette nuit, sur une barque, un homme vint à mon bord qui était le mari d'une des femmes et le père de trois des enfants, un garçon et deux filles. Il me demanda de le laisser venir avec eux. À moi, cela me fit grand plaisir. Ils sont maintenant tous soulagés, d'où je conclus qu'ils doivent être tous parents. L'homme a déjà quarante ou quarante-cinq ans.

Vendredi 16 novembre

Les Indiens que j'emmène ont pêché des coques très grosses. Alors j'ai dit à mes gens d'entrer dans l'eau pour chercher s'il y avait des huîtres nacrées, celles où naissent les perles, et ils en trouvèrent beaucoup, mais sans perles.

Samedi 17 novembre

Des six garçons que j'avais pris dans le fleuve des mers en ordonnant qu'ils aillent sur la caravelle *Niña*, les deux plus vieux se sont enfuis.

Dimanche 18 novembre

Je suis sorti une autre fois avec les chaloupes, emmenant beaucoup d'hommes avec moi, pour aller planter la grande croix que j'avais ordonné de faire avec deux pièces de bois, dans un endroit bien en vue et dégagé d'arbres. Elle était très haute et très belle à voir.

Mardi 20 novembre

Je ne veux pas que s'enfuient ceux des Indiens que j'ai pris à Guanahani, car j'ai grand besoin de ces hommes pour les emmener en Castille. Eux sont persuadés qu'une fois l'or trouvé, je les laisserai retourner à leur terre.

Mercredi 21 novembre

Ce jour-là, Martín Alonso Pinzón s'est éloigné avec la caravelle *Pinta*, sans ordre et contre ma volonté, par cupidité, croyant qu'un Indien que j'avais envoyé sur sa caravelle allait lui donner beaucoup d'or. Et ainsi est-il parti sans attendre, sans raison de mauvais temps, mais parce qu'il l'a voulu.

Il m'en a fait et dit beaucoup d'autres.

Vendredi 23 novembre

J'ai navigué tout ce jour vers la terre, toujours au sud, sous peu de vent. Au-delà de ce cap dépassait une autre terre dont les Indiens disent qu'on y rencontre des gens qui ont un œil sur le front et d'autres, appelés cannibales, dont ils ont grand-peur.

Dimanche 25 novembre

Avant le lever du soleil, j'entrai dans une chaloupe et m'en fus voir un cap, car il me semblait qu'il devait y avoir là quelque bon fleuve. En effet, près de la pointe du cap, ayant parcouru deux portées d'arbalète, je vis couler un gros ruisseau d'eau très limpide qui se précipitait à grand fracas du haut d'une montagne. J'allai à ce ruisseau et y vis reluire quelques pierres, pailletées de taches couleur d'or. Je me souvins alors qu'à l'embouchure du Tage, près de la mer, on trouva de l'or et il me paraît certain qu'il doit y en avoir ici. J'ai fait choisir plusieurs de ces pierres pour les porter à Vos Altesses. En regardant vers les montagnes, j'ai vu des pins, si grands, si merveilleux, que je ne peux trop dire sur leur hauteur, qui sont comme des fuseaux énormes et sveltes. Il m'apparaît qu'on peut faire des navires et, sans fin, des planches et des mâts pour les plus grandes nefs d'Espagne. Il y a là des chênes et des arbousiers, et un bon fleuve et un emplacement pour monter des scies à eau.

J'ai vu sur la plage beaucoup de pierres couleur de fer et d'autres que certains disent provenir de mines d'argent, toutes charriées par le fleuve.

Personne, ne l'ayant pas vu lui-même, ne pourra croire ce que j'ai vu ici, et pourtant je peux assurer mes Seigneurs Princes que je n'exagère pas de la centième partie.

J'allai toujours, longeant la côte, pour tout bien voir. Toute cette terre est de montagnes très hautes et très belles, ni arides ni de roches, mais très accessibles et aux vallées magnifiques. Comme les montagnes, les vallées sont aussi remplies d'arbres hauts et frais qu'on a grand-joie à regarder.

Mardi 27 novembre

J'ai vu du côté du sud un très remarquable port que les Indiens nomment Baracoa, et du côté du sud-est des terres merveilleusement belles, riantes plaines ondulées entre ces montagnes. On aperçoit de grandes fumées, de gros villages et des terres bien travaillées. Pour ces raisons, j'ai décidé de descendre en ce port et de rechercher si l'on pouvait s'aboucher avec les habitants et les pratiquer. Après avoir mis la nef au mouillage, je sautai dans une chaloupe pour aller sonder le port et je trouvai une embouchure de fleuve assez large pour une galère. Allant par cette embouchure, ce fut chose si merveilleuse de voir les arbres et la fraîcheur, l'eau si claire, les oiseaux et la douceur des lieux que je crus ne plus vouloir partir d'ici.

Vos Altesses feront construire des villes et des forteresses en ces pays et les gens d'ici se convertiront.

Ici, comme en tous lieux que j'ai découverts et que j'espère découvrir avant mon retour en Castille, je dis que toute la Chrétienté trouvera grand négoce, et spécialement l'Espagne à qui tout doit être soumis.

Mercredi 28 novembre

J'ai décidé de rester dans le port parce qu'il pleut et que le ciel est très couvert. Les gens de l'équipage sont descendus à terre et quelques-uns ont pénétré vers l'intérieur pour laver leur linge. Ils ont trouvé de grands villages mais dont les maisons sont vides car tous les habitants ont fui. Ils sont revenus en suivant un autre fleuve mais un mousse manque à l'appel. Nul ne sait ce qu'il est advenu de lui. Peut-être s'est-il fait enlever par un crocodile ou un lézard de ceux qui peuplent l'île.

Jeudi 29 novembre

Comme il pleut et que le ciel est toujours couvert, je n'ai pas quitté le port.

Vendredi 30 novembre

Nous n'avons pu partir parce que le vent, soufflant du levant, nous était contraire.

Samedi 1er décembre

Il pleut beaucoup et le vent du levant souffle toujours.

Sur des roches vives, j'ai fait planter une croix à l'entrée du port.

Dimanche 2 décembre

Le vent est encore contraire et nous ne pouvons pas partir. À l'embouchure du fleuve, un mousse a trouvé des pierres qui paraissent contenir de l'or.

Lundi 3 décembre

Comme le temps nous était toujours contraire, je résolus d'aller voir un très beau cap, avec les chaloupes et quelques hommes armés. Je pénétrai un fleuve et trouvai une petite crique où étaient cinq très grandes barques que les Indiens appellent canoas. Nous prîmes pied sous des arbres et allâmes par un chemin qui conduisait à un hangar très bien ordonné. Sous cet abri était un autre canoa, fait d'un seul tronc, comme les autres, aussi grand qu'une fuste de dix-sept bancs. Il y avait une forge pour extraire du fer de la tourbe, et au pied du fourneau des paniers contenant des pointes de flèches et des hameçons.

Nous avons gravi une montagne au sommet plat où se trouvait un village. Les habitants, dès qu'ils me virent avec mes gens, se mirent à fuir. Ayant vu qu'ils n'avaient ni or ni autre chose précieuse, je résolus de m'en retourner.

Mais revenus là où nous avions laissé les chaloupes, nous eûmes la surprise et le déplaisir de ne les pas retrouver, ni les canoas. J'en fus très étonné car les gens d'ici ne nous avaient pas habitués à semblable témérité. Au contraire, ils étaient si craintifs et apeurés qu'ils s'enfuyaient presque toujours à notre arrivée ou, quand ils se laissaient approcher, nous donnaient volontiers leurs biens en échange de quelque grelot. Ils m'avaient semblé ne pas connaître la propriété et incapables de s'adonner au vol, car lorsque vous leur demandez un bien qu'ils possèdent, ils ne disent jamais non.

Cependant des Indiens se montrèrent. Ils étaient tous peints en rouge et nus comme leurs mères les avaient enfantés, quelques-uns d'entre eux avec des panaches sur la tête et des plumes, tous avec leurs poignées de sagaies. Ils restaient à bonne distance mais levaient de temps en temps les mains vers le ciel, en poussant un grand cri. Je leur demandai par signes s'ils faisaient là leur prière. Ils me répondirent que non. Je leur dis qu'il fallait nous rapporter les chaloupes. Les Indiens semblaient ne pas comprendre. Je leur demandai où étaient leurs canoas, espérant les leur prendre pour sortir du fleuve et rejoindre la nef.

C'est alors qu'un fait étrange se produisit. Un hennissement déchira le ciel. Les Indiens s'enfuirent.

J'envoyai quatre hommes retrouver les nôtres par la terre pour les avertir de ce contretemps. Mais je résolus pour ma part, avec les gens qui me restaient, de marcher dans la direction d'où était venu le hennissement.

Nous débouchâmes sur une clairière qui me sembla être un cimetière car elle était jonchée de pierres dressées sur lesquelles des inscriptions étaient gravées dans un alphabet inconnu, composé de traits comme des petits bâtons, certains droits, d'autres penchés.

Comme la nuit pointait, j'ordonnai à mes gens qu'on dressât un campement, car il eût été trop périlleux de retrouver notre chemin à pied dans l'obscurité, d'autant qu'étant venus en chaloupes, nous n'avions pas de chevaux avec nous. Je jugeai aussi plus prudent de bivouaquer sans faire de feu. Ainsi nous nous couchâmes, moi et mes hommes, au milieu des tombes, sans avoir à souffrir du froid car la terre était plus tempérée que jamais.

Durant toute la nuit, nous avons écouté des hennissements qui fendaient l'air.

Mardi 4 décembre

Quand le jour parut, je fis dresser une croix au milieu des pierres, faite avec du bois tendre comme de l'orme. Mes gens voulaient creuser sous les stèles pour voir s'il y avait de l'or mais je jugeai plus sage de retourner à la nef sans attendre.

Je longeai le fleuve avec mes hommes mais le chemin était escarpé et à certains endroits nous devions nous tremper dans l'eau jusqu'à la taille pour contourner la végétation qui était très épaisse. Des vautours à tête rouge volaient au-dessus de nos têtes. Les hennissements continuaient à retentir derrière nous, rendant mes gens irritables car ils leur rappelaient que nous étions dépourvus de montures en cette situation. J'essayais de les divertir en leur désignant des cailloux qui brillaient dans l'eau, leur disant qu'il y avait à coup sûr de l'or charrié par cette rivière, ce dont je suis presque convaincu. Je me suis promis de revenir afin de pouvoir en assurer Vos Altesses.

Mais alors que nous avancions difficilement, une flèche vint frapper l'un des nôtres, qui fut tué net. Cela entraîna de la confusion au sein de notre troupe et je dus user de mon autorité pour ramener le calme. Je vous en avise, car il n'est si mauvaises gens que les lâches qui jamais ne risquent leur vie face à face, et vous saurez que si les Indiens trouvent un ou deux hommes isolés, il ne sera pas étonnant qu'ils les tuent. La flèche avait une pointe de fer. Nous nous tînmes alors sur nos gardes, j'ordonnai que chacun se couvre la tête de son casque et vérifiai personnellement si les lacets des plastrons étaient bien serrés.

Mercredi 5 décembre

Comme je ne voulais prendre aucun risque, nous avons cheminé prudemment pour nous frayer une voie dans ce que les natifs d'ici appellent *mangrove*, d'après une sorte d'arbuste qui pousse dans l'eau. (C'est du moins ce que m'a enseigné un Indien que j'avais pris à l'île de Guanahani, à qui l'on apprenait le castillan afin qu'il nous servît de truchement, car il semble que tous parlent et entendent le même langage.) Nous avançons difficilement à cause de la vase mais nous n'avons pas connu d'autre incident. Sur le fleuve, nous avons vu passer le corps d'un homme vêtu comme un chrétien, que nous n'avons pu atteindre, et l'avons laissé dériver au gré du courant.

Demain, par la grâce du Seigneur qui veille continuellement sur nous, nous rejoindrons le port où nous avons laissé la nef, la *Niña*, et tout le reste de l'équipage.

Toutefois, les hennissements retentissent toujours.

Jeudi 6 décembre

Nous nous sommes mis en route avant le lever du soleil car les hommes étaient nerveux et impatients. Lorsque nous sommes arrivés sur la plage, tout était calme, un petit vent de terre soufflait sur le golfe, les vautours à tête rouge volaient dans le ciel, les hennissements avaient cessé.

La nef était encore au mouillage mais la *Niña* n'était plus là.

On pouvait voir circuler un canoa monté par un seul Indien, et c'était merveille que celui-ci pût se tenir sur l'eau parce que le vent soufflait maintenant assez fort. Nous l'appelâmes mais il refusa de s'approcher et nous n'avions aucun moyen de l'atteindre, sans nos chaloupes. J'envoyai alors deux hommes à la nage pour aller jusqu'à la nef. Mais ceux-ci n'avaient pas nagé le tiers de la distance séparant la plage de la nef que des chaloupes furent mises à la mer pour venir à notre rencontre, et ces chaloupes étaient celles qu'on nous avait prises. Nous vîmes que des Indiens étaient à bord, qui m'ont semblé gens plus éveillés et plus entendus que tous ceux rencontrés jusque-là. Ils nous proposèrent par signes de nous ramener à notre vaisseau. Je montai dans l'une des chaloupes avec mes gens. Ces Indiens ont des haches à lame de fer.

De retour à la nef, je fus reçu par un Indien que les autres appelaient *cacique* et que je tiens pour le gouverneur de cette province, au vu du respect que les siens lui témoignent, malgré que tous soient entièrement nus. Chose étrange, je ne trouvai nulle trace de mon équipage. Le cacique m'invita à prendre place sous le château de poupe pour dîner. Quand je fus assis à la table où je mangeais habituellement, il fit signe de la main que les siens restassent dehors, et ainsi firent-ils avec le plus grand empressement et les plus grandes marques d'obéissance. Ils allèrent tous s'asseoir sur le pont, excepté deux hommes d'âge mûr, que je jugeai être ses conseillers, qui vinrent s'asseoir à ses pieds. On me servit des mets de leur confection, comme si j'étais leur invité sur mon propre vaisseau.

La situation ne laissait pas de m'étonner mais je n'en faisais rien paraître, soucieux de représenter avec dignité mes Seigneurs Princes. Je goûtai chaque plat pour faire honneur à mon hôte, et bus un peu du vin qu'ils avaient pris dans mes réserves. J'essayais de savoir où était passé le reste de mon équipage et pourquoi la *Niña* avait repris la mer. Le cacique parlait peu mais ses conseillers me donnèrent l'assurance que demain ils me conduiraient à la caravelle. C'est du moins ce que j'ai compris, car il est dommageable que nous ne puissions pas encore entendre leur langage. Je demandai aussi s'il connaissait les endroits où était l'or, car je crois qu'ils recueillent ici très peu de ce métal, bien que je sache qu'ils sont voisins des terres où il naît et où il y en a beaucoup. Il me parla d'un grand roi nommé Cahonaboa sur une île proche que je pense être Cipango.

Je vis qu'une tenture que j'avais sur mon lit lui plaisait, je la lui donnai, ainsi qu'un très beau collier d'ambre que je portais au cou, une paire de souliers rouges et une fiole d'eau de fleur d'oranger. Il en fut si content que c'était merveille. Lui et ses conseillers avaient grand-peine de ne pouvoir m'entendre et que je ne les comprisse pas. Malgré tout, je savais qu'ils me disaient que demain, je pourrais retrouver mes hommes ainsi que mon bateau.

« Quels grands seigneurs doivent être Vos Altesses, disait-il à ses conseillers, pour de si loin m'avoir envoyé sans crainte jusqu'ici. » Ils se dirent bien d'autres choses que je ne pus comprendre, mais je vis qu'il souriait continûment.

Quand il fut déjà tard, il se retira avec ses gens, en emportant les présents que je lui avais faits, et me laissa dormir dans mon lit.

Vendredi 7 décembre

Notre Seigneur, qui est la lumière et la force de tous ceux qui vont sur la bonne voie, a décidé d'éprouver son plus fidèle serviteur et celui de Vos Altesses.

Au lever du soleil, l'Indien est revenu accompagné de soixante-dix hommes. Avec moult signes et démonstrations, il m'a offert de nous conduire à la *Niña*. Comme il pointait le doigt vers le levant, je mis à la voile et, avec mon équipage réduit, longeai la côte dans cette direction, escorté par des canoas. Les Indiens qui étaient montés à bord nous observaient sans mot dire mais je pouvais deviner qu'ils admiraient la manière dont nous gouvernions un navire plus gros qu'ils n'en avaient jamais vu, malgré que nous fussions à peine en nombre suffisant pour manœuvrer la nef. Encore ignoraient-ils que ce vaisseau pouvait parcourir en un jour plus de chemin qu'eux en sept. Pour ma part, j'étais loin alors de me douter de leur duplicité.

Le cacique nous emmena jusqu'à un village près de la mer, à seize milles de là, où trouvant bon mouillage, je jetai l'ancre devant la plage attenante. Là se tenait la *Niña* qui avait été tirée à terre, ce qui ne laissa pas de nous intriguer, moi et mes hommes. Mais quand nous voulûmes débarquer sur la plage pour aller visiter la caravelle, le cacique et les siens refusèrent absolument de quitter la nef. Désireux de ne point perdre de temps en discussions oiseuses, je choisis d'y laisser trois hommes pour veiller à ce que les Indiens ne dérobent ni ne gâtent rien à bord.

Sitôt débarqués sur la plage, nous fûmes rejoints par cinq cents hommes, nus, le corps peint, armés de haches et de lances. Ces Indiens ne semblaient pas agir comme les autres qui étaient mus par la curiosité et disposés à échanger leurs biens contre des grelots. Au contraire, ceux-là se déployaient pour nous encercler avec autant d'ordre qu'un régiment de lansquenets. Nous étions dos à la mer, la route de la nef coupée par des canoas, et la nef elle-même aux mains du cacique avec ses hommes que nous avions laissés à bord.

Apparurent d'autres Indiens montés à cru sur des chevaux de petite taille, qui étaient armés de lances, entourant un roi dont la monture portait un caparaçon en or et avait si fière allure qu'on ne pouvait douter de la qualité de son cavalier.

Ce roi, auréolé du prestige que l'expérience des années ajoute à l'autorité naturelle, se nomme Béhéchio et il se prétend apparenté au grand roi Cahonaboa dont tout le monde nous parle. (Je suppose qu'il s'agit du Grand Khan.)

Ne voulant laisser paraître ni trouble ni faiblesse, bien qu'à cet instant notre situation ne me semblât pas des meilleures, je m'avançai et, m'adressant au roi, lui signifiai dans les termes les plus solennels que j'étais envoyé par les monarques du plus puissant royaume de la terre, de l'autre côté de l'océan, à qui il devait faire allégeance, et qu'il bénéficierait ainsi de leur protection et mansuétude. Mais je crois que l'Indien qui m'accompagnait pour servir de truchement lui dit comment les chrétiens venaient du ciel et qu'ils allaient à la recherche de l'or car c'est le discours qu'il donnait à chacune de nos rencontres avec les locaux, ne pouvant se départir de cette croyance qui, du reste, nous avait plutôt servis jusque-là.

Puis je demandai où étaient mes gens. Alors sur un signe du roi, on fit venir mes hommes d'équipage (quoique je visse qu'il en manquait) et ceux de la *Niña*, qui étaient tous dans un état lamentable. Je m'indignai vivement de ce que des chrétiens avaient été visiblement si maltraités et je menaçai Béhéchio des représailles les plus terribles, lui assurant que mes maîtres ne sauraient tolérer pareil affront. Je ne sais ce que comprit le roi mais il me répondit en élevant la voix. Si j'en crois mon truchement, il reprochait aux chrétiens d'avoir enlevé plusieurs Indiens contre leur gré, de les avoir arrachés à leurs familles et d'avoir abusé de leurs femmes.

Je lui assurai que c'était pour leur salut que nous les avions pris et que nous avions essayé autant que faire se peut de ne pas séparer les familles, et que si des chrétiens avaient entre-temps abusé de femmes de ce pays, c'était sans mon consentement et qu'ils devraient être châtiés. À ces mots, dont je ne sais comment ils furent traduits par mon truchement ni compris par Béhéchio, celui-ci fit saisir tous ceux des chrétiens qu'il avait déjà fait capturer, ceux de la *Niña* et ceux de la nef qui n'étaient pas avec moi. Ils les ligotèrent en présence de tous les autres. Et au milieu de la place du village, devant tout le monde, ils les attachèrent à des poteaux qu'ils avaient plantés exprès, et leur coupèrent les oreilles.

J'assistai, impuissant, à ce supplice cruel, car les Indiens étaient trop nombreux et trop bien armés pour que nous puissions tenter quoi que ce soit sans l'assurance de nous faire massacrer.

Enfin Béhéchio nous fit signe de nous en aller, moi et le groupe avec lequel j'étais venu. Je répondis hautement que jamais nous ne laisserions des chrétiens en aussi mauvaise posture entre les mains de païens ignorant tout du Salut et de la Sainte Trinité. Il consentit à ce que nous détachions nos frères infortunés mais quand nous voulûmes reprendre possession de nos bateaux, ses gardes nous barrèrent l'accès à la mer et à la caravelle sur la plage. Il me dit par signes que pour retourner au ciel d'où nous venions, il n'était nul besoin d'un navire.

Nous n'eûmes d'autre choix que de nous enfoncer dans la forêt avec nos blessés, privés de nos chevaux.

Nous sommes trente-neuf.

Dimanche 16 décembre

Le Seigneur, qui est la sagesse et la miséricorde incarnées, nous a envoyé cette épreuve mais n'a pas cru bon de nous abandonner.

Après avoir longtemps erré dans la forêt, nous avons trouvé d'autres villages, presque tous désertés par ces Indiens qui sont lâches et ne nous affrontent que par grande peur. Pour notre salut, il y avait quantité de vivres qu'ils avaient laissés et aussi des maisons rondes où soigner nos blessés.

Vicente Yañez, capitaine de la *Niña*, souffre durement de ses blessures aux oreilles, ainsi que tous les autres mutilés. Leurs plaies noircissent et certains sont morts.

Ils ont appris que Béhéchio venait du même pays que Cahonaboa, et qu'il avait été appelé par les habitants d'ici pour nous chasser. Je ne sais pourquoi ils nous haïssent car nous ne leur avons fait aucun tort et j'ai toujours veillé à ce qu'ils soient bien traités.

Des Indiens embarqués sur les chaloupes qu'ils nous avaient volées s'étaient rendus maîtres de la nef par surprise, en tuant ou en faisant prisonniers les membres de l'équipage. Les quatre hommes que j'avais envoyés pour avertir les gens de la nef n'étaient jamais arrivés. Ceux de la nef qui avaient survécu à l'attaque m'ont certifié que les Indiens qui les avaient subjugués étaient très bien armés.

Voyant cela, le capitaine de la *Niña*, entouré par une nuée de canoas et craignant un abordage, avait pris la fuite et trouvé refuge dans le port où le cacique nous avait ensuite emmenés, mais là, il avait été subverti par les villageois. Qui aurait pu suspecter pareille fourberie de la part de gens allant nus ?

Maintenant, j'ai ordonné de faire une tour et une forteresse, avec grand soin, et un grand fossé. Vicente Yañez et d'autres se lamentent et disent que nous ne reverrons plus l'Espagne de notre vivant. Si nous parvenions à reconstituer nos forces et récupérer nos armes, je tiens au contraire pour certain qu'avec les hommes qui me restent et le renfort de Martín Alonso Pinzón, quand celui-ci daignera se souvenir de l'obéissance qu'il me doit et reviendra de son escapade, je subjuguerai toute cette île qui est, je crois, plus grande que le Portugal et a une population double, mais nue et d'une couardise sans remède, n'était-ce l'armée de ce Béhéchio. C'est pourquoi j'ai dans l'idée de prendre Béhéchio par la ruse, afin de récupérer nos navires, nos armes, et nos vivres.

En attendant, il est sage que cette tour soit faite et qu'elle soit comme doit être un fort car pour l'heure, nous ne disposons que de nos épées, de quelques arquebuses et d'un peu de poudre.

Mardi 25 décembre, jour de la Nativité

Il est advenu un terrible malheur.

La nef mouillait toujours dans le port du village où nos compagnons d'infortune avaient été suppliciés. Or, ce matin, l'un de mes gens que j'avais envoyés chasser afin d'assurer le ravitaillement du fort s'est présenté à moi dans la plus grande confusion pour me dire qu'il avait vu de loin la nef se mettre en branle. La nouvelle fit grand effet sur mes hommes qui vivaient dans l'espoir de récupérer ce navire, ainsi que l'autre resté à terre, pour retourner en Castille.

J'avais laissé trois de mes gens à bord lors de notre rencontre avec le roi Béhéchio et s'ils n'avaient pas été tués, peut-être avaient-ils pu se libérer et s'emparer du navire. Ou bien les Indiens voulaient-ils s'essayer à le faire naviguer.

Pour en avoir le cœur net, nous sommes montés sur un cap de rochers assez élevé qui offrait une vue dégagée sur le port.

En effet, la nef s'était ébranlée et semblait vouloir quitter la crique mais elle dérivait dangereusement vers un banc rocheux. Qui que ce fût qui était aux commandes, on voyait qu'il ne parvenait pas à barrer correctement.

La nef se rapprochait du banc inexorablement. Consternés par ce spectacle lamentable, nous poussions de grands cris d'effroi. Quand à la fin elle vint à heurter le banc, et qu'il nous sembla entendre le craquement des coutures, une même plainte s'échappa de nos poitrines.

La nef échouée, même si d'aventure Martín Pinzón revenait avec la *Pinta*, nous n'aurions plus assez des deux caravelles pour tous rentrer chez nous.

C'est une grande épreuve que m'inflige Notre Seigneur en ce jour anniversaire pourtant béni entre tous. Je ne dois pas douter de ses desseins et tiens pour certain que, personne ne pouvant prétendre à plus de ferveur que moi quand il s'agit de servir notre Maître à tous, il ne m'abandonnera pas.

Mercredi 26 décembre

Rendus fous de douleur et enragés par la perte de la nef, sans que je puisse dire ou faire quoi que ce soit pour contenir leur fureur, mes hommes sont partis sur le lieu du naufrage. Ne trouvant personne autour de l'épave, ils allèrent aux réserves et vidèrent autant de poudre et de vin qu'ils pouvaient en transporter puis, davantage excités encore par le spectacle désolant du navire fracassé, ils se rendirent sur la plage où était la caravelle, décidés à en découdre. Mais l'armée de Béhéchio n'était plus là ; alors, s'abandonnant complètement à leur fureur, ils massacrèrent tous les villageois présents jusqu'au dernier, hommes, femmes, enfants, aux cris de « Santiago ! Santiago ! », puis ils pillèrent et brûlèrent le village. C'est un acte condamnable qu'ils commirent là mais je dirai pour leur défense que la vue de ce lieu avait ravivé le souvenir de leur supplice.

Leur colère apaisée, ils déchargèrent autant de choses qu'ils purent des réserves de la *Niña*, sans la remettre à la mer, car cela aurait nécessité beaucoup de temps et de travail, et ils craignaient le retour de Béhéchio. Les armes qu'ils avaient récupérées et surtout les tonneaux de vin furent salués par des vivats. En revanche, nous n'avons toujours pas de chevaux.

Le soir venu, on organisa un banquet pour fêter la victoire, car c'en était une, puisque notre situation qui nous semblait désespérée hier après la perte de la nef s'était maintenant rétablie quelque peu, grâce en soit rendue à Notre Seigneur.

Lundi 31 décembre

Six de mes hommes qui étaient sortis du fort afin de pourvoir à l'approvisionnement en eau et en bois sont tombés dans une embuscade et ont tous péri. Un Indien à cheval s'est avancé jusqu'à l'entrée de la forteresse pour y déposer des paniers contenant les têtes de ces chrétiens infortunés.

J'ai ordonné qu'on fortifie très bien nos défenses car je tiens pour certain que Béhéchio va venir à nous.

Mardi 1er janvier 1493

Trois hommes qui étaient partis chercher de la rhubarbe que je comptais rapporter à Vos Seigneuries ont été attaqués par des cavaliers. C'est miracle que l'un d'entre eux ait pu en réchapper en se cachant dans la montagne, là où les chevaux ne pouvaient le suivre.

Mes gens sont nerveux car ils redoutent la venue de Béhéchio, qu'ils jugent inévitable, tout comme moi.

Mercredi 2 janvier

Plus personne n'ose sortir du fort, par crainte des embuscades et d'être dévoré car mes hommes se sont mis en tête que les Indiens mangeaient de la chair humaine. Il est vrai qu'ils sont d'une extrême cruauté lorsqu'ils ont remporté la victoire sur leurs ennemis, et ils coupent les jambes aux femmes, et jusqu'aux enfants.

Je veille beaucoup nuit et jour, au point que je ne peux trouver le sommeil, et ces trente derniers jours, je n'ai pas dormi plus de cinq heures, et lors des huit derniers, je n'ai dormi que la durée de trois ampoulettes de sablier d'une demi-heure chacune, si bien que j'en suis resté à moitié aveugle, et à certaines heures de la journée, complètement.

Fort heureusement, nous avons des graines et des bêtes qui se sont très bien accoutumées à la terre de ce pays. Toutes les graines de potager ont une croissance prospère, et il y a même des légumes qui donneront deux récoltes si on les sème, ce que j'assure au sujet de tout autre fruit, cultivé ou sauvage : si bon est l'aspect du ciel et la saveur de la terre. Le bétail et la volaille se multiplient que c'est merveille, et merveille aussi de voir comme les poules grandissent : tous les deux mois, elles font des poussins, et en dix ou douze jours, les poussins sont bons à manger. Quant aux porcs, issus de treize femelles que j'ai apportées, il y en a tant qu'ils errent à l'état sauvage dans les bois, se mêlant à ceux d'ici, mais nous ne pouvons plus en profiter à cause des Indiens qui rôdent dehors.

Notre dernier truchement s'est enfui.

Jeudi 3 janvier

Le siège a commencé. Ce matin, Béhéchio est apparu avec son armée, monté sur son cheval à caparaçon d'or.

Dans la façon de faire de cet Indien, chacun peut voir qu'il se conduit de grande manière comme un guerrier, et qu'il a de nombreuses troupes ordonnées de la même façon et avec tant de jugement que si cela se passait en Castille ou en France.

Vendredi 4 janvier

Nous avons de l'eau et de la nourriture en quantité suffisante pour tenir un siège mais mes hommes savent que la forteresse n'est pas assez solidement bâtie pour résister à une attaque.

Que Dieu, en sa grande miséricorde, ait pitié de nous.

Samedi 5 janvier

Du haut de la tour, on peut observer les troupes de Béhéchio en train de manœuvrer. À voir sa cavalerie et ses régiments de fantassins se mettre en ordre de bataille, nous ne pouvons douter que l'assaut soit imminent.

Mais Dieu, qui ne nous a jamais abandonnés, nous a envoyé un miracle, en la personne de Martín Alonso Pinzón, car du haut de cette même tour, mes hommes ont vu la *Pinta* poindre à l'horizon.

Cette apparition miraculeuse nous a redonné une force et un moral extraordinaires. Nous tenterons une sortie demain à la première heure, et avec l'aide de Dieu nous gagnerons la côte pour rejoindre Martín Pinzón et la *Pinta*, ou bien nous mourrons en combattant.

Il ne me reste plus qu'à recommander nos âmes au Dieu éternel, Notre Seigneur, qui apporte la réussite à ceux qui suivent sa voie en dépit des obstacles apparents.

Dimanche 6 janvier

Au matin, nous sommes sortis en rangs serrés, les arquebusiers et les arbalétriers devant, les blessés derrière, avec pour seule artillerie un fauconneau que mes hommes avaient pris sur la nef. Nous n'étions pas trente hommes valides mais déterminés à lutter jusqu'à notre dernier souffle.

Dehors, ils étaient plus de mille Indiens à nous attendre, les cavaliers en tête, les fantassins derrière et répartis sur les flancs, tous porteurs de leurs flèches, qu'ils tiraient avec leur fronde beaucoup plus vite qu'avec un arc. Ils étaient tous barbouillés de noir et peints de couleurs avec des flûtes, et des masques et des miroirs de cuivre et d'or sur la tête, et ils poussaient des cris épouvantables, comme ils ont coutume de le faire, à intervalles réguliers. Béhéchio, monté sur son cheval doré, avait établi son camp sur un gros tertre à deux tirs de nos arbalètes, et de là il gouvernait ses armées.

Une partie d'entre nous avaient pour tâche d'attendre les chevaux en terrain découvert et de prendre les cavaliers à la jambe pour les renverser car ils montaient sans selle et sans étriers, mais c'était une action très périlleuse et bien qu'ils eussent mis leur idée à exécution, presque tous furent tués.

Cependant nos arquebuses fauchèrent une partie de leur cavalerie et notre fauconneau nous permit d'opérer une trouée dans leurs rangs. Nous perdions des hommes, transpercés par leurs flèches et écrasés par leurs chevaux, mais nous faisions aussi beaucoup de tués chez les païens et quoique ce ne fût pas la première fois que nous utilisions nos armes à feu sur cette île, le bruit de tonnerre produit par le fauconneau et les arquebuses sema la confusion dans le camp d'en face, ce qui nous offrit un répit salvateur pour dévaler le chemin qui menait à la côte (car nous avions construit le fort sur les hauteurs).

Arrivés à la plage où mouillait la *Pinta*, plus morts que vifs mais courant pourtant à en perdre le souffle, poussés par les hurlements des ennemis comme par les flammes de l'enfer, nous avions déjà de l'eau jusqu'aux genoux, prêts à franchir à la nage les quelques pieds qui nous séparaient de notre salut – c'est du moins ce que nous croyions alors – quand apparut sur le pont de la *Pinta*, au côté de Martín Alonso Pinzón qui se tenait immobile comme une statue et pâle comme un spectre, un homme coiffé d'une couronne en plumes de perroquet ornée de plaques d'or, le visage dissimulé par un masque de bois sculpté, aux yeux, aux narines et à la bouche également bordés d'or, dont la haute silhouette et le port altier ne nous laissèrent aucun doute en nous ôtant tout espoir : c'était Cahonaboa, roi de Cipango.

J'ai dit que Béhéchio en imposait et qu'on devinait immédiatement sa qualité royale à son air noble, plein d'une supériorité sans arrogance, mais ce n'est rien à côté du nouvel arrivant, que le vieux roi salua avec la plus extrême déférence, genou au sol et baisant la terre.

Cahonaboa est venu accompagné de son épouse, la reine Anacaona, sœur de Béhéchio, dont la beauté et la grâce n'ont pas d'égales parmi les Indiennes qui comptent déjà nombre de splendeurs.

Quant à nous, pauvres chrétiens, nous fûmes désarmés et emprisonnés, et nos blessés achevés.

Par égard pour nos rangs respectifs de capitaine et d'amiral, Martín Alonso et moi fûmes séparés de nos hommes et invités sous la tente du roi. Vicente Yañez, capitaine de la *Niña* et frère de Martín Alonso, nous aurait rejoints s'il avait survécu à la bataille.

Cahonaboa, tout comme Béhéchio, nous reproche d'avoir pris des Indiens de son peuple et abusé des femmes, ce qu'il tient pour un grand crime. En tant qu'amiral et chef de cette expédition, bien qu'ayant toujours ordonné qu'on traite les gens d'ici avec douceur, j'étais tenu pour responsable des offenses que Martín Alonso et d'autres mutins avaient pu commettre. Or, je ne leur ai jamais fait aucun mal, et je n'ai usé de cruauté envers personne.

Quoi que le Créateur de toute chose réserve à son humble serviteur, je ne souffrirai plus l'injure de malveillantes gens de peu de vertu, qui prétendent insolemment imposer leur volonté contre celui qui leur donna tant d'honneur.

Sitôt Martín Alonso débarqué avec ses hommes sur l'île qui jouxte la Juana (qui est le nom que j'ai donné à l'île de Cuba) et qui doit être Cipango, ceux-ci, à la recherche d'indications pour trouver l'or, ont pris par force quatre Indiens adultes et deux jeunes filles, mais se sont fait aussitôt assaillir par l'armée de Cahonaboa, qui était telle que les chrétiens furent défaits promptement et la plupart furent tués sur place. Ainsi Dieu punit-il l'orgueil et la déraison. Toutefois, Martín Alonso et six de ses hommes furent épargnés, sur les vingt-cinq qui constituaient son équipage.

Des soixante-dix-sept chrétiens qui partirent de Palos, il ne reste plus que douze âmes, et Martín Alonso.

Mercredi 9 janvier

Voici trois jours que les Indiens dansent au son des flûtes, des tambourins et des chants. Ces festivités semblent ne jamais devoir s'achever, tandis que nous, chrétiens, sommes plongés dans l'affliction la plus profonde, car nul doute que c'est notre défaite que les Indiens célèbrent. Un spectacle surtout est venu aviver notre douleur. Aux fins de divertir les époux royaux, Béhéchio a souhaité leur offrir une reconstitution de la bataille durant laquelle nous autres de la forteresse avons été vaincus. Pour cette mise en scène, le vieux cacique nous a dépouillés de nos vêtements et les a fait revêtir aux Indiens qui devaient jouer notre rôle, si bien que nous sommes désormais nus comme les gens d'ici. Il nous a fallu aussi leur enseigner comment tirer à l'arquebuse, et quoique le bruit les effrayât encore un peu, ils se réjouissent hautement du tonnerre qu'ils déclenchent avec nos armes. Des cavaliers se sont déployés autour des Indiens habillés en chrétiens et tandis que ces derniers mimaient la peur et tiraient en l'air, les Indiens montés à cheval ont multiplié les arabesques les plus gracieuses. Puis ceux qui jouaient les chrétiens se sont dispersés dans une retraite désordonnée tandis que ceux qui montaient à cheval les pourchassaient en faisant mine de les sabrer.

Notre seul réconfort vient de la reine Anacaona qui déclame et chante des poèmes, et bien que le sens nous en échappe à peu près totalement, il n'est pas un chrétien qui ne soit ensorcelé par sa beauté et sa voix. L'épouse de Cahonaboa est la sœur de Béhéchio, comme je l'ai dit, et semble jouir d'une considération extraordinaire auprès des Indiens, non pas seulement en raison de sa royale parentèle et de sa beauté, mais aussi pour ses talents de poète renommé et admiré de tous.

Son mari le roi qui assiste à toutes ces réjouissances en tire un plaisir manifeste mais jamais autant que quand Anacaona occupe la scène.

Espérant profiter de ses bonnes dispositions, nous le suppliâmes de nous rendre nos vêtements ou bien de nous donner la mort, mais il refusa l'une et l'autre de ces demandes.

Jeudi 10 janvier

Le roi Cahonaboa désire en savoir plus sur le pays d'où viennent les chrétiens, c'est pourquoi il a souhaité s'entretenir avec moi, en présence de la reine Anacaona et du cacique Béhéchio. Il a pour m'entendre un truchement qu'il avait pris à Martín Alonso. Il m'a reçu vêtu d'une chemise, d'une ceinture, d'un capuchon et d'une toque qui m'appartiennent, tandis que je vais toujours nu.

Ainsi ai-je pu leur parler de Vos Altesses Sérénissimes à la tête du plus grand royaume de la terre, et aussi de la vraie religion et du vrai Dieu, Notre Seigneur qui est au Ciel. J'étais désireux de leur exposer les mystères de la Sainte Trinité et j'ai constaté que la reine et son frère m'écoutaient avec beaucoup d'intérêt.

Je leur ai juré qu'il n'existe plus grand honneur sur terre que de servir des souverains tels que Vos Altesses, que le baptême saurait les garantir de l'enfer après leur passage terrestre et que seule la vraie foi leur donnerait la vie éternelle.

Je leur ai proposé de venir avec nous en Castille pour se jeter aux pieds de Vos Altesses, leur garantissant qu'ils seraient reçus avec tous les égards dus à leur rang. Cahonaboa s'est montré intéressé surtout par nos forts, nos bateaux et nos armements, mais j'ai vu que mes propos avaient touché sa belle épouse.

Vendredi 11 janvier

Cahonaboa est reparti avec son armée, laissant sa femme et son frère veiller sur nous et sur la région, ce qui est une très bonne nouvelle, car je pense qu'eux seront plus facilement convaincus de nous laisser libres et de se convertir.

Martín Alonso n'est pas de mon avis et veut faire évader nos hommes pour embarquer sur la *Pinta* qui mouille encore dans la crique.

Samedi 12 janvier

Aujourd'hui, j'ai longuement entretenu la reine de Notre Seigneur Jésus-Christ et celle-ci a accepté de dresser une croix sur la place du village où nous demeurons. Son frère m'a invité à partager la *cohiba* – ainsi appellent-ils ces feuilles séchées qu'ils font brûler dans des cannes creuses pour en aspirer la fumée.

Martín Alonso est malade.

Dimanche 13 janvier

La reine étant femme, je lui ai décrit les bijoux et les robes qu'on porte à la cour du royaume de Castille et j'ai vu l'éclair de la convoitise briller dans ses yeux comme dans ceux d'une enfant.

Nous sommes bien nourris et dormons dans des hamacs mais Martín Alonso se plaint de douleurs dans tout le corps. Il dit qu'il refuse de mourir ici et ne pense qu'à retrouver son navire.

Lundi 14 janvier

Martín Alonso brûle d'une fièvre maligne qui fait craindre pour sa vie. Je tiens pour très probable, après l'avoir observé, qu'il a contracté ce mal en commerçant avec des Indiennes. Il est au désespoir de ne plus jamais fouler terre chrétienne.

Comme son nom signifie « Fleur d'or » dans son langage, j'ai proposé à Anacaona de devenir doña Margarita.

Mardi 15 janvier

Le diable s'est emparé du corps et de l'esprit du capitaine.

Tandis que nous étions invités tous deux, comme chaque jour, à partager le déjeuner de Béhéchio (car jusqu'à maintenant celui-ci ne nous avait donné aucun motif de nous plaindre, à part le fait d'être obligés d'aller nus comme lui), Martín Alonso, consumé par la fièvre, s'est saisi d'un couteau et a tué le vieux cacique d'un coup porté à la gorge. Puis il a obligé la reine à faire libérer nos compagnons sous la menace de sa lame, leur a fait donner à chacun un cheval et s'est enfui avec ceux en état de monter. Le pauvre fou espère ainsi rejoindre son navire. Mais en agissant ainsi, je sais, moi, qu'il nous a tous condamnés.

Mercredi 16 janvier

Les Indiens pleurent leur roi mort. La reine, endeuillée par la perte de son frère, bien loin de songer maintenant au baptême, ne parle plus que de vengeance. La croix qu'elle avait fait dresser a été démontée et brûlée.

Pour ma part, je jure de prendre l'habit des frères mineurs si par miracle je devais un jour revoir la Castille, bien qu'au vu de cette succession d'infortunes, il semble manifeste que le Très-Haut me réserve d'autres desseins. Toutefois, je supplie humblement Vos Altesses, s'il plaît à Dieu de me sortir d'ici, de trouver bon que j'aille à Rome et d'autres pèlerinages. Que la Sainte Trinité garde et augmente vos vies et votre puissance.

Lundi 4 mars

Maintenant, je peux dire avec certitude qu'il ne m'en fera pas d'autres.

Cahonaboa est revenu, avec la tête de Martín Alonso et celles des chrétiens qui l'avaient suivi dans sa folle échappée. Ainsi périssent les hommes de mauvaise vie.

La *Pinta*, sur les ordres du roi, a été tirée à terre. J'ai donné à la baie où elle mouillait hier encore le nom de « baie du Pèlerin Perdu », eu égard à ma condition présente et en souvenir de mon sort funeste.

Pour moi, il n'est plus question de jamais rentrer en Espagne et Vos Altesses n'ont plus qu'à oublier le pauvre fou qui leur avait promis les Indes.

Sans date

À force de scruter la mer dans l'espoir insensé de voir une voile poindre à l'horizon, mes yeux me font souffrir terriblement et ma vue s'obscurcit. Je sais bien pourtant que mon échec dissuadera Vos Altesses, me croyant englouti dans les abysses, d'envoyer quiconque sur la mer Océane, désormais.

Sans date

Une autre peine m'arrache le cœur par les épaules. C'est la pensée de don Diego, mon fils, que j'ai laissé en Espagne, orphelin, et dépossédé de mon honneur et de mes biens, en dépit que j'aie pour assuré que des princes justes et reconnaissants lui restitueraient tout et au-delà, si j'avais pu retourner de mon voyage chargé du centième des trésors de cette terre d'abondance.

Sans date

L'île de Juana ou Cuba, qui est à peu près aussi longue que la distance de Valladolid à Rome, est aujourd'hui presque entièrement soumise à Cahonaboa. Grâce en soit rendue à la bonté de sa femme, on me tolère et on me nourrit parmi leurs gens, dont j'ai appris qu'ils se nommaient entre eux Taïnos, mais leur roi n'appartient pas à cette tribu car il est venu jadis des Caribes, ce qui explique sans doute sa complexion supérieure, sa disposition à régner et sa grande férocité au combat.

Sans date

Le peu de gens qui me restaient étaient très malades et tous dans l'affliction. Le dernier est mort ce matin et me voilà seul au milieu de ces sauvages. Quel mortel, excepté Job, ne serait mort de désespoir avec eux ? Je ne sais pourquoi le Seigneur prolonge ainsi ma misérable existence.

Je vais nu, comme un chien errant, presque aveugle, sans plus personne qui fasse attention à moi. Seule la fille d'Anacaona me témoigne l'intérêt que les enfants portent parfois aux vieillards qui leur content des histoires. Chaque jour, elle vient me voir pour que je lui raconte la grande Castille et ses monarques illuminés de gloire.

Sans date

C'est merveille comme la petite Higuénamota apprend vite le castillan, qu'elle comprend très bien et dont elle sait déjà répéter des tournures, pour le plus grand amusement de sa mère.

Aux yeux de la reine, je ne suis rien de plus qu'un bouffon juste bon à divertir sa fille.

Sans date

À défaut de Vos Seigneuries qui n'en auront pas l'occasion, puisque le Maître de toute chose en a décidé autrement, je supplie Notre Père de sauver tous mes écrits pour que mon tragique destin soit connu un jour, et comment je suis venu servir ces princes, de si loin, laissant femme et enfants, que jamais je n'ai revus à cause de cela, et comment maintenant à la fin de ma vie, je suis dépouillé de mon honneur et de mes biens, sans cause, sans qu'il y ait là procès ni miséricorde. Je dis « miséricorde » mais que l'on n'entende pas cela pour Leurs Altesses, car ce n'est pas leur faute, ni celle du Seigneur, mais de méchantes gens dont j'ai eu le malheur de m'entourer, et qui m'ont conduit à ma perte après la leur, dans ces terres désertées par Dieu.

Sans date

L'heure approche où mon âme va être rappelée à Dieu, et si je suis sans doute déjà oublié de l'autre côté de la mer Océane, je sais qu'il est au moins une personne qui se soucie encore de l'amiral déchu, et que la petite Higuénamota, qui sera reine un jour, ma dernière consolation ici-bas, sera auprès de moi pour me fermer les yeux. Dieu veuille que pour son salut, elle embrasse notre foi en souvenir de moi.

Sans date

Je suis aussi misérable que je le dis. J'ai pleuré jusqu'à ce jour sur les autres : que le ciel maintenant me reçoive en miséricorde, et que la terre pleure sur moi. Au chapitre du temporel, je n'ai pas seulement un blanc pour l'offrande. Au spirituel, je suis venu ici, aux Indes, de la façon que j'ai dite. Isolé dans ma peine, malade, attendant chaque jour la mort, entouré d'un million de sauvages pleins de cruauté et qui nous sont ennemis, je suis si loin des saints sacrements de la Sainte Église que mon âme en sera oubliée si elle doit ici se séparer de mon corps. Que pleure sur moi qui est pénétré de charité, de vérité et de justice. Je n'ai pas fait ce voyage pour y gagner honneur et fortune ; c'est la vérité, car de cela, déjà, tout espoir m'était mort. Je suis venu à Vos Altesses avec une intention pure et de grands zèles, et je ne mens pas.

TROISIÈME PARTIE

Les chroniques d'Atahualpa

1. La chute du condor

Pour nous qui les contemplons longtemps après que l'histoire du monde a rendu son verdict, les augures semblent toujours d'une clarté implacable. Mais la vérité du présent, quoique plus brûlante, plus bruyante et pour tout dire plus vivante, s'offre bien souvent dans une forme plus confuse que celle du passé, ou parfois même de l'avenir.

C'était la fête solennelle du Soleil et Huayna Capac, onzième Sapa Inca de l'Empire des Quatre Quartiers, pouvait être satisfait. Des contrées sauvages de l'Araucanie aux altitudes de Quito, dont il avait fait sa résidence favorite (à défaut de sa capitale, car le cœur de l'empire était et devait rester à Cuzco), il avait étiré son règne aussi loin qu'il était possible (croyait-il), arrêté seulement par les cordes épaisses de la forêt et par le coton dans le ciel. Les fressures des lamas éventrés palpitaient encore et les poumons arrachés se gonflaient d'air quand les prêtres soufflaient dans les trachées. Or donc, les carcasses des bêtes sacrifiées grillaient à la broche en vue du banquet et l'on s'apprêtait à trinquer selon l'ordre protocolaire, quand surgit dans le ciel un condor poursuivi par une escouade de petits rapaces – busards, harpies, faucons – qui le harcelaient sans relâche. Et le condor à bout de forces, ployant sous les coups de bec et les agaceries de ses chasseurs, se laissa choir sur la grand-place au beau milieu de la cérémonie, provoquant vive impression dans l'assistance. Huayna Capac se leva de son trône et ordonna qu'on l'aille examiner. Aussitôt on vit qu'il était malade et non pas seulement à l'agonie en raison des blessures que lui avaient infligées ses poursuivants, mais galeux, déplumé sur le corps et couvert de pustules.

L'Inca et les siens considérèrent cet événement comme un bon présage : les devins appelés pour la circonstance y virent l'augure de la conquête d'un grand empire situé dans des contrées lointaines. Aussi Huayna Capac, sitôt achevée la fête du Soleil qui devait durer neuf jours, reprit-il la tête de son armée pour aller plus au nord, à la recherche de nouveaux territoires à conquérir.

Il dépassa Tumipampa, il dépassa Quito et il assujettit quelques nouvelles tribus à Tahuantinsuyu, l'Empire des Quatre Quartiers.

Mais un jour qu'il allait sur un chemin avec sa suite, on raconte qu'il croisa un voyageur solitaire qui avait les cheveux rouges, à qui il demanda hautement de s'effacer pour lui céder le passage. On dit que son ton déplut au voyageur, qui refusa, ignorant l'identité de son interlocuteur. La discussion s'envenima, l'homme aux cheveux rouges le frappa à la tête avec son bâton, et l'empereur s'écroula, mortellement blessé. Son fils aîné Ninan Cuyochi, en voulant lui venir en aide, fut tué de la même façon. On prétend que le voyageur aux cheveux rouges était un fils que l'Inca avait eu jadis avec une prêtresse de Pachacamac, mais personne n'entendit plus jamais parler de lui.

Alors l'Empire échut à un autre de ses fils nommé Huascar. Toutefois, avant de mourir, Huayna Capac avait formulé ce vœu : que Huascar lui succédât sur le trône de Cuzco, mais qu'il laissât gouverner les provinces du Nord par son demi-frère Atahualpa, le fils qu'il avait eu d'une princesse de Quito et pour lequel il avait toujours témoigné la plus grande affection.

Pendant plusieurs récoltes, Huascar et Atahualpa se partagèrent ainsi Tahuantinsuyu. Mais Huascar était doté d'un tempérament obsidional, jaloux, colérique. Au surplus, certains seigneurs de Cuzco complotèrent contre lui, parce qu'il voulut interdire le culte des momies, qu'il jugeait trop onéreux. Sous un prétexte fallacieux, estimant qu'Atahualpa lui avait manqué de respect en refusant de se déplacer pour venir lui présenter ses hommages, Huascar lui déclara la guerre. Pour l'humilier, il lui envoya des vêtements de femme ainsi que du maquillage. Alors Atahualpa, qui était aimé des généraux de son père, leva une armée et marcha sur Cuzco.

L'armée de Huascar était plus nombreuse, mais celle d'Atahualpa était menée par des chefs de grande valeur, qui commandaient à des hommes bien entraînés. Le général Quizquiz, le général Chalco Chimac, le général Ruminahui remportèrent de sanglantes batailles qui les menèrent aux portes du Cuzco. Les cavaleries rendaient la guerre plus rapide et plus féroce. En face, Huascar avait dû prendre lui-même la tête de son armée pour tenter d'enrayer cette avancée irrésistible. Mais il arriva qu'il stoppa l'armée de son frère sur les bords du fleuve Apurimac, où eut lieu un grand massacre. Alors l'armée d'Atahualpa se réfugia dans la province de Cotabambas où un grand nombre de soldats furent encerclés, pris au piège dans la savane, et brûlés vifs. Les survivants battirent en retraite.

Commença la longue poursuite vers le nord.

2. La retraite

Car Huascar hésita. Mais pas longtemps. Il avait d'abord songé, quand le sort des armes lui eut été moins favorable, attendre son frère dans les plaines de Quipaipan, en vue de l'affrontement final. Lui aussi avait enduré de lourdes pertes et ses hommes, bien que victorieux, étaient fatigués. Il souhaitait se laisser le temps de les remettre en ordre de bataille. Et puis la proximité de Cuzco, sans doute, le rassurait. La capitale de l'Empire, nombril du monde, étendait son ombre bienveillante sur le parti légitimiste. Mais Cuzco était aussi le rêve doré des hommes d'Atahualpa, sa rumeur odoriférante excitait leurs convoitises, et Huascar craignit que cette dangereuse tentation, à seulement quelques portées de flèche, vînt ranimer le cœur des soldats en déroute. Il ne voulut pas laisser à l'armée adverse la possibilité de reconstituer ses forces. Lui disposait encore d'une cavalerie opérationnelle, menée par un autre de ses cinq cents demi-frères, Tupac Hualpa. Alors il rassembla ses troupes et les lança aux trousses des rebelles, décidé à les anéantir. Il alla jusqu'à tirer de sa forteresse la garde de Sacsayhuaman, ce qui donne la mesure de sa résolution : il était prêt à détourner ces hommes de leur mission sacrée, pourvu que leur régiment d'élite vienne renforcer l'armée impériale.

Atahualpa n'eut pas besoin de consulter ses généraux, Ruminahui à l'œil de pierre, Quizquiz le barbier, Chalco Chimac, pour savoir qu'ils ne pourraient encaisser un assaut supplémentaire. L'une derrière l'autre, comme deux pumas boiteux, les deux armées s'ébranlèrent.

Il fallut franchir des ponts de corde au-dessus des fleuves, faire traverser les chevaux hennissant de peur, les bœufs, les lamas, les cages des cuys et des perroquets, la cantine des soldats, la suite innombrable de l'Inca (mais lequel ?), ses esclaves, ses concubines, sa vaisselle d'or et d'argent, les alpagas voués à lui fournir ses vêtements quotidiens, et puis les blessés qu'on transportait en litière comme leur maître.

L'Empire, lentement, défila. Les montagnes, plissées par les champs de maïs, s'offraient à perte de vue, mais les soldats fatigués levaient à peine la tête et ces terrasses, orgueil de l'Empire, s'évanouissaient dans l'indifférence. Les perroquets encagés croassaient des prédictions sinistres et les petits rongeurs qui leur tenaient compagnie émettaient des piaulements dérisoires. Seuls les chiens guérisseurs, affublés d'une crête blanche, égayaient le long cortège de leurs aboiements, en remontant les files de soldats comme des gardiens de troupeau.

Les magasins qui jalonnaient la route de l'Inca assuraient le ravitaillement des troupes du Nord, puis les fonctionnaires affectés à la gestion de ces greniers voyaient avec étonnement arriver une seconde armée, qu'ils ravitaillaient également sans broncher, reconnaissant les bannières du souverain de Cuzco, quand, au loin, un nuage de poussière signalait encore l'arrière-garde d'Atahualpa.

Huascar lança des courriers à l'adresse de son demi-frère. Les chaskis étaient des coureurs si vifs, et le système des relais de poste si dense, qu'il suffisait de quelques jours à l'Inca pour être tenu informé de la moindre nouvelle des coins les plus reculés de l'Empire. Les soldats ne prenaient pas garde à ces coursiers graciles qui filaient comme des jaguars, et en moins de temps qu'il n'en faut à la Pachamama pour émettre un tremblement, l'un d'eux murmurait à l'oreille d'Atahualpa qui lui murmurait quelque chose en retour, et le jeune homme repartait sans attendre, et criait le message dès qu'il apercevait son collègue à portée de voix, prêt à bondir lui aussi, et en quelques relais, la réponse parvenait à Huascar. Ainsi les deux empereurs pouvaient converser presque normalement, tandis que l'armée de Cuzco talonnait celle des Quiténiens.

« Mon frère, rends-toi.

— Mon frère, jamais.

— Au nom de Huayna Capac, ton père, cesse cette folie.

— Au nom de Huayna Capac, ton père, renonce à ta vengeance. »

Et les deux armées étaient si proches que les paysans qui cultivaient le maïs, du haut de leurs terrasses, en les voyant passer, pouvaient presque croire qu'elles n'en faisaient qu'une.

3. Le Nord

Cependant, l'armée du Nord força la marche jusqu'à rejoindre Cajamarca, où Atahualpa savait pouvoir compter sur la garnison qu'il avait laissée dans la ville récemment occupée. La vallée verte offrait aux hommes exténués le spectacle ambigu des colonnes de vapeur s'échappant des sources d'eau chaude qui faisaient la réputation de la région. Atahualpa, comme ses ancêtres, aimait à venir s'y baigner, aux jours de paix, avec son père. Il avait tablé sur ces délassements pour soigner le moral des hommes et reposer leur corps, avant d'enjamber la redoutable cordillère qui le séparait de Quito, sa capitale et son foyer. Mais c'était dans le cas où il aurait creusé l'écart avec ses poursuivants. Or, il sentait toujours le souffle de Cuzco sur sa nuque. L'armée de son frère campa devant la cité, à flanc de colline, et ses pavillons blancs étaient si serrés qu'ils semblaient recouvrir la montagne comme un drap. Les nuages de vapeur qu'exhalait la terre ajoutaient encore à cette vision lunaire.

Atahualpa, descendu de sa litière, foulait de ses sandales la grand-place de Cajamarca. Autour de lui, les hommes abreuvaient les chevaux, délivraient les lamas de leurs charges et préparaient les bivouacs. Soudain, il sentit une bouffée d'angoisse lui monter dans la gorge. Il décida de repartir avant l'aube.

Au matin, les éclaireurs de Huascar trouvèrent Cajamarca déserte. Les hommes et les bêtes de l'armée du Nord entamaient déjà l'interminable ascension. Le chemin était étroit, l'abîme semblait sans fond, l'air devint glacial. Les condors planaient. Les Andes impassibles barraient le passage, mais c'est une route que les soldats du Nord connaissaient bien pour l'avoir souvent empruntée, aussi purent-ils enfin prendre un peu d'avance. Ils passèrent les mines d'or, les défilés, les crevasses et les forêts de sapins. Ils passèrent les forteresses que le génie inca avait bâties en équilibre sur des éperons rocheux. La crête franchie, Quito les aimantait. Une fois rentrés chez eux, ils seraient en sécurité, pensaient-ils.

C'était faire peu de cas des massacres qu'ils avaient perpétrés chez les populations du Nord, les Chimus, les Caranguis et surtout les Canaris, pour qui Atahualpa était le tyran cruel qui avait donné l'ordre de les exterminer. N'avait-il pas fait raser la grande Tumipampa, fondée par son père mais qui avait pris le parti de Huascar ? Ceux qui avaient survécu virent le retour de leurs bourreaux comme un cadeau du Soleil. On leur offrait la vengeance. Une guerre de harcèlement commença. Les Quiténiens affaiblis subirent des pertes qui annulaient le renfort de Cajamarca. En outre, l'énergie qu'ils mettaient à repousser les assauts des Canaris les ralentissait, et l'armée de Cuzco finit par les rejoindre. L'arrière-garde dirigée par Quizquiz fut presque entièrement détruite par la cavalerie de Tupac Hualpa, frère de Huascar (et donc aussi d'Atahualpa, mais Cuzquénien de naissance).

Quand enfin l'armée d'Atahualpa atteignit la vallée de Quito, il était bien tard. Elle avait subi trop de pertes pour espérer se reconstituer avant plusieurs lunes qu'elle n'avait pas. Alors Atahualpa donna l'ordre à son meilleur général, Ruminahui à l'œil de pierre, de brûler sa ville, et il gravit la plus haute colline, le « cœur de la montagne », comme les Quiténiens l'appelaient, pour contempler l'incendie. Quand il prendrait Quito, Huascar ne trouverait que des cendres.

Atahualpa ne versa pas une larme. Il s'en fut, toujours plus au nord, au-delà des frontières de l'Empire. Les débris de son armée s'enfonçaient dans une forêt épaisse peuplée d'animaux venimeux. Il avait espéré que Huascar s'en tiendrait là. Mais l'opiniâtreté de son frère, ou sa haine, avait été sous-estimée. La cavalerie de Tupac Hualpa lui rongeait les mollets. Bientôt la glorieuse armée de Chinchansuyu, l'Empire du Nord, ne serait plus qu'un vieux chien pelé mangé par les poux.

Cependant l'empereur déchu creusait toujours plus profond la jungle humide. Une chaleur accablante se substituait à la morsure glaciale des sommets andins. Pas un soldat parmi ceux qui restaient valides n'osa murmurer contre lui, mais ses espions lui rapportaient qu'ils commençaient à maudire le jour de leur naissance et à souhaiter la mort pour solde de tout compte. Les uns après les autres, la mort les exauçait.

Quizquiz, cependant, avait survécu aux assauts de Tupac. Il chevauchait maintenant à hauteur de la litière impériale, assurant sa garde rapprochée. Les généraux d'Atahualpa ne l'avaient pas quitté. Ils l'accompagneraient jusqu'aux confins du monde.

Un matin, ils crurent que leurs poursuivants avaient renoncé. Mais bientôt s'éleva dans l'air moite la rumeur d'un chant de guerre :

> *Nous boirons dans le crâne du traître*
> *Et avec ses dents nous ferons un collier.*
> *De ses os nous ferons des flûtes,*
> *De sa peau un tambour.*
> *Et alors nous danserons.*

Si Atahualpa l'entendait, il n'en laissait rien paraître. En nulle occasion il ne se départait de sa dignité impériale.

La retraite prit l'aspect d'un rêve étrange. Çà et là, ils rencontraient des villages primitifs peuplés d'hommes nus apeurés ou curieux. Certains leur offraient à boire et à manger. D'autres étaient plus hostiles mais leur armement se réduisait à quelques arcs et lances à pointe de fer, et ils étaient rapidement défaits. On leur confisquait leurs chevaux. On tuait leur bétail. On pillait ce qu'on pouvait. Ainsi, on palliait la disparition des magasins. Mais c'était l'absence de route qui était le plus pénible. Vingt fois, les hommes et les bêtes se retrouvèrent enfoncés dans des marécages infestés d'insectes. Un esclave puis un bœuf furent happés par des crocodiles.

La cour de Quito, promise à un massacre certain si elle était restée derrière, accompagnait l'armée, contribuant d'une bigarrure supplémentaire au long cortège dépenaillé.

Enfin ils parvinrent à l'isthme du Nord, bordé à l'est par la mer mythique dont seuls quelques légendes anciennes, quelques caravanes miraculées, ou les représentants égarés de quelques peuplades lointaines avaient jamais mentionné l'existence. Ce n'était donc pas une légende, après tout, et certains dans leur détresse ressentirent l'orgueilleuse fierté des explorateurs. D'autres, se remémorant les vieilles histoires concernant la Reine rouge, fille du Tonnerre, envoyée du Soleil, levèrent les bras respectueusement. Atahualpa, quant à lui, ne versait pas dans la superstition. Il franchit l'isthme, recula encore dans un dernier effort les frontières septentrionales du monde connu, puis s'arrêta, barré non plus par des tribus mal armées mais par de puissants guerriers dont la rumeur lointaine n'avait jamais laissé ignorer le caractère profondément belliqueux, ni la propension exagérée aux sacrifices humains. Lui et ses hommes, ses femmes, son or, ses bêtes, sa cour, au terme de l'interminable retraite, désormais complètement acculés, avaient fini par s'échouer sur une longue plage de sable, ayant franchi les Andes, les marais, l'isthme du bout du monde, et marché plus au nord qu'aucun ancêtre inca n'aurait jamais osé en rêver, ni Huayna Capac son père, ni Pachacutec le grand réformateur, attendant désormais la venue de Huascar et l'issue fatale, qu'ils n'auraient fait que retarder, en définitive.

Mais alors que le souverain songeait, mélancolique, aux conditions dans lesquelles il allait bientôt rejoindre le monde souterrain, le général Ruminahui vint lui réclamer une audience. En dépit de la situation, et du fait qu'Atahualpa lui-même, descendu de sa litière, debout face à la mer, moins parfumé qu'à son habitude, les cheveux sales et portant la même tunique depuis presque une demi-journée, ne respectait plus toutes les formes dues à son rang, inquiet sans doute à la perspective que son corps ne soit pas embaumé, le grand général se présentait pieds nus et tête baissée, avec toutes les marques de l'humilité la plus protocolaire. Après tout, Atahualpa portait encore la couronne impériale tressée sur son front, d'où pendait la frange à glands rouges, surmontée du pompon à plumes de faucon, c'était suffisant pour le vieux soldat de son père.

« Sapa Inca, vois-tu ces embarcations, au large ? »

Sans relever la tête, il montrait du doigt de petits points qui flottaient sur la mer, puis, tapant dans ses mains, fit venir un homme nu tenu en laisse par deux esclaves.

« D'après celui-ci, que nous avons capturé ce matin, il existe de grandes îles à quelques jours de navigation. Leurs habitants viennent jusqu'ici pour pêcher et commercer, à bord de troncs d'arbres évidés qu'ils appellent *canoas*. À en juger par les provisions de fruits que nous avons confisquées au prisonnier, ce sont des terres luxuriantes qui ne demandent qu'à nous accueillir. »

Atahualpa était de belle taille, mais son général, un géant, le dominait encore d'une tête, même courbé devant lui. Par habitude de sa fonction, l'empereur ne laissa pas voir s'il considérait la proposition avec dédain ou intérêt.

« Nous n'avons pas de bateaux, dit-il simplement.

— Mais nous avons la forêt », répondit le général.

Alors on organisa l'évacuation. Le valeureux Quizquiz reprit la tête de ses hommes pour tenir la plage. Ruminahui mobilisa le reste des bras disponibles pour l'abattage et l'acheminement des arbres, et sur la plage, à même le sable, Chalco Chimac était chargé de la construction des bateaux. On embarquait les hommes sur des canoas hâtivement taillés, les bêtes et les caisses d'or sur des radeaux faits de troncs d'arbres attachés ensemble par des fils en laine de lama. Les nobles, qui ne s'étaient jamais servi eux-mêmes ne serait-ce qu'un seul verre à boire de toute leur vie, qui ne s'étaient jamais habillés ni même lavés tout seuls, aidaient maladroitement au façonnage, à l'assemblage et au chargement des embarcations. Pendant ce temps, les soldats de Quizquiz repoussaient héroïquement les assauts des troupes de Cuzco et le choc des armes, les cris, les cavalcades, à la lisière de la forêt, venaient se mêler au bruit des vagues.

L'évacuation eut lieu. Quizquiz fut le dernier à embarquer sous une pluie de flèches et d'imprécations, laissant derrière lui une plage jonchée de cadavres, au milieu desquels couraient les derniers chevaux qui n'avaient pu prendre place sur les radeaux. Quelques tortues, ayant nidifié dans le sable, n'avaient pas bougé de toute la bataille.

4. Cuba

La mer était calme, la flotte sut rester groupée, il n'y eut presque aucune perte.

Ils débarquèrent sur une plage de sable blanc bordée de palmiers alanguis. Les cris des perroquets emplissaient l'air. Des cochons s'égaillaient sur la plage et cela leur sembla de bon augure. Ce pays était beau, il y faisait doux. Les fatigues accumulées s'évanouirent. On gravit en chantant des montagnes sans neige. Les rivières paisibles se traversaient à gué sans effort, et les poissons s'y pêchaient à pleines mains. Du cœur des forêts giboyeuses sortaient parfois quelques naturels poussés par la curiosité. Ils étaient nus et beaux, et semblaient surtout dépourvus d'intentions hostiles. Par un marchand de Popayan qui prétendait comprendre leur langue, Atahualpa sut qu'une vieille reine régnait sur l'archipel composé de trois grandes îles : Cuba, Haïti, Jamaïque, et d'une infinité de petites îles comme celle de la Tortue. Ils marchèrent au nord, sans savoir pourquoi, sinon pour le seul plaisir d'explorer les beautés de cette terre, ou peut-être par habitude, parce que le nord avait toujours été leur place au sein de Tahuantinsuyu. Le soir, ils faisaient griller des cochons et goûtaient à la chair des lézards. Atahualpa pensa-t-il qu'ici, ils pourraient oublier la guerre ? Peut-être. Mais était-il seulement capable de la paix ? L'enchaînement des circonstances qui ont gouverné son destin rend la réponse difficile. Disons que la paix ne s'était pas penchée sur son berceau.

Cependant le protocole reprenait ses droits sur le cortège à mesure que l'angoisse refluait des cœurs : les balayeurs aux tuniques à damier ouvraient la voie, suivis des danseurs et des chanteurs qui précédaient des cavaliers en armure d'or, puis venait l'empereur assis sur son trône, entouré par sa garde de yanas, ses généraux à cheval, les dignitaires de la cour, dont les plus éminents se déplaçaient eux aussi en litière, sa sœur-épouse Coya Asarpay, sa cousine et future épouse la très jeune Cusi Rimay, sa non moins jeune sœur la petite Quispe Sisa, ses femmes secondaires et ses concubines, les prêtresses du Soleil, les serviteurs, les soldats à pied et enfin, s'étirant mollement, le flot des Quiténiens rescapés. Quizquiz et ses hommes fermaient la marche de ce long troupeau.

Or, il advint que le cortège fut arrêté. Les hommes de tête se rangèrent sur le côté pour laisser passer la litière de l'Inca. Devant eux se tenaient quarante cavaliers, nus, coiffés de plumes, le corps et le visage peints, armés. Celui qui était leur chef portait à l'épaule une sorte de canne en bois incrustée de pièces de fer. Comme il ne semblait pas disposé à laisser cette troupe d'étrangers pénétrer plus avant sur ses terres, il fallut engager un dialogue. Son nom était Hatuey et il servait la reine Anacaona. Ignorant des usages, il s'adressait directement à l'Inca en le regardant dans les yeux, sans mettre genou à terre, sans même descendre de son cheval. Atahualpa lui faisait répondre par Chalco Chimac. De toute façon, personne n'entendait la langue de l'autre. Mais il fut convenu d'une rencontre avec la reine, dans un endroit qui s'appelait Baracoa. Il est probable qu'Atahualpa hésita à faire massacrer sur place ces hommes qui lui barraient le passage. Il est non moins probable que Hatuey pressentit cette hésitation car il pointa sa canne vers le ciel et foudroya un urubu à tête rouge dans un bruit de tonnerre, semant la panique parmi les Quiténiens. De vieilles légendes resurgirent dans les esprits. Des voix crièrent : « Thor ! » Même le géant Ruminahui avait baissé la tête, comme si le ciel allait s'écrouler. Seul Atahualpa avait conservé la plus parfaite impassibilité. Le fils du Soleil ne craignait pas la foudre. Néanmoins, il jugea prudent de laisser Hatuey repartir sain et sauf.

En d'autres circonstances, il aurait fait exécuter jusqu'au dernier chacun de ceux qui avaient tremblé, mais l'empereur déchu n'était pas en mesure de gaspiller des hommes et, de surcroît, n'avait nulle intention de se priver de son meilleur général.

5. Baracoa

Ils atteignirent la mer et surent que l'île était une bande étroite qu'on pouvait traverser dans sa largeur

en quelques jours. Ils n'avaient pas pénétré ce territoire en conquérants mais en fugitifs et cela, assurément, ne fut pas sans conséquence sur le sort de Cuba
et du monde. Atahualpa fit précéder son arrivée
par des messagers chargés de présents. Il offrait de
la vaisselle en or, des tuniques, des perroquets. En
retour, la reine le reçut comme un vieil allié, au son
des tambourins, au milieu des jeux et des danses,
sous une pluie de fleurs. Des serviteurs chargés de
palmes et de bouquets venaient à la rencontre du cortège. Le village avait été déblayé. Des guirlandes de
feuillages étaient accrochées aux cabanes badigeonnées. Les généraux d'Atahualpa notèrent des maisons
longues au toit végétal et une forge au repos d'où
s'échappait encore un filet de fumée blanche. Sur la
plage, tirées à terre, au milieu du bétail en liberté, se
dressaient les carcasses de deux navires gigantesques.
Un banquet avait été préparé. La reine invita l'Inca
à prendre place à ses côtés. Atahualpa, qui n'avait
pas toujours la morgue de son frère, jugea bon de la
traiter en égale, et goûta lui-même aux mets qu'on lui
servait. Il y avait chez cette femme à la beauté fanée
une grâce qui lui plaisait.

Les festivités se prolongèrent tard dans la nuit et
recommencèrent le lendemain. Les Quiténiens étaient
enchantés. Au milieu des jeux et des chants, toutefois,
Anacaona avait souhaité leur faire passer un message :
Hatuey, qui était son neveu et régnait sur cette région
de l'île, offrit le spectacle d'une bataille simulée.
Des cavaliers nus pourchassaient des hommes vêtus
de tuniques blanches, qui se défendaient avec de
longs bâtons incrustés de fer. Les bâtons pointaient
en l'air, et de nouveau le bruit du tonnerre terrifia

les Quiténiens, mais à la fin, les cavaliers remportaient la bataille et, précision utile, récupéraient les armes à feu. En observant ses généraux, qui s'efforçaient de masquer leur nervosité, Atahualpa vit que le message avait été reçu. Il comprit que des étrangers étaient venus par la mer, il y avait presque quarante récoltes de cela, à bord des bateaux échoués sur la plage, et qu'ils avaient été vaincus. La fille de la reine, Higuénamota, se plaisait à lui raconter cette histoire. Alors l'Inca jura qu'il ne venait pas pour semer la guerre, mais comme un exilé qui cherchait refuge. Les Quiténiens demandaient humblement asile aux Taïnos : tel était le nom du peuple d'Anacaona. Du reste, ils partageaient le culte de Thor, cette divinité secondaire aux origines obscures.

6. Huascar

Nul ne sait combien de temps l'Inca aurait pu jouir de cette hospitalité. L'inaction ne semblait guère lui peser, tant le commerce de la reine lui était agréable. En réalité, ce qu'elle racontait sur les étrangers venus de l'est était proprement incroyable. Il sut que les cannes à feu nécessitaient une certaine poudre pour cracher le tonnerre, que l'île ne possédait pas ou peu, si bien que leur usage était sévèrement rationné, réservé pour des occasions spéciales – et la venue de nouveaux étrangers en était une, indubitablement. Il sut aussi que les étrangers de naguère étaient obsédés par deux choses : leur dieu et l'or. Ils aimaient planter des croix. Ils étaient morts jusqu'au dernier.

Les Quiténiens s'abandonnaient aux délices de Baracoa. Ils se mélangeaient si bien à leurs hôtes que certains quittèrent leurs vêtements pour aller nus, tandis que les Taïnos s'amusaient à revêtir leurs tuniques. Le souvenir des épreuves passées s'éloignait, on laissait le présent s'écouler comme du sable.

Mais la marche de l'avenir, provisoirement éclipsée, se poursuivait pourtant.

Les espions d'Anacaona rapportèrent que d'autres étrangers, en tous points semblables aux Quiténiens, excepté leur nombre supérieur, avaient débarqué sur l'île voisine de Jamaïque. Atahualpa dut informer la reine que c'était son frère qui venait le chercher, et que ses intentions n'étaient pas pacifiques. Un conseil se réunit autour d'Anacaona, assistée de sa fille et de son neveu, auquel étaient conviés Atahualpa et ses généraux, ainsi que sa sœur-épouse Coya Asarpay.

Que voulait Huascar ? Que signifiait cette obstination ? Fallait-il qu'il redoute le retour de son frère pour s'aventurer aussi loin de Cuzco, aussi longtemps ? Ces questions n'intéressaient pas les Taïnos, qui craignaient de subir les conséquences de cette guerre fratricide. Hatuey, furieux, disait à l'Inca : « Va-t'en dans la montagne, vers la mer, où il te plaira ! » Fuir encore, mais où ? Les Quiténiens ne savaient plus. Atahualpa voyait ses généraux rouler des yeux, désemparés. Higuénamota leur montra la mer : « La réponse est devant vous. » L'est, mais comment ? Où étaient ces terres ? À quelle distance ? On dut leur montrer des cartes trouvées sur les bateaux. Atahualpa et ses gens contemplèrent sans comprendre les représentations d'un monde où Cuzco ne figurait pas. Ils étaient incapables de déchiffrer les petits signes inscrits sur le papier. Higuénamota avait appris la langue des envahisseurs quand elle était enfant, mais pas leur système de transcription. Sans doute, s'ils avaient su combien ces cartes étaient fausses, n'auraient-ils jamais consenti à ce saut dans le vide.

Mais comment franchir la mer ? Higuénamota, de nouveau, leur souffla : ces bateaux abandonnés sur la plage, ce qu'ils avaient accompli dans un sens, ils le feraient dans l'autre. Le bois avait pourri, ils n'étaient plus en état de naviguer, et du reste les Quiténiens candidats à la traversée étaient trop nombreux pour deux navires, même d'une taille aussi extraordinaire. Mais la suite d'Atahualpa comprenait les meilleurs charpentiers de l'Empire. Ordre fut donné de radouber les bateaux, et d'en construire un troisième, plus gros encore. Chalco Chimac mobilisa ses ingénieurs qui dessinèrent les plans d'une structure gigantesque, s'inspirant des modèles qu'ils avaient sous les yeux, écoutant Anacaona et sa fille. Elles décrivaient le grand vaisseau qui s'était fracassé jadis sur les rochers, et dont les vagues avaient emporté jusqu'à la dernière planche.

Pendant ce temps, les espions d'Anacaona surveillaient Huascar. L'armée de Cuzco était encore en Jamaïque et la chance des Quiténiens est qu'elle ne savait pas où les chercher. La consigne fut diffusée aux habitants de l'archipel de tout mettre en œuvre pour les égarer. Huascar finirait par retrouver la trace de son frère mais se perdrait d'abord longuement sur ces terres, et chaque jour passé à explorer une île qui n'était pas la bonne était mis à profit par les ouvriers d'Atahualpa. Au besoin, on l'orienterait vers Haïti, d'où Anacaona était originaire, pour gagner encore un peu de temps.

Les hommes d'Atahualpa taillaient le bois et coupaient des planches. Les femmes cousaient des voiles multicolores. Les Taïnos fondaient des milliers de clous qu'ils trempaient dans l'huile pour les protéger de la rouille. Et les carcasses reprenaient vie comme si elles s'engendraient elles-mêmes, à la manière d'un serpent quittant sa vieille peau. Cette lente renaissance rendait l'espoir d'une issue heureuse aux deux peuples : on s'était aimés brièvement, on se quitterait bons amis. Bien sûr, le départ des Quiténiens ne signifierait la fin de l'histoire pour personne, et rien ne pouvait garantir que les bateaux sauraient retourner d'où ils étaient venus, ni que Huascar, par dépit de voir sa proie s'échapper encore, ne se vengerait sur les Taïnos. Mais grâce à l'abattage des bûcherons, des charpentiers, des couturières, des forgerons, le pire cessait d'être certain.

Tout ne rentrerait pas dans l'ordre : de cela, en revanche, on pouvait être sûr. L'axe du monde n'était-il pas en train de se déboîter ? Coya Asarpay, la sœur-épouse, ne voulait pas partir, et son inquiétude était partagée par beaucoup, en dépit de leur ardeur à la tâche. « Mon frère, quelle est cette folie ? » disait-elle. La peur de l'inconnu le disputait en elle à celle du connu. Elle s'effrayait de savoir l'armée de Huascar qui rôdait alentour, mais elle n'en frissonnait pas moins en contemplant l'horizon. Comment imaginer l'au-delà des mers ? Atahualpa savait trouver les mots : « Ma sœur, allons voir d'où vient le Soleil. » Et conscient que son peuple avait besoin d'un guide, sans plus s'embarrasser du protocole, il s'adressait à tous en ces termes : « Le temps des Quatre Quartiers est révolu. Nous allons voguer vers un nouveau monde, pas moins riche que le nôtre, gorgé de terres. Avec votre aide, votre empereur sera le Viracocha des temps nouveaux, et l'honneur d'avoir servi Atahualpa rejaillira sur vos familles et sur vos ayllus pendant des générations. Et si jamais nous coulons, eh bien qu'il en soit ainsi. Nous irons retrouver Pachacamac au fond de la mer. Mais si jamais nous passons… Quel voyage ! Allons, en route vers un Cinquième Quartier ! » Alors les Quiténiens, rassérénés et enhardis par ces paroles, reprenaient d'une seule voix : « En route vers le Cinquième Quartier ! »

Cependant, les trois vaisseaux ne pouvaient contenir tout le monde, d'autant qu'Atahualpa n'avait pas l'intention de réduire son train. Il fallait charger la vaisselle, les vêtements, le bétail, les vivres. De ce qu'il avait compris des explications d'Anacaona, il jugea bon d'emporter beaucoup d'or. Puis il sélectionna personnellement les candidats au départ en fonction de leur rang et de leur utilité : la noblesse, les soldats, les fonctionnaires de l'Empire (comptables, archivistes, devins), les artisans, les femmes… Cela ne faisait pas deux cents personnes en tout, et même ainsi les bateaux étaient trop chargés. On prit aussi quelques chevaux, des lamas, des cuys à manger ; Atahualpa ne voulut pas se séparer de son puma ni de ses perroquets.

Peu avant le départ, Higuénamota vint trouver l'empereur et lui dit : « Laisse-moi venir avec vous. » Atahualpa comprit que toute sa vie, elle n'avait cessé de penser au pays mystérieux d'où étaient venus, jadis, des hommes au teint pâle. Il vit en elle un atout qui pourrait lui servir.

Enfin, le jour du départ arriva. Ceux des Quiténiens qui n'avaient pu embarquer pleuraient sur la plage. Anacaona embrassa sa fille. Atahualpa, entouré de ses généraux, salua une dernière fois l'île qui l'avait accueilli, habité du sentiment qu'il n'était pas près de la revoir.

7. Lisbonne

Ils naviguèrent.

Durant la traversée, Higuénamota devint l'amante d'Atahualpa. Le jeune empereur aimait cette femme qui avait l'âge d'être sa mère, et qui, de son plein gré, avait quitté son pays natal pour des contes qu'elle n'avait jamais oubliés depuis son enfance.

Ensemble, ils se penchaient sur les vieilles cartes trouvées à bord et ils essayaient de les déchiffrer. Les savants d'Atahualpa avaient compris comment utiliser un instrument qui permettait de se repérer grâce aux étoiles, si bien que les navires purent tenir leur cap sans dévier de leur trajectoire.

Un matin, Ruminahui vint trouver Atahualpa dans sa chambre, qui buvait de l'akha en compagnie de sa maîtresse. Dehors, des oiseaux blancs tournaient dans le ciel, signe qu'une terre était proche. Lorsque enfin elle apparut à l'horizon, les semaines passées dans l'intimité de l'empereur avaient donné à la fille d'Anacaona une connaissance remarquable du quechua (qui était la langue que pratiquait Atahualpa, de préférence à l'aymara, mais avec l'accent de Quito).

Ils longèrent les côtes de ces terres nouvelles. Une nuit, peu avant l'aube, se produisit un prodige dont les équipages s'effrayèrent : la mer se mit à gonfler, sans qu'il y eût un souffle de vent. Ce fut comme un ouragan muet qui manqua fracasser les trois navires à bout de forces. Il eût été cruel de trouver la mort à deux encablures de la terre ferme, quand tout laissait croire qu'ils avaient atteint le terme de leur traversée. L'habileté des pilotes sut les préserver de cette tragique ironie.

Ils s'engouffrèrent dans l'embouchure d'un fleuve gigantesque. Une épaisse tour en pierre leur apparut, comme sortie des flots pour garder la porte de la mer. À main droite, des collines verdoyantes laissaient augurer un pays accueillant. Mais sur leur gauche, une plaine inondée laissait penser que le fleuve en colère était sorti de son lit. Un vaste édifice de pierre blanche, d'une longueur à laquelle seuls les plus grands palais de Cuzco pouvaient se comparer, bordait la rive. Les oiseaux avaient cessé de chanter. Les nouveaux venus, inquiets de ce silence, ne prononçaient pas une parole, pourtant.

Atahualpa ordonna qu'on s'approche de la tour. Ses murs étaient ornés de sculptures d'animaux inconnus. Une tête de tapir affublée d'une corne sur le museau intrigua particulièrement l'équipage. Mais il y avait aussi, gravées dans la pierre, des croix qu'Higuénamota reconnut comme l'emblème des étrangers de jadis. Alors ils surent qu'ils avaient atteint leur but.

Les bateaux continuèrent à longer la rive. Un spectacle des plus étranges se dévoilait. Des maisons de pierre étaient écroulées. Des feux brûlaient dans les collines. Des cadavres jonchaient le sol. Des hommes, des femmes, des chiens erraient parmi les décombres. Les premiers sons que les Quiténiens perçurent du Nouveau Monde furent des aboiements et des pleurs d'enfants.

Le fleuve s'élargissait comme un lac. Les pilotes durent louvoyer entre des épaves de bateaux à demi immergées. Enfin ils découvrirent une place si large qu'elle égalait en superficie la forteresse de Sacsayhuaman, sur laquelle avaient été comme jetés des navires de toute taille qui gisaient, la quille tordue, la coque brisée, les mâts arrachés. Sur l'aile gauche de la place, un magnifique palais, surmonté d'une tour effilée, semblait s'être effondré sur lui-même. Ils débarquèrent.

La place, dont on pouvait deviner de quelle magnificence elle se parait dans un passé encore récent, n'était plus qu'une mare. Les sandales des Quiténiens s'enfonçaient dans la boue, l'eau leur montait jusqu'aux chevilles, y compris celles, impériales, d'Atahualpa, qui avait jugé prudent de ne pas faire appel à ses porteurs, eu égard au sol détrempé que les flaques avaient rendu passablement meuble.

Ils croisaient des ombres d'hommes hébétés, vêtus de haillons, tournant autour des bateaux échoués, la démarche traînante, le regard vide, se cognant parfois comme des aveugles, et quand ceux-ci apercevaient enfin les visiteurs, ils portaient sur eux des regards inexpressifs, sans comprendre, sans manifester la moindre surprise. De temps en temps, un craquement sinistre provenait de la ville, suivi par des cris qui se changeaient en plaintes lamentables.

L'air, sans être froid, mordillait les chairs. Habitués aux âpres solitudes des Andes, les Quiténiens n'y prenaient garde, fascinés par le tableau désolé qui s'offrait à leurs yeux incrédules. Mais Higuénamota, qui les avait menés au bout du monde, était une Taïna. Elle n'avait jamais connu que deux saisons sur ses îles, tantôt sèches, tantôt humides, toujours chaudes. Atahualpa observa son corps nu qui tremblait. Les équipages étaient épuisés, énervés après un tel voyage. Il décida qu'on ferait halte, et qu'on se mettrait à l'abri. Mais où trouver un toit dans ce champ de ruines, qui puisse accueillir cent quatre-vingt-trois hommes, trente-sept chevaux, un puma et quelques lamas ? On retourna au bâtiment aperçu en aval, seul édifice, avec la tour plantée dans l'eau, qui semblait encore debout.

C'était un long palais anguleux, renforcé de fines colonnes pointues comme des lances qui semblaient lui servir de tuteurs, percé de larges fenêtres voûtées, parsemé de tourelles symétriques, dominé par une tour en forme de coupole, et dont la pierre crayeuse avait été si finement ouvragée qu'on l'aurait dit tout entier taillé dans de l'os.

Il était peuplé d'individus étranges : des hommes vêtus de robes brunes et blanches, rasés au sommet du crâne, agenouillés, les mains jointes et les yeux clos, occupés à marmonner des sons inaudibles. Quand enfin elles aperçurent les visiteurs, ces créatures se mirent à courir en tous sens, comme de petits cuys affolés, faisant claquer leurs sandales sur les pavés, poussant des cris stridents. L'une d'entre elles, cependant, qui portait un anneau doré à la main droite, plus calme et plus maître de ses nerfs, s'avança pour leur parler. Atahualpa demanda à sa maîtresse si elle comprenait leur langage mais celle-ci ne parvenait qu'à distinguer quelques mots – « *providencia* », « *castigo* », « *india* » – dans des phrases dont l'architecture lui restait obscure, quoique bizarrement familière. Elle songea que ses conversations avec l'étranger de jadis s'étaient oubliées dans le puits profond de sa mémoire, et qu'elle n'avait gardé souvenir de son langage que des bribes éparses. Cependant, les créatures, bien qu'effrayées, semblaient inoffensives. Atahualpa donna l'ordre à sa troupe de prendre ses quartiers. On fit descendre les bêtes des navires, on installa les hommes et les femmes dans un vaste réfectoire. Higuénamota, s'adressant à l'anneau d'or, dit : « *Comer.* » Elle vit que l'homme l'avait entendue. Il leur fit apporter de quoi manger : une soupe chaude avec une sorte de biscuit fait d'une croûte craquante et d'une pâte moelleuse qu'ils trouvèrent très à leur goût, comme ils étaient affamés. Ils goûtèrent aussi un breuvage noir teinté de rouge.

Ainsi le long voyage s'achevait enfin. Tous, hommes, femmes, chevaux, lamas, avaient survécu à la mer. Ils avaient touché la terre du Soleil levant.

Dehors, le fleuve se couvrait de reflets dorés, ou peut-être était-ce de la paille qui flottait à la surface.

Il y avait au sein de ce palais un lieu sacré orné de plaques translucides, rouges, jaunes, vertes, bleues. Le plafond y était comme une toile d'araignée creusée dans la pierre, d'une hauteur qui surpassait celle du palais de Pachacutec. À l'extrémité de l'édifice, sur une estrade fastueusement décorée, quoique non entièrement tapissée d'or comme pouvait l'être la Maison du Soleil, trônait la statue d'un homme très maigre cloué sur une croix. Les hommes tondus manifestaient en ce lieu une dévotion fervente. Les

Quiténiens ne doutèrent pas qu'il s'agissait d'une sorte de huaca. Qui était ce dieu cloué ? Ils ne tarderaient pas à l'apprendre.

Mais les créatures semblaient se disputer, et les Quiténiens savaient qu'ils étaient l'objet de leurs discussions.

Çà et là, on déblayait des gravats. Atahualpa jugea opportun de faire aider les hommes tondus. Les Quiténiens déblayèrent. Il n'était pas difficile, pour qui était originaire de Tahuantinsuyu, de se figurer ce qui était advenu : la terre avait tremblé, elle s'était ouverte, puis une vague énorme avait frappé la côte. Atahualpa et ses hommes n'étaient que trop familiers de ce phénomène. D'ailleurs, une odeur d'œuf pourri caractéristique flottait dans l'air, portée par un léger vent d'est.

Atahualpa avait choisi une salle suffisamment vaste pour lui et ses femmes, dans laquelle il fit disposer sa natte pour dormir. Il fut rejoint par Higuénamota, qui n'avait pas trouvé où accrocher son hamac, et par sa sœur-épouse Coya Asarpay. Le reste de la troupe s'était abrité sous les arcades de la cour intérieure, dans laquelle on avait rentré les bêtes, desquelles les hommes tondus s'approchaient avec crainte mais curiosité, car ils n'avaient jamais vu de lamas. Enfin on s'endormit, sous l'œil vigilant de Ruminahui, après avoir redemandé du breuvage noir.

8. Le pays du Levant

Les tondus, tout craintifs qu'ils étaient, ne laissaient pas d'être intrigués. Qui étaient ces visiteurs ?

Ils admiraient nos vêtements, touchaient nos oreilles, et se perdaient en conjectures. La présence des femmes les plongeait dans une agitation extrême, et tout particulièrement Higuénamota, dont la seule vue semblait les aveugler comme le soleil, car ils se cachaient les yeux avec leurs mains et détournaient la tête sur son passage. Ils voulurent lui passer sur les épaules un de leurs mauvais linceuls, mais elle les repoussa en riant. La princesse cubaine portait pour seuls habits des bracelets qu'elle tenait de sa mère, aux poignets et aux chevilles, ainsi qu'un collier en or dont Atahualpa lui avait fait présent.

Cependant, le tondu à l'anneau, qui était leur chef et qui semblait plus raisonnable, voyant qu'elle comprenait un peu son langage, la conduisit dans une salle où d'autres tondus s'affairaient à gratter des carrés d'étoffe noircis de petits traits. Elle reconnut, pour en avoir vu jadis, les feuilles qui parlent conservées dans des coffrets de cuir, dont la pièce était remplie jusqu'au plafond. Le tondu à l'anneau déroula l'une de ces feuilles, sur laquelle une carte était dessinée, de même apparence que celles trouvées sur le bateau des étrangers. Elle comprit qu'il cherchait à savoir d'où elle venait. Il lui désignait sur la carte un endroit qu'il nommait Portugal. À gauche, il n'y avait rien qu'un grand vide, à l'exception d'une petite île située beaucoup plus bas.

Quizquiz prit dix hommes pour aller reconnaître les environs et revint faire son rapport à Atahualpa : le pays était complètement ravagé. La ville semblait très grande et bien peuplée. Les habitants étaient frappés de stupeur. Personne n'avait fait attention aux nouveaux venus. Le fleuve était poissonneux et la terre, quand elle ne tremblait pas, semblait accueillante. Quizquiz rapportait à titre d'échantillon une sorte de lama nain qu'il avait trouvé en chemin. Ils n'avaient aperçu aucun oiseau dans le ciel.

D'épais nuages venus du nord crevèrent, et la pluie éteignit les feux qui brûlaient encore dans les collines. Les Quiténiens usèrent de l'hospitalité des tondus pour récupérer des fatigues de la traversée. Ils virent que le breuvage noir que leur servaient leurs hôtes devenait rouge lorsqu'il était versé dans des coupes translucides, et cette merveille leur fit grande impression.

Lorsque Atahualpa considéra que ses hommes s'étaient suffisamment reposés, il décida qu'on brûlerait, comme c'était l'usage, les restes de ce qu'il avait mangé depuis leur départ de Cuba, qu'on avait pieusement conservés dans des caisses. La coutume voulait qu'on brûle aussi les vêtements qu'il avait portés, toutefois la situation sans exemple dans laquelle se retrouvait l'ex-souverain de Chinchansuyu, débarqué sur une terre inconnue dont il ignorait encore les ressources en alpaga et en coton (mais assez défavorablement impressionné par l'accoutrement grossier de ces gens qui logeaient pourtant dans un palais), l'incitait à ajourner cette partie du rituel.

On débarqua les caisses des bateaux. Atahualpa remonta sur sa litière pour assister à la cérémonie. Il avait souhaité qu'elle prenne place sur la rive du fleuve, où l'eau s'était enfin retirée. La pompe et l'apparat habituellement déployés furent réduits en raison du peu de moyens dont disposaient les fugitifs, mais le souverain déchu semblait désireux, malgré tout, de réaffirmer les prérogatives de sa royale personne, quand bien même celle-ci n'avait été contestée par personne. Pour cette occasion, il avait prêté à Higuénamota son manteau en duvet de chauve-souris, car l'air était frais. La princesse cubaine se tenait à ses côtés, tout comme sa sœur-épouse Coya Asarpay, tandis que les petites Cusi Rimay et Quispe Sisa étaient assises à ses pieds. Ses trois généraux, montés à cheval, se tenaient au garde-à-vous, une hache à la main. Après les danses et les chants, une femme choisie parmi les prêtresses du Soleil alluma la première caisse au son des tambourins. Aussitôt une odeur de viande grillée s'éleva dans les airs, ce qui eut pour effet d'attirer des habitants des environs. Ils étaient sales et déguenillés, et leurs yeux écarquillés, fixés sur les caisses, semblaient ne pas voir les Quiténiens. Personne n'aurait osé interrompre la cérémonie sans un ordre exprès d'Atahualpa que celui-ci ne donna pas, mais tous guettaient les réactions de ces nouveaux arrivants, qui se rapprochaient des caisses en cercles concentriques. À la fin, n'y tenant plus, l'un d'eux plongea les mains dans le brasier pour en sortir un os à demi rongé. Il fut immédiatement saisi par des soldats de la garde, prêts à lui trancher la gorge, mais Atahualpa fit signe de l'épargner. Alors ce fut comme le signal pour les autres. Les Quiténiens contemplèrent, interdits, ce spectacle bestial. Les caisses étaient éventrées et les habitants du Levant s'en disputaient le contenu en grognant. Ils se hâtaient de manger ce qu'ils pouvaient en protégeant à coups de pied leur misérable butin. Plutôt par étonnement que par pitié, sans doute, on les laissa finir leur repas. Quand ils eurent avalé jusqu'au dernier petit bout d'os de cuy, ce fut comme s'ils se réveillaient d'une fièvre maligne. Ils levèrent leurs visages souillés de graisse, et virent enfin les visiteurs. À leur tour, ils se figèrent.

Plus tard, la scène serait immortalisée par un célèbre tableau du Titien : Atahualpa, jeune, beau, impérial de dignité, un perroquet sur l'épaule, son puma tenu en laisse, encadré par ses femmes, Higuénamota vêtue d'un manteau aux reflets mordorés qui laisse sa poitrine découverte, Cosi Asarpay affichant une expression de dégoût, sa petite sœur Quispe Sisa effrayée par le spectacle des premiers Levantins qu'il lui soit donné de voir de près, tous les Quiténiens immobiles dans leurs beaux habits aux couleurs chatoyantes et aux motifs géométriques, le pelage luisant du cheval noir de Ruminahui et les chevaux blancs, crinière au vent, de Quizquiz et Chalco Chimac. Au centre, un Levantin, assis en tailleur, ronge un os, les lèvres retroussées, devant une prêtresse du Soleil horrifiée. Un autre, plus curieux, vient toucher les oreilles d'un seigneur inca impassible. Un autre encore se tient à genoux, implorant, les bras tendus vers le ciel. Enfin, ceux qui restent s'inclinent respectueusement devant l'empereur.

Bien sûr, Titien n'était pas là pour assister à la scène, et cela ne s'est pas exactement passé de cette façon.

Il est vrai que l'un des Levantins voulut toucher l'oreille d'un seigneur inca, mais alors Atahualpa, sans bouger de sa litière, adressa un signe à sa garde ; les hommes firent claquer leurs lances contre leurs boucliers, et tous les Levantins se dispersèrent comme des vigognes effrayées par le tonnerre.

Suite à cet épisode, la nouvelle de l'arrivée des Quiténiens se répandit alentour. Des Levantins dépenaillés se pressèrent autour du palais des tondus. Quizquiz, une fois encore, fut envoyé en reconnaissance. Il rapporta que leurs intentions, sans être franchement hostiles, ne semblaient pas particulièrement amicales. Alors les sorties furent limitées au strict nécessaire. Après tout, les Quiténiens se trouvaient bien, à l'abri derrière ces murs de pierre. Les réserves du breuvage noir y étaient abondantes, et de toute façon, ils ne savaient pas où aller.

9. Catalina

Les jours passèrent, qui firent une lune, ou peut-être deux. Les Quiténiens se voyaient rester jusqu'à épuisement des réserves. Mais l'histoire nous a appris qu'au fond, peu d'événements prennent la peine de s'annoncer, parmi lesquels un certain nombre se plaisent à déjouer les prévisions, et qu'en définitive, la plupart se contentent de survenir.

Il arriva que le roi de ce pays vint au palais des tondus. Il était accompagné d'une jeune femme blonde qui était sa reine, et d'une escorte nombreuse, faite de seigneurs et de soldats. Les seigneurs et la reine étaient vêtus avec une élégance que les Quiténiens n'avaient pas encore rencontrée chez les autres habitants, et leurs étoffes étaient taillées dans des tissus qui, sans rivaliser avec ceux des Incas, semblaient des plus délicats, mais le roi, vêtu d'un simple manteau et d'un bonnet plat, noirs, assortis à sa barbe, se contentait d'arborer un collier tressé de maillons épais au bout duquel pendait une croix rouge sertie dans un anneau d'or. Les cheveux blonds de la reine les intriguaient moins que la barbe du roi. Le barbu en noir s'entretint d'abord avec le chef des tondus, et les Quiténiens pouvaient voir la déférence avec laquelle celui-ci s'adressait à celui-là, lui baisant les mains et multipliant les génuflexions, sans jamais se redresser totalement (mais sans toutefois enlever ses sandales).

Puis le roi manifesta le désir de s'entretenir avec Atahualpa.

Il dit qu'il s'appelait João, et en entendant cela, l'Inca se tourna vers Higuénamota car ce nom sonnait un peu comme certains noms taïnos.

Si le roi barbu fut choqué par la nudité de la princesse, il n'en laissa rien paraître. Il dit qu'il régnait sur le pays de Portugal, et faisait de grands gestes amples avec les bras pour, semble-t-il, mentionner un vaste empire, mais la conversation était malaisée car Higuénamota ne comprenait que quelques mots épars. Il prononçait beaucoup le mot « *deus* » qu'elle n'entendait pas. Atahualpa tendait les bras en direction de l'ouest pour lui expliquer d'où ils étaient venus. João semblait perplexe. Il prononça encore un mot : « *Brasil ?* » Mais ses interlocuteurs ne l'entendaient pas davantage.

Un silence tomba. Alors il adressa quelques mots à sa femme, qu'Higuénamota comprit à demi : il lui demandait où trouver un traducteur pour parler « turc ». La reine lui répondit gracieusement que, pour cela, il faudrait attendre que son frère revienne victorieux de sa future « croisade » contre un roi nommé Soliman, et Higuénamota s'aperçut qu'elle comprenait la reine. C'est ainsi que, du puits de sa mémoire jaillirent des mots qu'elle avait crus oubliés : « *Hablas castellano ?* »

Le roi et la reine la dévisagèrent, stupéfaits.

Une conversation animée s'engagea entre les deux femmes.

La reine demanda s'ils venaient des Indes, d'Afrique ou de Turquie.

La princesse lui dit qu'elle habitait une île située au-delà du soleil couchant.

La reine dit qu'ils connaissaient une île lointaine du nom de Vera Cruz, où le peuple de son mari allait chercher du bois, mais dont ils n'avaient jamais fait le tour.

La princesse dit qu'elle avait vu des étrangers semblables aux Portugais débarquer sur son île, il y a bien longtemps, mais qu'ils cherchaient de l'or et non du bois.

La reine se souvint d'un marin génois qui souhaitait prouver la rotondité de la terre, et que ses grands-parents Isabelle et Ferdinand avaient envoyé chercher vers l'ouest un chemin jusqu'aux Indes. Il n'était jamais rentré, et personne, par la suite, ne s'était plus risqué à essayer de franchir la mer Océane.

La princesse lui dit qu'elle avait connu ce marin quand elle était petite, et qu'il était mort dans ses bras.

La reine demanda s'ils venaient de Cipango et s'ils étaient envoyés par le Grand Khan.

La princesse lui dit qu'Atahualpa était l'empereur des Quatre Quartiers, sans mentionner la guerre civile qu'il avait menée et perdue face à son frère.

Atahualpa sut qu'on parlait de lui mais n'entendait rien à la conversation.

João semblait comprendre mais se taisait.

La reine dit qu'elle s'appelait Catalina et qu'elle venait d'un pays qu'on appelait Castille.

La petite Cusi Rimay touchait la barbe de João qui la laissait faire.

La princesse demanda combien vaste était le pays où ils se trouvaient.

La reine dit que son mari régnait sur des royaumes au-delà des mers mais que son frère régnait sur de vastes terres.

La princesse savait que l'Espagne regroupait la Castille et l'Aragon.

La reine lui parla de l'Italie et de Rome, où vivait un grand prêtre, de l'Allemagne et de ses princes, ainsi que d'une lointaine Jérusalem, cité d'un certain Jésus, tombée aux mains d'un peuple ennemi.

La princesse demanda quel cataclysme avait frappé cette ville.

La reine lui dit que lorsque la terre avait tremblé, la mer du fleuve s'était ouverte en deux et avait jeté les bateaux dans le ciel.

Un cri lugubre retentit au-dehors, sans qu'on puisse déterminer s'il s'agissait d'un homme ou d'une bête.

Alors João s'adressa de nouveau au tondu à l'anneau. Il semblait soucieux et lui parlait avec fermeté.

Higuénamota demanda à la reine de quoi les deux hommes s'entretenaient. Elle sut qu'ils étaient dans un temple et que les tondus étaient des prêtres. La reine lui expliqua que certains parmi eux prédisaient un nouveau cataclysme et João souhaitait mettre un terme à ces rumeurs. Les gens d'ici pensaient que c'était la colère du dieu qui s'était abattue sur le pays, et la présence d'étrangers venus des mers ne faisait qu'accroître leurs craintes et leurs superstitions.

La princesse demanda de quel dieu il s'agissait.

La reine fit courir sa main sur son visage et sa poitrine, en un geste rapide que la Cubaine avait souvent vu faire par les Espagnols qu'elle avait connus, jadis.

Puis le roi et la reine prirent congé. Ils résidaient à l'écart, de l'autre côté du fleuve, par crainte d'une maladie qu'ils appelaient la peste.

10. *Les Incades*, chant I, strophe 1

Ô vous, hommes vaillants de plages si lointaines
Qui, partis d'Occident, avez par vos exploits,
Soumis bien au-delà de ces côtes cubaines
Des mers qu'on sillonnait pour la première fois ;
Ô vous, qui méprisant les vents et les tempêtes
À travers les dangers, les combats de géants,
Parvîntes à poser, pour prix de vos conquêtes,
D'un Empire nouveau les premiers fondements.

11. Le Tage

Dans les jours qui suivirent, Atahualpa ne quitta pas sa chambre, et se fit porter beaucoup de breuvage noir. Cette entrevue l'avait plongé dans une rêverie agacée. S'il avait pensé conquérir ce Nouveau Monde comme ses aïeux avaient conquis le Nord, il réalisait maintenant l'ingénuité d'un tel projet : on ne prend pas possession d'un pays avec moins de deux cents hommes. Seul un fou pouvait l'imaginer. De surcroît, l'escorte du roi João lui avait laissé entrevoir les capacités militaires des hommes d'ici, disciplinés, bien équipés, qui sauraient sans nul doute se battre le cas échéant.

Mais il fallait bien tenir ses troupes, si peu nombreuses fussent-elles, et cela impliquait de leur offrir des perspectives, quelque chose à quoi s'accrocher, au moins l'illusion d'une espérance. Atahualpa connaissait les effets mortifères de l'inaction ; il savait qu'il fallait reprendre la route, mais vers où ? Maintenant qu'ils avaient touché ce Nouveau Monde, où aller ? Que faire ? Il ne pouvait se décider à quitter ce havre de pierre si richement pourvu en breuvage noir.

Les circonstances, comme il advient presque toujours pour chacun de nous (s'il veut bien avoir l'honnêteté de le reconnaître sans se croire maître de son destin), décideraient pour lui.

Une foule de Levantins grossissait aux portes du temple, en même temps qu'un murmure menaçant. Chaque jour, quand ils partaient en reconnaissance, Quizquiz et ses hommes les trouvaient plus nombreux, et le grondement s'amplifiait. Certains, rares audacieux, allaient jusqu'à leur jeter des cailloux. Cependant, la plupart tremblaient sur leur passage et n'osaient rien entreprendre, mais nul ne pouvait dire pour combien de temps la digue invisible de la peur allait tenir, avant de laisser libre cours au fleuve de la colère. Higuénamota demanda aux tondus de quoi il retournait. Le chef des prêtres, qui parlait castillan, lui expliqua que les gens de ce pays étaient très superstitieux. Ils avaient vu dans le tremblement de terre, non un phénomène naturel, comme lui-même le croyait, mais une vengeance divine, à laquelle ils ne pouvaient pas manquer d'associer la présence de la troupe d'Atahualpa. L'opinion des Lisboètes était partagée : pour certains, les visiteurs étaient des Turcs. Pour d'autres, des Indiens. Une petite minorité voyait en eux des envoyés du ciel. Mais la majorité les considérait tout bonnement comme des démons. Au sein même de sa communauté de tondus, la question n'était pas tranchée.

Higuénamota demanda au prêtre comment lui la voyait. L'homme ne put réprimer un regard sur la poitrine, les hanches et le bas-ventre de la Cubaine. Il répondit d'une voix sourde, empreinte de confusion : « Comme une créature de Dieu. »

Higuénamota rapporta cette conversation à Atahualpa, qui prit sa décision : ils partiraient d'ici avant la nouvelle lune.

Ils négocièrent des vivres, des chevaux, des charrettes et du *vinho* (c'était ainsi que les Levantins désignaient le breuvage noir). Les habitants de la ville, trop heureux de les voir lever le camp, leur fournirent tout ce qu'ils désiraient.

Ils laissèrent leurs trois navires mouiller près de la tour dans l'eau. Les bâtiments étaient si fatigués qu'il n'eût pas été sage de continuer la navigation, d'autant qu'on ignorait jusqu'à quel point ce fleuve, que les tondus nommaient *Tejo*, était praticable.

Ne sachant où aller, n'ayant aucune raison de prendre une direction plutôt qu'une autre, ils longèrent à pied la rive du fleuve, dont Catalina leur avait dit qu'il menait en Castille. Qu'allaient-ils faire là-bas ? Atahualpa n'en avait pas la moindre idée.

Mais la Castille était un mot, et même s'il était encore vide, celui-ci avait au moins la force des mots. Il pouvait servir de but aussi bien qu'un autre.

Ils trouvèrent en chemin des cadavres broyés par la terre, des villages dévastés, des Levantins accablés. Les réactions à leur passage pouvaient être très différentes. Les habitants d'un village nommé Alverca les regardèrent comme des êtres surnaturels. On leur demanda l'aumône à Alhandra. Villa Franca de Xira les reçut avec hospitalité, en dépit de l'extrême dénuement dans lequel étaient plongés ses habitants. En revanche, ils durent se battre avec la population de Santarem, qui les accueillit à coups de fourche, possédée d'une rage homicide irrépressible.

Les jours passant, Higuénamota constata qu'elle comprenait de mieux en mieux ce que disaient les Levantins qu'ils croisaient sur la route.

Atahualpa savait ce que cela signifiait : ils étaient arrivés en Castille. Mais il demanda à sa compagne cubaine de ne pas l'ébruiter. Ils continuèrent à longer le fleuve. Cette vie d'errance, après tout, valait mieux que d'être tombés aux mains de Huascar, ou d'avoir péri en mer, et sa troupe s'y était habituée depuis la fuite de Quito.

Ils marchèrent ainsi, pénétrant toujours plus loin dans les terres, au gré des chemins et des villages, jusqu'à une ville nommée Tolède.

12. Tolède

Ils trouvèrent cette ville perchée sur un mamelon rocheux et tout de suite, ils l'aimèrent.

Il y avait un pont de pierre qui enjambait la gorge du Tage, des murailles crénelées qui ceinturaient la ville, et ce temple hérissé vers le ciel, et ces palais massifs comme posés sur la montagne par la main géante de Viracocha.

Tolède offrait aux voyageurs le tableau d'une forteresse imprenable, mais les gardes du pont, voyant arriver le cortège de l'Inca, s'écartèrent pour le laisser passer, sans poser aucune question.

La troupe d'Atahualpa se répandit dans des ruelles étroites. Les échoppes étaient nombreuses, mais la ville semblait déserte. Une rumeur, toutefois, les conduisit sur une grande place où tous les habitants s'étaient réunis. Manifestement, il s'agissait d'une occasion spéciale.

Le spectacle intrigua les Quiténiens. Atahualpa lui-même, connu et admiré pour sa capacité à ne jamais se départir de son calme impérial, y compris devant les choses et les situations les plus surprenantes, ne put dissimuler une légère expression de curiosité.

Au centre de la place, comme enfermés dans une cage, se tenaient des hommes et des femmes coiffés d'un bonnet pointu et vêtus d'une robe, tantôt jaune, tantôt noire, sur laquelle étaient peintes des croix rouges et des flammes. Sur les robes jaunes, les flammes étaient tournées vers le bas. Certains avaient des cordes à nœuds passées autour du cou. Tous tenaient à la main une longue bougie éteinte. Posés à côtés d'eux, des coffres noirs et des poupées de taille humaine.

Devant eux, alignés autour d'une grande croix blanche qu'on avait manifestement dressée pour l'occasion, des hommes tondus, un peu semblables à ceux de Lisbonne, écoutaient l'un des leurs déclamer un long discours en pointant vers les bonnets encagés un doigt accusateur.

Sur le côté, Higuénamota avait repéré les caciques : leurs vêtements de bonne facture et leur maintien les trahissaient. Une jeune femme blonde ressemblait à Catalina : elle avait le même port et le même regard. Assis à côté d'elle, un homme chauve en robe rouge arborait un visage si sec et si osseux qu'il paraissait momifié. Des soldats en armes se tenaient debout derrière eux, ostensiblement dédiés à leur protection.

Le reste de la place était entièrement occupé par une foule dense et vibrante, attentive aux mots prononcés sur l'estrade, entonnant des chants à intervalles réguliers, presque dansante.

Higuénamota entendait mal ces discours étranges, certains passages étaient dans une langue inconnue d'elle, et l'ensemble n'était pas clair. On demandait aux bonnets de se rétracter, mais elle ne parvenait pas à saisir quel était l'objet du litige. Chacun son tour, ils s'avançaient et répétaient « *si, yo creo* » aux questions qu'on leur posait, sauf certains qui étaient bâillonnés.

La signification rituelle de la cérémonie, sinon sa solennité, échappait à la Cubaine, tout autant qu'à ses compagnons.

Un jeune homme, pauvrement vêtu mais assez bien mis, s'était approché d'elle timidement, qui fixait sa nudité sous son manteau de chauve-souris. Tandis que des chants s'élevaient dans l'air, elle le questionna sur le sens de tout ceci. Le jeune homme timide avait reculé mais lui, contrairement aux prêtres, osait la regarder.

Il s'agissait de juger des *conversos* qu'on soupçonnait d'être demeurés fidèles à leur ancienne religion et de *judaïser*. Ce pouvait être aussi des *mahométisants* ou des *illuminés* ou des *luthériens* quoiqu'ils fussent plus rares dans la région. Certains, ici présents, étaient jugés pour *propos malsonnants*, *blasphème*, *superstition*, *bigamie*, *sodomie* ou *sorcellerie* (parfois les chefs d'accusation se cumulaient), mais ceux-là s'exposaient à des peines plus légères : amende, fouet, prison ou galère. Le jeune homme lui expliqua que les flammes tournées vers le bas étaient réservées à ceux qui échapperaient au bûcher. Il lui désigna l'un des bonnets qu'on accusait de cuisiner à l'huile d'olive plutôt qu'au lard. C'est du moins ce qu'elle traduisit à Atahualpa, bien qu'elle ne fût pas sûre d'avoir parfaitement compris la nature de ce dernier crime. Les chants continuaient.

Selon le jeune homme, les juges étaient des serpents venimeux et leurs mères avaient pour habitude de se vendre à des hommes, mais l'un d'entre eux lui inspirait néanmoins du respect parce qu'il avait étudié dans une ville nommée Salamanque, qui était tout entière dédiée à la connaissance et contenait, d'après lui, tous les savoirs du monde.

On découvrit une croix verte qu'on avait au préalable recouverte d'un linge noir. Puis le chef des juges s'adressa au banc des caciques.

La jeune femme blonde était la reine de ce pays et la momie en robe rouge était son ministre.

La cérémonie avait duré si longtemps qu'on distribuait des collations aux participants, juges, accusés, notables.

118

Puis des hommes armés emmenèrent les condamnés en robe noire, ainsi que les coffres noirs et les poupées à taille humaine. Atahualpa, curieux, suivit ce cortège. Comme il n'avait pas daigné renseigner ses généraux sur ses intentions, Ruminahui ordonna aux autres de l'attendre et alla avec lui, ainsi qu'Higuénamota qui considéra que la consigne ne s'appliquait pas à elle, accompagnée du jeune Levantin timide.

Ils débouchèrent sur une autre place où des poteaux avaient été dressés, avec des anneaux, et des fagots de bois disposés autour. Les soldats allumèrent les premiers bûchers dans lesquels ils jetèrent d'abord les coffres noirs et les poupées à taille humaine.

Puis ils attachèrent les condamnés aux poteaux.

Selon une logique mystérieuse qui échappait aux Quiténiens, ils en étranglèrent certains avant de les livrer aux flammes – et le jeune homme timide leur expliqua qu'il s'agissait là d'un acte de clémence – mais d'autres, dont les crimes devaient être plus graves, furent brûlés vifs. À tous, on adressait ce signe qu'ils avaient vu faire par Catalina, consistant à se passer une main sur le visage et la poitrine.

Les sacrifices humains n'étaient pas étrangers aux Incas. Pourtant nous savons qu'Atahualpa, même s'il n'en voulut rien laisser paraître, fut choqué par le spectacle des corps qui se tordaient en se consumant, et par les cris des suppliciés.

La foule resta sur place à contempler les brasiers jusqu'à une heure avancée de la nuit.

La présence des Quiténiens ne pouvait plus rester ignorée. On vint les chercher pour les présenter à la reine.

Elle s'appelait Isabelle et était la sœur de João, le roi du Portugal, mais, tout comme Catalina, elle parlait en castillan, si bien qu'Higuénamota pouvait la comprendre. À dire vrai, elle était d'une beauté supérieure à sa belle-sœur, et plus richement parée. Son époux régnait sur le pays d'Espagne et sur un territoire lointain qu'elle nommait « Saint Empire romain germanique », qu'il devait gérer depuis le pays où il était né, plus au nord, et défendre contre un empire rival, à l'est.

Son frère lui avait écrit pour l'avertir de l'arrivée d'Indiens venus de l'ouest. Elle souhaitait faire bon accueil à ce qu'elle prenait pour une ambassade de Cipango ou de Cathay, ce qui la forçait, disait-elle en riant, à admettre la rotondité de la Terre.

Atahualpa crut noter chez certains tondus qui écoutaient ce discours, à commencer par la momie en robe rouge, une impatience, ou tout du moins une réserve. L'un d'eux, qui se présentait comme *obispo* et *inquisidor*, et répondait au nom de Valverde, leur demanda s'ils reconnaissaient la *Santa Trinidad*. Atahualpa fit répondre qu'il ne la connaissait pas. Un long silence s'ensuivit.

Les Quiténiens furent logés dans un palais, et l'on prit soin de leurs bêtes.

Le jour suivant, ils déambulèrent dans les rues, suscitant une curiosité sans excès chez les habitants, peut-être repus et non encore dégrisés de la cérémonie de la veille.

Il y avait dans la troupe d'Atahualpa un forgeron aux cheveux rouges nommé Puka Amaru. Il s'aperçut que les armes fabriquées par les artisans de Tolède étaient d'une qualité presque égale à celles de Lambayeque. Il s'en vint rapporter ses observations à Ruminahui, qui le chargea de l'entretien de l'armement. Puka Amaru collecta les haches, les épées, les lances, les massues à tête d'étoile et les porta aux forgerons locaux, qui s'extasièrent devant la finesse du travail du fer. Ensemble, ils huilèrent, affûtèrent, troquèrent. Puka Amaru apprécia grandement de pouvoir disposer de bons outils : les limes, les burins, les soufflets de forge étaient d'excellente facture, et ses hommes purent façonner le fer sur de bonnes enclumes. Les masses étoilées intriguaient les Tolédans. Les haches longues leur plaisaient également, dont ils avaient l'équivalent qu'ils nommaient *alabardas*. En retour, ils proposaient des épées droites à la garde en croix et des sabres courbés qui étaient comme de longues machettes. Ce fut, après la découverte du breuvage noir teinté de rouge, l'un des premiers échanges culturels entre Quiténiens et habitants du Nouveau Monde. Au reste, le breuvage noir de Tolède n'était pas moins savoureux que celui de Lisbonne. Des jeunes femmes de la compagnie d'Atahualpa avaient rapporté la frayeur de certains tondus lorsqu'elles avaient voulu s'offrir à eux, à Lisbonne. À Tolède, en revanche, des hommes et des femmes se mélangèrent.

Mais cette entente ne dura pas.

Une question autour de la *Santa Trinidad* semblait décidément problématique aux prêtres locaux, qui étaient regroupés dans une sorte de conseil qu'ils nommaient *Suprema*. Ils manifestaient le désir obstiné de savoir si Atahualpa croyait ou non qu'un certain Jésus était le fils de Dieu. Atahualpa leur faisait répondre que Viracocha avait créé le monde il y a bien longtemps, mais que pour sa part, il avait cessé de croire en Pachacamac, fils du Soleil et de la Lune. Cette réponse, qui se voulait de bonne volonté, semblait les plonger dans l'embarras, car alors ils se taisaient en se jetant des regards en biais.

Il était convenu que les Quiténiens attendent le retour du roi Charles, mari d'Isabelle, qu'on allait prévenir sans délai de la présence d'Atahualpa et de sa délégation. Cependant, le prêtre à tête de momie, qui portait le nom de Tavera et le titre de cardinal, désapprouvait qu'on fasse revenir le roi car celui-ci avait, d'après lui, des affaires plus importantes à régler dans une région du Nord qu'il appelait les Pays-Bas.

La reine Isabelle n'était pas de cet avis car elle souhaitait le retour de son époux. Elle demandait au conseil de la Suprema, et spécialement au prêtre Valverde, de bien vouloir cesser d'importuner ses hôtes. Cette requête était faite avec beaucoup de grâce mais la Suprema semblait peu disposée à y accéder. Les questions continuaient sur le nombre de sacrements et le célibat des prêtres. Atahualpa leur fit répondre que dans son pays, les choses relatives aux dieux étaient confiées à des prêtresses. Des femmes choisies étaient dévouées au culte du Soleil et au service de l'empereur. Le conseil tout entier se récria. Conciliant et ne voulant choquer personne, Atahualpa leur envoya une prêtresse de sa suite très fervente, pour leur expliquer le fonctionnement du culte, puisqu'ils semblaient lui manifester un si vif intérêt. Ils refusèrent de la recevoir.

Bientôt, les hommes de Quizquiz rapportèrent des rumeurs qui se répandaient en ville : on disait des visiteurs qu'ils étaient en réalité des *Moros* ou des

122

Turcos. Le mot *hereticos* revenait souvent et Quizquiz comprenait qu'il n'était pas flatteur.

Un soir, une vieille femme vint avertir Higuénamota que la Suprema avait décidé de leur arrestation à tous, le lendemain à l'aube, puis qu'ils seraient jugés et brûlés comme des *conversos*. C'était une vieille juive qui avait vu des membres de sa famille périr dans les flammes. Il ne lui restait qu'un fils.

Higuénamota s'empressa d'aller rapporter à Atahualpa l'avertissement de la vieille. Ils se réunirent avec les généraux et Coya Asarpay pour décider d'un plan d'action. Les Quiténiens comprenaient qu'il se jouait quelque chose de grave ici autour de différents groupes de croyances, les juifs et les conversos, les morisques mahométisants, les luthériens, les vieux et les nouveaux chrétiens. Ils ne saisissaient pas exactement ce qui était en jeu derrière ces histoires de dieu cloué et de cuisine au lard mais ils savaient que les Levantins prenaient tout ça très à cœur, comme la cérémonie des bûchers l'avait prouvé amplement.

Un plan d'action fut décidé. Il fallait mettre hors d'état de nuire la Suprema. Les gardes. L'escorte de la reine, celle de Tavera. Tous les soldats présents en ville. Et, en fait, tous les habitants, dont il était impossible de préjuger des réactions, mais que les retours des éclaireurs de Quizquiz laissaient penser potentiellement hostiles.

Higuénamota objecta que tous n'étaient pas coupables, et que parmi les habitants, outre la vieille juive qui était venue la prévenir, il y avait aussi les futures victimes de la Suprema.

Coya Asarpay rétorqua que puisque ceux-là seraient victimes tôt ou tard, il était inutile de faire le tri. Plus encore, les tuer maintenant serait un acte de merci, si cela leur évitait le bûcher.

Mais Chalco Chimac fit la remarque que ces gens, conversos, morisques, sorcières, bigames, illuminés ou luthériens, quoi que tout ceci ait pu signifier, étaient aussi les seuls alliés potentiels des Quiténiens qui, pour l'instant, n'en comptaient aucun.

Quizquiz demanda comment, le cas échéant, on reconnaîtrait ceux qu'il faudrait épargner.

Higuénamota voyait un moyen simple : seuls les chrétiens faisaient le signe de se passer la main sur le visage et la poitrine. Ils le faisaient à tout propos, et d'après le souvenir des Espagnols qu'elle avait connus lorsqu'elle était enfant, ils le feraient davantage en voyant la mort approcher. Or, il était précisément reproché à ceux qui encouraient le bûcher de n'être pas de bons chrétiens.

Ruminahui dit que, dans ce cas, il suffirait d'épargner ceux qui ne feraient pas le signe, et de tuer tous les autres.

Atahualpa décida qu'il en serait ainsi, dans la mesure du possible.

On distribua les armes et on fit ferrer les chevaux en secret. Tous, y compris les nobles, les femmes et les enfants en âge de tenir une hache, se préparèrent au combat. Ils n'avaient pas fait tout ce voyage, ils n'avaient pas échappé à la vengeance de Huascar, ils n'avaient pas survécu aux tempêtes pour finir grillés comme des cuys à la broche, ou étranglés par des sauvages velus.

Peu avant l'aube, Quizquiz donna le signal.

On maîtrisa d'abord les palefreniers dans les écuries, puis on tua les gardes du palais, et on enferma les prêtres et les caciques. La reine fut confinée dans sa chambre. On attaqua les soldats par surprise, et on en tua un très grand nombre avant même qu'ils songent à se défendre. Les cannes à feu furent récupérées sur leurs cadavres. Puis, les cris ayant fait sortir les habitants de chez eux, on chargea à cheval dans les rues.

Ce fut un grand carnage. Les épées de Tolède et les haches de Lambayeque percèrent et tranchèrent sans distinction de métier, d'âge ou de sexe. On alla égorger les gens chez eux. Ceux qui tentèrent de se défendre furent sabrés comme les autres. Certains se réfugièrent dans leur temple qu'ils appelaient cathédrale. Quizquiz la fit incendier. Leur dieu cloué ne leur fut d'aucun secours.

Le jeune homme timide qui avait abordé Higuénamota fut pris dans l'assaut. Il chercha refuge sous les porches, il voulut se cacher dans les cours intérieures, mais un groupe de Quiténiens enragés vint à le débusquer. Il s'enfuit par les toits mais glissa et tomba sur les pavés. Il sentait la mort à ses trousses qui lançait ses cris de guerre. Puka Amaru, avec qui il se retrouva nez à nez, lui fracassa l'épaule d'un coup de masse étoilée. Mais le jeune homme blessé, mû par le désir de vivre, parvint à se relever pour reprendre sa course d'animal traqué.

Tandis que les massacres continuaient, Atahualpa vint trouver les membres de la Suprema. Il leur demanda pourquoi ils avaient projeté de l'anéantir, lui et sa troupe, et ceux-ci piaillèrent en lui montrant du doigt une effigie de leur dieu cloué accrochée au mur. Ils multipliaient frénétiquement les signes de la main. Certains d'entre eux tombaient à genoux, comme frappés par la foudre, pris de convulsions.

Il voulut leur expliquer qu'un dieu qui exigeait qu'on brûlât des hommes vivants, quel qu'ait pu être leur crime, était un dieu mauvais, car le corps des morts devait être conservé afin qu'ils puissent continuer à vivre après la mort, et qu'un tel dieu ne méritait pas qu'on l'adore.

Mais comme, à ce moment-là, Higuénamota n'était pas avec lui pour lui servir de truchement, il jugea plus simple de les faire exécuter. Il ferait exposer leurs têtes pour l'exemple. Le prêtre Valverde mourut en lançant des imprécations dont personne ne put recueillir la teneur.

La princesse cubaine était sortie pour veiller à ce que la vieille qui l'avait prévenue ne soit pas inquiétée. Celle-ci vivait avec son fils dans un quartier plutôt épargné par les violences, car les Quiténiens avaient noté qu'on n'y faisait pas le signe de la main.

Cependant, elle entendit des cris et comme le bruit d'une cavalcade. Une forme ensanglantée vint se jeter à ses pieds, poursuivie par une meute de Quiténiens, emmenée par un forgeron aux cheveux rouges. Elle reconnut le jeune homme timide et ordonna à ses poursuivants de l'épargner. Puka Amaru, qui rechignait à reconnaître l'autorité d'une princesse étrangère, dit que les ordres étaient clairs et qu'ils devaient les exécuter. Mais Higuénamota s'avança vers lui jusqu'à appuyer son sein contre la pointe de l'épée qu'il brandissait. Toucher à elle, c'était la mort, il le savait. À contrecœur, les assaillants firent demi-tour.

Higuénamota se pencha sur le jeune homme, qui respirait encore. Elle lui demanda : « *Como te llamas ?* » Il murmura : « *Pedro Pizarro.* » Elle décida qu'il serait son page, s'il survivait à ses blessures.

En deux heures, ils en tuèrent plus de trois mille.

De retour au palais, Higuénamota fut appelée auprès d'Atahualpa pour de nouveau lui servir de truchement. Celui-ci fit venir la reine et les caciques qu'il avait fait incarcérer et leur demanda pourquoi ils avaient voulu l'assassiner ; ils lui répondirent que ce n'était pas eux mais les inquisiteurs de la Suprema qui les avaient entraînés dans cette affaire ; que la Sainte Inquisition échappait à leur autorité, et que le roi Charles n'aurait jamais approuvé pareil forfait, s'il avait pu en être informé.

Après leur avoir reproché leur perfidie, il leur rendit leur liberté et le jour suivant, la ville était repeuplée, pleine de femmes et d'enfants, comme si rien d'extraordinaire n'était arrivé.

Pendant les quinze jours qu'ils passèrent à Tolède, la ville et les environs jouirent d'une paix profonde ; il y avait dans les rues un tel mouvement qu'on n'aurait pu se douter que personne y manquât, car les affaires se traitaient et les marchés se tenaient comme de coutume. Seules les têtes des prêtres, exposées sur la grande place, rappelaient les événements récents.

Cependant, Atahualpa, qui avait la charge de son peuple, celui-ci fût-il réduit à moins de deux cents sujets, devait décider de la conduite à suivre. Il fit brûler la grande croix verte qui avait accompagné la cérémonie des inquisiteurs mais jugea plus sage, pour l'instant, de ne pas exiger qu'on décroche les innombrables effigies du dieu cloué.

Il réitéra auprès de la reine et de son ministre Tavera le vœu de rencontrer le roi Charles. La reine lui dit que son mari était allé défendre une grande ville de l'Est menacée par l'empire rival des Turcs, mais que des courriers étaient partis pour l'informer de leur présence.

Il fallait attendre, mais l'attente, comme Atahualpa ne l'ignorait pas, est une marâtre qui ronge le moral des troupes, a fortiori lorsqu'elle se marie à l'inaction.

Chalco Chimac fit remarquer qu'il valait mieux, sans doute, ne pas rester dans une ville où l'on venait de massacrer trois mille de ses habitants.

Quizquiz suggéra d'aller à la rencontre de Charles mais Ruminahui objecta qu'autant ils avaient pu tirer avantage du cataclysme de Lisbonne et du désordre qu'il avait engendré à leur arrivée, autant une situation de guerre dont ils ne connaissaient rien, ni sur les forces en présence, ni sur le terrain, et dont ils comprenaient mal les tenants et aboutissants, recelait trop d'incertitudes et de dangers, qui plus est pour un groupe constitué d'une grande proportion de civils, même partiellement aguerris par plus d'un an de lutte pour sa vie.

Ils se présentèrent ainsi devant la reine, dont il était prévu qu'elle les reçût en audience, car ils avaient souhaité qu'elle conservât les marques proto-colaires de son autorité royale, sans avoir la moindre idée de la conduite à adopter. Atahualpa était paré d'un pectoral en or et drapé dans une longue cape d'alpaga blanche qui faisait impression sur l'assistance des Levantins, mais il ne se décidait pas à prendre la parole. Alors Higuénamota dit qu'ils solli-citaient un sauf-conduit.

« *Adonde ?* demanda la reine.

— *Salamanca* », répondit la Cubaine.

La reine jeta un regard inquiet à son ministre à tête de momie. Le cardinal Tavera demanda pour quelle raison ils avaient choisi cette destination. Higuénamota répondit qu'ils souhaitaient mettre à profit le temps qu'ils avaient à attendre le retour du roi Charles pour étudier l'histoire et les coutumes du royaume de Castille, et celles du Nouveau Monde en général.

« *Barbari qui studeant !* » dit Tavera en levant les yeux au ciel.

De toute façon, les Levantins n'étaient pas, à cet instant, en mesure de discuter. Le sauf-conduit fut délivré, avec des lettres de recommandation adressées aux plus éminents théologiens de Salamanque.

La vieille qui l'avait avertie vint trouver Higuénamota. Elle souhaitait se joindre aux Quiténiens, avec son fils, mais aussi une vingtaine d'autres. Elle répétait « *Cubanos ! Cubanos !* ». Atahualpa, qui écoutait sans comprendre, réalisa qu'aux yeux de la vieille, et sans doute de la plupart des Levantins qu'ils avaient croisés, y compris la reine et le cardinal, ils étaient tous cubains, à l'image de sa traductrice. Il voulait savoir pourquoi ces gens souhaitaient venir avec eux. La vieille dit à Higuénamota qu'après leur départ, d'autres inquisiteurs viendraient, et qu'ils continueraient à les persécuter.

Ainsi Atahualpa toucha-t-il ses premiers renforts, en la personne de quelques familles de conversos aux abois, d'une poignée d'hérétiques blafards plus ou moins exaltés, et du jeune Pedro Pizarro à moitié mort.

13. Maqueda

Toujours le jeune souverain trouvait, sinon un but qui les ferait s'oublier eux-mêmes, une destination, une direction, une impulsion qui fédérait ses troupes et leur donnait l'élan et la force, si bien que jamais ce voyage impossible, inconcevable, qui les avait menés d'abord aux portes du Cuzco pour mieux les en éloigner ensuite, leur faisant tâter le nombril du monde avant de les envoyer jusque dans ses confins, n'avait complètement basculé dans l'errance pure, ou du moins le groupe des Quiténiens n'en eut jamais réellement conscience, sans quoi il ne fait guère de doute qu'ils eussent échoué, l'un après l'autre, sur les rivages de la folie. Le sang de Pachacutec coulait dans les veines d'Atahualpa, et sans doute cela plus que toute autre chose guida ses décisions jusqu'à cet instant, car, alors, il n'avait pas encore étudié la philosophie politique du Levantin de Florence, grâce aux ouvrages duquel il ne ferait que confirmer les dons de gouvernement que lui avait légués celui qu'on appelait le Réformateur, son arrière-grand-père.

Sur la route de Salamanque, ils s'arrêtèrent aux portes d'un village du nom de Maqueda. Ne doutant pas que la rumeur du massacre de Tolède s'était répandue dans la région, Atahualpa prit ses quartiers à l'extérieur du village où il dépêcha Quizquiz, comme il en avait l'habitude pour ses opérations d'éclaireur, accompagné d'Higuénamota pour sa connaissance de la langue.

Les villageois s'étaient regroupés dans leur temple. Quizquiz et Higuénamota, qui avait pris soin de dissimuler sa nudité sous une cape, s'y introduisirent pour assister à une scène étrange. Un tondu discourait dans une guérite en bois devant une assistance passablement dissipée. Le spectacle qui s'offrait aux deux visiteurs était bien différent de la cérémonie solennelle qui avait mené aux bûchers de Tolède, dont il ne possédait ni le faste ni la lourde gravité.

Mais soudain, un homme portant une épée à la ceinture interrompit le discours du tondu pour l'accabler d'injures. Higuénamota, sans bien saisir les détails, comprit qu'il l'accusait de ne pas être ce qu'il prétendait. Les deux hommes s'invectivèrent mutuellement jusqu'à ce que le tondu tombe à genoux dans sa guérite, joignant les mains en levant les yeux au ciel, priant son dieu d'intercéder en sa faveur.

Aussitôt, comme frappé par la foudre, l'homme à l'épée s'effondra sur le sol et se mit à convulser en écumant. Alors tous les Levantins présents furent pris de terreur et, dans la plus grande confusion, conjurèrent le tondu d'annuler son sortilège. Celui-ci consentit à descendre de sa guérite et fendit la foule pour venir se pencher sur le corps de l'homme agité de spasmes. Il lui déposa une sorte de rouleau sur la tête en prononçant quelques paroles au sens obscur, et les convulsions cessèrent aussitôt.

L'homme à l'épée, revenu à lui, s'empressa de lui témoigner allégeance et se retira. La conséquence immédiate de cet épisode fut que la foule se précipita vers le tondu en lui tendant de petites pièces de cuivre et d'argent. Ils répétaient un mot que la Cubaine ne connaissait pas : « *indulgencia* ».

Quizquiz et Higuénamota furent impressionnés par les pouvoirs du dieu cloué (si c'était bien, comme ils le croyaient, celui que le tondu avait invoqué pour châtier son contradicteur). Ils vinrent rendre compte de cet épisode à Atahualpa qui, comme à son habitude, ne laissa paraître aucun trouble. Cependant, il jugea opportun d'évaluer cette menace. Le moral de sa troupe était précaire, il ne devait pas être entamé par des forces surnaturelles potentiellement hostiles. Mais comment y voir clair ? Après l'affaire de Tolède, Atahualpa entendait se faire oublier et ne voulait pas donner l'ordre qu'on aille chercher le tondu sorcier. Il souhaitait limiter, pour un temps, les contacts avec les locaux. Alors on se souvint que des Levantins s'étaient joints au groupe.

Le jeune Pedro Pizarro, qu'Higuénamota avait sauvé du massacre, recouvrait ses forces. Le soir venu, il lui contait des histoires de son pays, qu'elle traduisait pour les femmes et les sœurs d'Atahualpa. Elle alla lui rapporter la scène dont elle avait été témoin dans le temple de Maqueda, et lui demanda d'où ce tondu tirait ses pouvoirs. Pedro Pizarro, ayant écouté attentivement le récit de sa protectrice, se mit à rire doucement.

« Ce que vous avez vu, dit-il, sont deux fripons qui s'étaient entendus au préalable pour jouer une comédie, dans l'unique but de soutirer de l'argent aux villageois. Le prêtre fait commerce d'indulgences, c'est-à-dire qu'il vend à ses fidèles des bulles qu'il rédige lui-même, sans doute dans un latin de foire, et qui doivent leur permettre, en rachetant leurs péchés, de sauver leur âme. Je suis certain que l'alguazil qui a fait mine de lui chercher querelle est partie prenante dans les bénéfices de sa petite affaire. »

Higuénamota traduisit sans comprendre. Mais ce que les Quiténiens désiraient savoir concernait le pouvoir de terrasser les adversaires à distance, que le tondu semblait tenir de son dieu cloué, et comment il s'en faisait obéir. Alors Pedro Pizarro, qui était jeune mais non sot, explicita son propos à l'aide d'un tableau qu'il leur peignit ainsi : « Si vous retournez au village ce soir, quand le soleil sera couché, vous trouverez sans doute votre prêtre à son logis, en train de trinquer avec son compère à la santé du public crédule devant lequel vous les avez vus donner leur plaisante représentation. » Et il ajouta, avant de se tourner sur sa couche pour se rendormir, fatigué par ses blessures mais riant toujours : « Combien de tours semblables de pareils imposteurs ne doivent-ils pas faire aux simples gens !... »

Ce fut leur première leçon du Nouveau Monde.

14. Salamanque

Escalona, Almorox, Cebreros, Alvila... Ils traversèrent d'autres villages, croisèrent d'autres gens. C'était un défilé de chiens errants, de mendiants, de cavaliers, de croix de bois en processions. Le long des routes, comme à Tahuantinsuyu, des paysans penchés sur la terre se relevaient pour les regarder passer.

Le soir, Pedro Pizarro leur racontait l'histoire de Roland et d'Angélique, de Renaud sur son fidèle Bayard, de Bradamante et l'Hippogriffe, et Roger, et Ferragus cherchant son heaume, et Olympe aux prises avec Cimosque roi de Frise.

Comment Gradasse, roi de Séricane, parvint à capturer l'empereur Charlemagne en personne, mais fut défait ensuite par Astolphe, armé d'une lance enchantée : Atahualpa, qui se remémorait sa capture par les hommes de Huascar, puis son évasion, au tout début de la guerre civile, écoutait attentivement ce passage. De même, il se faisait répéter les descriptions des arquebuses dans l'aventure d'Olympe. Il voulait tout savoir des couleuvrines, des faucons, des bombardes, car celles-ci n'étaient pas des chimères ; Pedro Pizarro lui assurait que, contrairement aux vengeances aléatoires du dieu cloué, la foudre de ces engins, dès l'instant qu'on savait s'en servir, était livrée en temps et en heure. Lui-même, si jeune fût-il, avait reçu une petite formation militaire dispensée par ses oncles et cousins. Durant les haltes, quand le reste de la troupe s'arrêtait pour bivouaquer, les soldats, sous sa direction, s'exerçaient aux cannes à feu. Quizquiz les trouvait plus bruyantes qu'efficaces.

Higuénamota aimait ce jeune homme à l'esprit vif qu'elle avait pris sous son aile. Atahualpa l'appréciait pour les connaissances qu'il pouvait lui fournir de ce pays et de ce monde. Ainsi apprit-il que l'Espagne était en guerre avec un pays qui s'appelait la France.

Ils recueillirent un petit négrillon qu'ils trouvèrent dans une auberge de Tejares. Sa mère y était une servante maltraitée et l'enfant fut pris en pitié par les femmes d'Atahualpa.

Enfin Salamanque parut à l'horizon. Ils découvrirent une ville dont la beauté surpassait celle de Tolède. Ruminahui montra le sauf-conduit aux autorités locales qui les accueillirent non sans crainte mais avec tous les honneurs. De nouveau, ils furent confiés aux bons soins des tondus, catégorie de la population qui recouvrait décidément les activités les plus diverses : l'adoration de leur dieu, la collecte du breuvage noir, le stockage et l'entretien des feuilles qui parlent. Ils étaient prêtres, archivistes, mais aussi amautas, car ils disputaient au sujet des mystères du monde et racontaient beaucoup de contes, et même haravecs, car certains d'entre eux composaient des poèmes selon des systèmes de vers et de strophes très bien agencés. Par ailleurs, ils chantaient beaucoup, toujours en chœur, des mélodies traînantes et graves, sans être accompagnés par nul autre instrument que leur voix. Comme à Lisbonne, et bien qu'ils semblassent avoir fait vœu de pauvreté, ils logeaient dans les bâtiments les plus munificents.

Sur le portail de l'un d'entre eux, les étudiants qui peuplaient la ville s'amusaient à chercher une grenouille en pierre dissimulée dans un entrelacs de sculptures. Atahualpa, qui s'était arrêté pour contempler l'ouvrage, ne voyait pas la grenouille. Un mendiant aveugle qui faisait la manche au pied du portail lui dit ceci : « *Quien piensa que el soldado que es primero del escala tiene mas aborrecido el vivir ?* » L'Inca, qui était sorti sans sa litière, ne s'offusqua pas d'être ainsi interpellé ; il demanda à Higuénamota de lui traduire (bien que lui-même commençât à comprendre des bribes de castillan).

Et le mendiant tenait ce propos étrange : « Aucun écrit ne devrait être déchiré ou détruit, à moins qu'il soit fort détestable, mais au contraire communiqué à tous, particulièrement s'il est inoffensif et que l'on puisse en tirer quelques fruits. »

Le tondu qui les accompagnait voulut faire taire l'aveugle mais Atahualpa l'arrêta d'un geste de la main. Ainsi l'aveugle put-il continuer à dévider le fil de sa pensée obscure : « S'il n'en était point ainsi, en effet, bien peu parmi ceux qui écrivent écriraient pour un seul lecteur, car cela ne va pas sans peine, et puisqu'ils prennent cette peine, ils veulent en être récompensés, non pas en argent, mais par le fait qu'on voie et qu'on lise leurs œuvres et, le cas échéant, qu'on en fasse l'éloge. À ce propos, Cicéron dit : "C'est l'honneur qui produit les arts." »

Et Pedro Pizzaro, qui avait un peu étudié, d'expliquer à voix basse que Cicéron était un très grand amauta qui avait vécu il y a bien longtemps.

« Pensez-vous que le soldat qui, le premier, monte sur la brèche ait, plus que d'autres, la vie en horreur ? Assurément non ; c'est son désir de gloire qui le fait s'exposer au danger. Dans les arts et les lettres, il en va de même. »

Et comme il avait senti la présence du tondu, le vieil aveugle se tourna vers lui : « Le théologien prêche fort bien, en homme qui désire beaucoup le salut des âmes. Mais demandez donc à monsieur s'il est fâché qu'on lui dise : "Oh, que merveilleusement Votre Grâce a prêché !" »

L'aveugle était parti d'un grand rire. Atahualpa ôta l'une de ses boucles d'oreilles et la lui mit dans la main. Puis ils continuèrent leur visite, tandis que le tondu lui parlait d'*index*, d'*heretico* et d'*auto de fe*.

Atahualpa, et plus encore Higuénamota, ne laissaient pas de s'étonner d'une chose qu'ils avaient aperçue : il y avait parmi les habitants des hommes pleins et gorgés de toutes sortes de commodités, et leurs semblables étaient mendiants à leur porte, décharnés de faim et de pauvreté. Atahualpa, et plus encore Higuénamota trouvaient étrange comme ces nécessiteux pouvaient souffrir une telle injustice, sans qu'ils prissent les autres à la gorge, ou missent le feu à leurs maisons.

Pedro Pizzaro savait décrypter les feuilles qui parlent. Il avait mis la main sur un ouvrage secrètement traduit par un tondu, qui circulait sous le manteau, et dont il lisait des extraits à l'empereur inca et sa compagne cubaine : « Car les grands, voyant qu'ils ne peuvent résister au peuple, commencent à orienter la faveur vers l'un d'entre eux et le font prince pour pouvoir, à son ombre, assouvir leur appétit. »

C'était un traité politique qui était fraîchement arrivé d'un pays nommé Florence, dont le jeune Atahualpa, dans sa sagesse atavique, sentait qu'il pourrait lui être de quelque profit à l'avenir, car on y lisait encore ceci : « En outre, on ne peut honnêtement donner satisfaction aux grands sans faire de tort aux autres ; mais on peut assurément le faire avec le peuple ; car les buts du peuple sont plus honnêtes que ceux des grands, les uns voulant opprimer, l'autre ne pas être opprimé. »

Ce n'est pas que le jeune empereur se souciât excessivement du bonheur des peuples. Il avait écrasé sans états d'âme les révoltes des Canaris, et ces chiens de Tumbes, comme il aimait à les appeler, et ceux de Tolède. Mais il se sentait une responsabilité envers son peuple à lui, ce peuple fût-il réduit à deux cents têtes, les rescapés de Chinchansuyu. Pour les sauver, il savait qu'il devrait faire face à des adversaires puissants et innombrables, contre lesquels il faudrait composer une partition finement politique, en usant de tous les avantages du terrain et d'une compréhension particulièrement affûtée des équilibres et des rapports de force. Ce Nicolas Machiavel ne lui sembla pas de mauvais conseil.

Quizquiz se pencha sur les cartes de la région : il voulait savoir comment se dressent les montagnes, comment s'ouvrent les vallées, comment s'étendent les plaines ; comprendre la nature des fleuves et des marais. Il mit beaucoup de soin à cela.

Chalco Chimac s'initiait à la discipline qui régissait l'application des lois et des peines, auprès d'un tondu de grande réputation qui se nommait Francisco de Vitoria.

Higuénamota apprenait à déchiffrer les feuilles qui parlent auprès de son jeune protégé qui devint aussi son précepteur, et, dit-on, davantage.

Atahualpa découvrait, fasciné, l'histoire enchevêtrée des rois locaux.

Tous restaient perplexes face aux explications des tondus sur les fables contenues dans le coffret qui parle, qu'ils citaient à tout propos, dont ils ne se séparaient presque jamais, et auquel ils vouaient une adoration obsessionnelle. Le système d'organisation sacerdotale auquel ils appartenaient apparaissait également d'une complexité infinie. Néanmoins, les Quiténiens comprenaient deux choses : il y avait un lieu nommé Rome qui suscitait la plus grande déférence, et un prêtre nommé Luther la plus grande excitation. Même ce Francisco de Vitoria, qui semblait d'une sagesse supérieure, ne pouvait s'empêcher de s'échauffer à l'évocation de ce collègue. Atahualpa et ses gens ne parvenaient pas à saisir la nature du différend, mais celui-ci devait être de grande ampleur car il était motif de guerres dans le Nord.

Une fable, particulièrement, leur déplaisait : l'histoire d'un berger à qui son dieu retire tout, femme, enfants, bétail, santé, richesse, par jeu, à la suite d'un pari avec un démon, comme pour tromper l'ennui, ou par orgueil, pour éprouver la piété du malheureux et montrer à quel point celui-ci lui restait dévoué en toutes circonstances. Ce dieu ne semblait pas sérieux aux Quiténiens, et le fait qu'à la fin il restituât tous ses biens, femme, enfants, bétail, au pauvre berger (en les multipliant, comme pour se faire pardonner son mauvais tour) ne faisait qu'accroître leur sentiment de méfiance à son égard. Jamais Viracocha n'aurait eu l'idée d'un jeu aussi puéril et cruel. Quant au Soleil, son cours imperturbable le plaçait bien au-dessus de tels enfantillages.

La cérémonie de la messe, cependant, les intéressait. Les orgues frappaient leurs oreilles et touchaient leur cœur. Les petites Cusi Rimay et Quispe Sisa apprenaient à faire le signe de croix, pour jouer, et disaient qu'elles voulaient se faire baptiser.

Les jours passant, les tondus de Salamanque furent davantage enclins à commercer avec les jeunes Quiténiennes que ne l'avaient été ceux de Lisbonne. Certaines devinrent grosses. Certains tondus tombèrent malades.

Atahualpa aimait à écouter Francisco de Vitoria lui parler de droit naturel, de théologie positive, de libre arbitre, ainsi que d'autres notions dont la complexité, ajoutée au fait qu'à cette époque l'Inca maîtrisait encore très mal le castillan, rendait la compréhension aléatoire, et par voie de conséquence le dialogue limité.

Puis, un jour, la nouvelle leur parvint du retour de Charles Quint. Pedro Pizarro les avait tant bercés de ses histoires de paladins qu'ils s'attendaient à rencontrer Charlemagne, empereur des Francs, et son neveu Roland armé de sa fidèle Durandal. Mais ce Charles-là n'était pas non plus le premier venu, comme ils allaient pouvoir le vérifier. Son armée, qu'ils pressentaient formidable, approchait de Salamanque, précédée par la rumeur de ses succès dans des pays lointains. (La réalité était plus ambiguë mais ils ne la découvriraient que plus tard.)

On décida qu'une délégation serait envoyée à sa rencontre. Chalco Chimac et Quizquiz furent chargés de l'ambassade. En revanche, Atahualpa ne permit pas qu'Higuénamota les accompagnât : elle ne serait pas l'Angélique de ce Charles-là. À sa place, un tondu qui s'était pris d'intérêt pour la langue quechua ferait office de truchement. De toute façon, l'ambassade était surtout prétexte à une mission de reconnaissance. Chalco Chimac, cependant, crut bon d'emmener avec lui le puma d'Atahualpa, et quelques perroquets, à toutes fins utiles.

15. Charles

Une trentaine de cavaliers étaient en route. Une rivière leur barrait le passage qu'ils franchirent à gué. Puis le camp leur apparut. De grandes tentes couvraient la plaine. Leur venue avait-elle été annoncée ? Des soldats en culotte bouffante s'écartèrent pour leur ouvrir le passage. Les chevaux avançaient dans une forêt de lances et de drapeaux. Un homme chauve à barbe blanche les accueillit, drapé dans un manteau de fourrure noir, une chaîne d'argent autour du cou, une bague sertie d'une pierre rouge à la main gauche. Il invita Quizquiz et Chalco Chimac à pénétrer sous une tente devant laquelle quatorze soldats lourdement armés montaient la garde. Les deux généraux mirent pied à terre et entrèrent, seulement escortés du truchement, de leurs perroquets et du puma tenu en laisse.

À l'intérieur, Charles Quint, entouré des gens de sa cour, se tenait assis sur un siège de bois. Il portait une barbe noire, un pourpoint rouge et des bas blancs. Les deux visiteurs furent frappés par sa mâchoire de crocodile et son nez de tapir. Chalco Chimac voulut s'avancer pour lui offrir les perroquets mais deux gardes s'interposèrent aussitôt. Les oiseaux furent emportés, ce qui fit penser aux deux généraux que leur présent avait été accepté, mais le monarque n'avait pas prononcé une parole, n'avait pas même jeté un coup d'œil aux plumes multicolores. L'homme avait la bouche ouverte et semblait ailleurs. À ses pieds était couché un long chien blanc qu'il caressait machinalement. Le silence se prolongea, troublé uniquement par les feulements du puma, auxquels le chien répondait par un grognement sourd, et ce fut l'unique dialogue pendant un long moment. Les deux généraux attendaient, debout, incertains. Enfin, sur un signe de l'empereur, on leur tendit à chacun une coupe d'akha trop claire que seul Chalco Chimac accepta. Charles lui-même se fit servir dans une coupe d'or, qu'il vida d'un trait. Il essuya avec le revers de la main la mousse qui était restée sur ses lèvres. Le breuvage était accompagné d'une volaille rôtie servie sur un plat en argent, dont il arracha une cuisse qu'il se mit à ronger avec méthode, et les Quiténiens observaient, fascinés, des gouttes de graisse qui tombaient dans sa barbe. Puis il jeta le morceau à son chien et parla d'une voix étrange, basse, presque inaudible. Il voulait savoir si, comme sa femme le lui avait écrit, les hommes d'Atahualpa étaient venus des Indes par la mer Océane. Il avait la conviction qu'ils n'étaient pas originaires de l'île de Vera Cruz d'où les Portugais importaient leur bois braisé : les hommes là-bas n'étaient, d'après ce que lui avait rapporté sa sœur la reine du Portugal, que des sauvages mangeurs d'hommes. Tandis que Chalco Chimac essayait de lui expliquer Tahuantinsuyu et la guerre d'Atahualpa contre son frère, le monarque lui coupa la parole. Il lui plut de mentionner ses propres guerres contre un roi très puissant nommé Soliman. Chalco Chimac lui assura que, s'il le souhaitait, Atahualpa et ses hommes iraient soumettre ce Soliman. Charles Quint émit un rire strident. Les hommes qui l'entouraient rirent avec lui, mais les Quiténiens ne surent pas s'il s'agissait d'un rire de complaisance ou si l'idée leur paraissait, à eux aussi, extravagante. Enfin Charles Quint se leva de son siège, révélant une taille médiocre, et s'écria qu'Atahualpa devrait payer pour l'outrage de Tolède. Enhardi par la colère de son maître, mû par le désir, habituel à son espèce, de le singer, de lui complaire et de le défendre, le long chien blanc avait bondi sur ses pattes et aboyait à l'adresse des visiteurs. Mais, ce faisant, il s'avança un peu trop près. Le puma émit un sifflement rauque et, rapide comme la foudre, lui décocha un coup de griffe sur la gueule. Le chien battit en retraite en couinant. Aussitôt, Charles interrompit sa vocifération pour venir au chevet de l'animal. Il lui parlait d'une voix douce dans une langue inconnue. Il répétait « *Sempere, Sempere…* ». Le chien léchait les doigts de son maître. Un filet de sang s'était répandu sur le sol.

Chalco Chimac dit qu'Atahualpa désirait rencontrer le roi d'Espagne, et qu'il l'attendrait demain sur la grande place de Salamanque, devant l'église de San Martin.

L'homme chauve à barbe blanche se récria devant l'énoncé incomplet des titres de son seigneur, qu'il entreprit d'égrener, empereur des Romains, roi des Espagnes, duc de Bourgogne, mais Charles Quint, penché sur son chien, congédia les visiteurs d'un signe d'impatience.

16. Plaza de San Martin

Allait-il venir ? Et quand ? Dans le doute, les habitants de Salamanque, alertés par la rumeur, commençaient à quitter la ville.

Atahualpa réunit son conseil, d'où il ressortit que la meilleure chance des Quiténiens, considérant leur situation qui n'était pas des plus confortables, et pour ainsi dire désespérée, était de tendre une embuscade à ce roi d'Espagne. D'ailleurs, ils n'avaient plus nulle part où aller, donc autant rester sur place, ils en étaient d'accord. Atahualpa rappela qu'il avait déjà joué le tout pour le tout, à plusieurs reprises, contre son frère Huascar, et qu'il les avait toujours sortis d'affaire. Mais personne, parmi ses généraux, ses femmes et ses hommes, ne songeait à comparer le péril mortel dans lequel ils se trouvaient maintenant avec aucun de ceux qu'ils avaient traversés jusque-là. Ils étaient arrivés au bout du chemin, voilà tout, et ne pouvaient plus aspirer qu'à une mort glorieuse. Le monde souterrain les attendait.

Cependant, Ruminahui conduisit les préparatifs. Il délégua à Puka Amaru le soin de rassembler les billes d'acier pour les frondes, les flèches pour les arcs, et toutes sortes d'armes de jet, avec une préférence pour les haches courtes à double lame qui, lancées suffisamment fort et adroitement, pouvaient perforer les armures les plus solides. Il disposa des hommes sur les toits des maisons qui donnaient sur la place et sur celles des ruelles qui vous y conduisaient. Il fit mettre des grelots aux chevaux en vue de semer l'épouvante parmi les Levantins, puis les cacha dans l'église de San Martin. Il ordonna qu'on pointe toutes les pièces d'artillerie disponibles sur les ennemis qui occupaient la plaine. Il recommanda de prendre Charles vivant.

Chalco Chimac voulait croire dans la possibilité d'une solution négociée, mais Ruminahui l'apostrophait : « Que veux-tu négocier ? De quelle solution parles-tu ? Nous n'avons rien à offrir que notre reddition. Et quelle condition voudrais-tu y mettre ? L'étranglement sur le bûcher ? Le monde souterrain n'accueillera pas tes cendres. »

Alors Atahualpa sut que le moment était venu de haranguer ses hommes, sans voile, sans protocole, sans intermédiaire, puisque après tout ils allaient mourir ensemble, après avoir partagé tant d'épreuves. Aussi leur parla-t-il comme à des compagnons. « Pensez-vous que le soldat qui, le premier, monte sur la brèche ait, plus que d'autres, la vie en horreur ? » L'histoire, leur dit-il, retiendrait que quelques hommes, dans ce pays lointain, s'étaient dressés contre beaucoup d'autres. Il n'avait pas perdu son temps dans les monastères de Salamanque. Il leur raconta Roland à Roncevaux, Léonidas aux Thermopyles. Mais il leur raconta aussi comment Hannibal triompha des légions romaines à Cannes. Viendraient-ils à mourir, le monde souterrain du dieu-serpent les accueillerait en héros. Ou bien l'histoire célébrerait les cent quatre-vingt-trois qui, en abattant un empire, se couvrirent de gloire et de richesses. Les hommes galvanisés poussèrent des hourras en brandissant leurs haches. Puis chacun gagna son poste.

Au matin, la ville s'était vidée de ses habitants, à l'exception de quelques mendiants et d'une poignée de conversos. Les chiens errants s'étonnaient de cette solitude. Le silence des rues rappelait Lisbonne avant la tempête. L'attente pesait comme un faix sur les épaules des hommes. J'ai entendu personnellement beaucoup de Quiténiens qui, sans s'en rendre compte, urinaient sous l'emprise de la peur.

La grande place de San Martin se composait de bâtiments disposés en demi-lune qui faisaient face à l'église, dans sa partie sud. Les côtés nord et ouest étaient fermés par des maisons de pierre, celles du nord surmontant des arcades. Le côté est était plus ouvert, simplement barré par des étals de marché et par une tour surmontée d'un cadran qui divisait la journée en douze moments. C'était là ce qui souciait les généraux. Ils auraient préféré une place fermée complètement, avec des issues étroites sous des arches de pierre, comme celle, par exemple, de

Cajamarca. Mais il n'était plus temps d'y penser. Des guetteurs annonçaient l'arrivée de Charles Quint.

Des fantassins armés de lances à lame longue ouvraient la route à l'empereur qui cheminait à cheval, avec des membres de sa cour, abrités sous un large dais en tissu déployé par des serviteurs qui allaient à pied. De part et d'autre, en deux colonnes, des soldats aux uniformes chamarrés portaient des hallebardes et des arquebuses. Des coches tirés par des chevaux fermaient la marche pour l'intendance. En tout, peut-être deux mille hommes. Le gros de l'armée, que Quizquiz et Chalco Chimac avaient évaluée à quarante mille, était resté dans la plaine. Le rapport ne serait donc que de un contre dix. Mais, contrairement à Tolède où la population s'était fait surprendre dans son sommeil, c'était, cette fois-ci, des hommes en armes et sur le qui-vive.

Charles Quint portait une armure noir et or, et chevauchait un cheval noir drapé dans un manteau rouge.

Higuénamota fut envoyée à sa rencontre, seule. La princesse cubaine s'était débarrassée de son manteau de chauve-souris et avançait nue sous le soleil, qui était à son midi. Une rumeur agita les soldats. Un tondu venu avec l'armée levantine marcha vers elle en lui tendant son coffret qui parle. « *Reconoces el dios único y nuestro señor Jesús Christ ?* » Higuénamota prit le coffret et, familière de ces discours, répondit : « *Reconozco el dios único y vostro señor Jesús Christ.* » Puis elle adressa au prêtre un regard ironique et ouvrit le précieux coffret. Elle lut : « *Fiat lux, et facta est lux.* » Et son doigt pointa le soleil au-dessus de leurs têtes.

Alors un sifflement traversa la place, et une flèche vint se ficher dans l'encolure du cheval de Charles Quint. Un autre le suivit immédiatement, plus grave et plus vibrant, et le cheval fut frappé à la tête par une bille de fer à peine plus grosse que l'épaisseur d'un doigt. Bientôt le ciel fut zébré de projectiles, tous concentrés sur les cavaliers. Les tireurs, embusqués sur les toits, avaient pour consigne de tuer d'abord les chevaux. Ils visaient les chanfreins avec leurs arcs et leurs frondes. Les unes après les autres, les bêtes s'écroulaient en poussant des hennissements tragiques. Des cris retentirent qui disaient tous : « *Salva el Rey !* » Et les hommes de la garde formèrent un carré autour de Charles. Ce fut leur première erreur.

La deuxième fut commise par les arquebusiers qui visèrent les tireurs sur les toits mais, dans cette position et à cette distance, déchargèrent leurs armes sans en toucher aucun.

Alors les portes de l'église s'ouvrirent, d'où jaillirent les Quiténiens montés à cheval, Atahualpa à leur tête. L'art ancestral de l'équitation en avait fait des cavaliers d'exception. Leur sens tactique et l'audace qu'ils s'étaient forgée au fil de leur odyssée décidèrent du moment de l'assaut. Les sabots des chevaux claquèrent sur les pavés tandis qu'ils encerclaient le bloc des Levantins, qui se resserra encore sous l'effet de la surprise, au point que les arquebusiers ne disposaient plus de l'espace nécessaire pour recharger, serrés les uns contre les autres et empêtrés dans les cadavres de chevaux, et comme dans le même temps les éléments de la garde royale qui formaient le cordon extérieur inclinaient leurs lances pour se protéger et se prémunir contre toute incursion, l'ensemble avait l'apparence d'une armée de hérissons repliés sur eux-mêmes, agités de convulsions.

Il faut que la ronde se poursuive sans faiblir pour étouffer toute tentative de briser l'encerclement. Dès qu'un lancier tente de harponner un cheval pour se frayer un passage, le cavalier qui suit lui décoche un coup de sabre sur la nuque. Les flèches et les billes de fer continuent à pleuvoir sur des soldats dépourvus de boucliers, frappant au cœur du hérisson. « *Dios salve al Rey !* » Les généraux de Charles Quint l'entourent et le protègent de leur corps.

Les Espagnols meurent mais les munitions s'amenuisent, et ceux qui restent debout soufflent dans les cors ramassés sur les cadavres de leurs camarades pour appeler à l'aide. L'armée restée dans la plaine va se mettre en marche, il faut dénouer la situation, sinon c'en est fait. Il faut en finir vite. Alors Ruminahui fouette son cheval et galope vers les lances et saute par-dessus en un bond extraordinaire, impossible, pour retomber derrière le cordon formé par les piques, et le cheval piétine les hommes et Ruminahui frappe avec son grand marteau, à droite et à gauche, et martèle les armures comme on attendrit la viande.

La brèche est faite et l'on s'y engouffre. Les Quiténiens, à cet instant, sont des démons possédés par le désir de tuer, ils creusent une tranchée humaine à coups de hache, qui doit les mener jusqu'au roi, dont ils n'ont pas oublié qu'il était l'objectif mais, dans la folie homicide qui anime leurs bras, nul ne pourrait jurer qu'ils se rappellent la consigne de le prendre vivant.

Alors Atahualpa accourt et son cheval, comme les autres, piétine les vivants et les morts, il veut rejoindre la mêlée où il distingue l'armure du roi qui brille encore sous le soleil brûlant mais qui ploie sous les coups, et à son tour Atahualpa se met à sabrer tout ce qu'il peut, Levantins, Quiténiens, sans distinction, car il sait que de la vie de Charles dépendent la sienne et celle de ses hommes.

Charles se bat bravement et le duc d'Albe se bat et meurt à ses côtés sous les coups d'épée, et le duc de Milan se bat et tombe sous les coups de hache, et le poète espagnol Garcilaso de la Vega meurt en s'interposant entre son roi et les lames qui fouettent l'air et qui fouillent les failles dans les armures, et Charles aussi va mourir car il tombe à son tour et le poids de son armure l'empêche de se relever, comme une tortue, alors les Quiténiens se jettent sur lui pour le dépecer à la manière de chiens se disputant une charogne et lui arrachent des bouts de sa carapace comme si c'étaient des trophées. Mais Charles se débat, il n'est pas encore mort, il se tortille comme un animal blessé et ses assaillants se gênent pour l'achever.

Enfin Atahualpa les rejoint mais à cet instant il n'y a plus d'empereur, ni dans un camp ni dans l'autre, et ses hommes ne l'écoutent pas lorsqu'il leur crie d'arrêter, alors il doit donner des coups avec le plat de sa hache et fait ruer son cheval et, quand enfin il atteint le roi, il volte et saute à bas de sa monture et relève Charles.

Le roi est blessé à la joue et à la main, sous son gant le sang dégoutte, ses vêtements sont arrachés, il est à moitié nu, mais la main d'Atahualpa posée sur lui agit comme un baume magique protecteur : elle tire soudain les assaillants de leur folie meurtrière et fige leurs bras vengeurs. Le combat est terminé. Le soleil brûle toujours la place. Sur le cadran de la tour, la grande aiguille est revenue à son point de départ.

17. *Les Incades*, chant I, strophe 11

Voyez, ce ne sont point des promesses menteuses
De fantastiques faits, inventés à plaisir,
Comme chez l'étranger, dont les Muses flatteuses
Trouvent le vrai trop simple et veulent l'embellir.
C'est ici le réel qui surpasse la fable
Et tout le merveilleux qu'on avait pu songer,
Et Roland, quand bien même il serait véritable
Et le fort Rodomont, et le bouillant Roger.

18. Grenade

Certains prétendirent qu'en tendant cette embuscade, Atahualpa s'était rendu coupable d'une grande déloyauté, mais il faut bien considérer les menaces que Charles Quint avait proférées devant les émissaires de l'Inca à propos de l'affaire de Tolède. De plus, les Quiténiens avaient pu observer comment les adeptes du dieu cloué traitaient ceux qui ne partageaient pas absolument leurs croyances, et ce sujet semblait tellement leur tenir à cœur que la soumission à leurs fables fut encore la première chose que le prêtre exigea d'Higuénamota, lors de la rencontre de Salamanque.

Quoi qu'il en soit, la capture du roi d'Espagne plongea celui-ci dans un complet abattement, et le Nouveau Monde dans une stupeur considérable.

Atahualpa savait que le salut des Quiténiens ne tenait qu'à la vie de leur otage. Il décida de quitter Salamanque pour une place mieux fortifiée.

Le cortège des Quiténiens traversa l'Espagne, escorté par l'armée de Charles qui l'entourait de son ombre hostile, comme un petit cuy couvé du regard par un gros puma prêt à le dévorer. Ils durent faire face à plusieurs tentatives d'évasion orchestrées de l'extérieur, mais l'humeur mélancolique dans laquelle le roi s'était abîmé, qui le privait de volonté propre, aida à les faire toutes échouer.

Au terme de leur procession, ils s'installèrent dans un palais rouge, jadis bâti sur un éperon rocheux par les tenants d'une religion concurrente, qui avaient longtemps occupé les lieux avant de s'en faire chasser dans un passé récent. Désormais, l'Alhambra de Grenade serait leur forteresse de Sacsayhuaman.

Au sein de l'édifice, derrière les murailles, il y avait un palais qu'on avait précisément entrepris de bâtir pour Charles, mais dans lequel celui-ci n'avait jamais mis les pieds. Bien que les travaux ne fussent pas achevés, Atahualpa répara cet oubli en l'y installant, avec ses serviteurs, sa cour, son chien et toutes les commodités dues à son rang. Sa femme et ses deux enfants quittèrent Tolède pour venir le rejoindre. Peu à peu, il sortit de sa torpeur et le monarque reparut sous l'homme brisé. Pour l'y aider, Atahualpa lui offrit toutes les apparences du pouvoir, en l'occupant avec les affaires de son empire. En effet, il le laissait recevoir les émissaires des régions du Nouveau Monde qui affluaient pour s'enquérir de la situation nouvelle, extraordinaire, et des conséquences politiques qu'elle ne manquerait pas d'engendrer. Ensuite, l'Inca les recevait à son tour. C'est ainsi qu'il put se dessiner la carte politique du continent, au centre duquel régnait le souverain qu'il avait en son pouvoir.

L'empire de Charles Quint semblait presque aussi vaste que Tahuantinsuyu, quoique plus morcelé : au sud-ouest l'Espagne, au nord les Pays-Bas et l'Allemagne, à l'est l'Autriche, la Bohême, la Hongrie et la Croatie, menacées par Soliman, conquérant redoutable à la tête d'un autre empire lointain. Au sud, proche de l'Espagne mais séparée d'elle par la mer, il y avait une région qui semblait l'objet de toutes les convoitises, l'Italie, terrain de guerres perpétuelles, où vivait le chef des tondus, représentant sur terre du dieu cloué. Le grand rival de Charles pour la suprématie du Nouveau Monde était le roi d'un pays qui coupait son empire en deux, la France, dont le territoire lui-même était menacé par une île du Nord, l'Angleterre. Une petite confédération, située au cœur du continent, pourvoyait en soldats toutes les armées : la Suisse. Le Portugal voisin était un royaume d'explorateurs qui naviguaient de par les mers, à la recherche d'autres mondes.

À la pointe sud-ouest de l'Espagne, un détroit qu'ils appelaient les colonnes d'Hercule ouvrait vers la mer Océane que les Quiténiens avaient su traverser. Sur le versant sud du détroit commençait le pays des Maures, dont les rois avaient été chassés d'Espagne voici quarante récoltes. (Higuénamota calcula que cela coïncidait avec la venue des Espagnols dans son île.) Certains de ces Maures étaient restés à Grenade, même après la défaite de leurs chefs ; on les appelait les morisques. Ils vivaient sur une colline qui faisait face à l'Alhambra, l'Albaicín, ce qui voulait dire, dans leur langue : « misérables ».

Au-dehors de Grenade, l'armée impériale s'était installée dans une ville fortifiée du nom de Santa Fe, où la cour d'Espagne s'était réunie pour tenter d'arrêter une stratégie face à la situation de crise dans laquelle la capture de leur roi les avait plongés.

Étaient rassemblés les personnages les plus puissants du royaume, hors le roi : le conseiller à tête de momie Juan Pardo Tavera, le vieux Nicolas Perrenot de Granvelle qui avait accueilli Chalco Chimac et Quizquiz au camp de Charles Quint, Francisco de los Cobos y Molina, son secrétaire d'État, qui portait autour du cou une grande croix rouge incrustée d'un énorme rubis, Antonio de Leyva, duc de Terranova, prince d'Ascoli, qui avait survécu au massacre de San Martin, mais qui avait perdu l'usage de ses jambes dans la bataille, où il avait été laissé pour mort. Ce dernier plaidait pour un assaut immédiat, mais les autres considéraient l'Alhambra comme inexpugnable, au moins tant que l'empereur Charles y serait retenu en otage.

Il est vrai que le coup de Salamanque avait permis aux Quiténiens de rétablir une position désespérée. Toutefois, celle-ci demeurait encore bien incertaine. Atahualpa jouissait de sa victoire et du prestige qu'elle lui conférait, sans ignorer que les bénéfices qu'il en avait tirés seraient éphémères s'ils n'étaient pas consolidés. La surprise, bientôt, ne jouerait plus pour eux, tandis que la disproportion des forces demeurait problématique : ils n'étaient toujours qu'une poignée, ils avaient un monde face à eux.

La déférence que les émissaires qui affluaient de toutes parts témoignaient à son prisonnier le rassurait : avec le roi d'Espagne à sa merci, il se savait détenir une marchandise précieuse. Charles lui-même le conforta dans cette idée quand il lui proposa de garder ses deux enfants en otages, le petit prince héritier Philippe, alors âgé de cinq ans, et sa sœur Marie, de un an plus jeune, en échange de sa libération. Cette proposition avait fait rire Atahualpa. Charles, gêné, avait ri aussi, en jetant un coup d'œil à sa femme.

Lorsque Charles recevait un visiteur dans son palais à demi édifié, celui-ci était ensuite conduit au palais mitoyen, celui des anciens rois, dans lequel Atahualpa avait pris ses quartiers. Il traversait des salles obscures où la devise de Charles Quint, roi d'Espagne à la tête du Saint Empire romain germanique, avait été gravée sur le dessin d'une colonne blanche incrustée dans une céramique bleue : *Plus ultre*, qui, dans le langage savant des amautas de ce monde, signifie « toujours au-delà », et qu'Atahualpa trouverait bon d'adopter pour lui-même. Puis le visiteur passait devant un long bassin bordé de haies où se reflétaient des arcades comme des barques renversées, gardé par une tour massive de pierre rouge qui formait un cube crénelé, et enfin il pénétrait dans la salle des Ambassadeurs, à demi plongée dans une obscurité aveuglante, au fond de laquelle trois alcôves avaient été creusées, ouvertes vers la plaine et les montagnes enneigées de Grenade, mais dont les fenêtres étaient partiellement obturées par des verrières ajourées. Atahualpa s'asseyait dans l'embrasure de la fenêtre centrale. À sa droite se tenait, debout, le géant Ruminahui. À sa gauche, la princesse Higuénamota s'allongeait sur des coussins.

Le visiteur, à peine avait-il quitté la cour baignée de lumière, clignant des yeux et ébloui par les rayons du soleil que laissaient filtrer les trous percés dans les fenêtres, distinguait à peine, à contre-jour, les silhouettes du monarque et de ses deux conseillers, qui lui apparaissaient ainsi comme des ombres asymétriques. Au-dessus de sa tête, un plafond de bois merveilleusement travaillé représentait le ciel étoilé, et l'écrasait un peu plus.

Ici même, Charles Quint, découvrant la salle où ses ancêtres avaient accepté la reddition des rois anciens du temps jadis, s'était écrié, naguère : « Malheureux celui qui a perdu tant de beauté. » Il y avait passé un merveilleux séjour après ses noces avec la reine, que les affaires de l'Empire l'avaient forcé d'abréger, et n'y était jamais revenu depuis lors. Quand il connut cette phrase, Atahualpa dit à Charles : « Malheureux celui qui, pouvant jouir de cette beauté, n'a pas su en profiter quand il en avait l'occasion. » Et il le consolait de son infortune en lui faisant voir que, grâce à lui, Charles pouvait désormais goûter aux splendeurs du palais que ses ancêtres avaient conquis.

L'un des premiers visiteurs fut justement l'ancien maître de Grenade, Boabdil, chassé voici quarante récoltes, qui venait réclamer quelque chose à tout hasard, et à qui on ne donna rien. Le vieillard au turban s'en retourna dans son exil pour y mourir peu après. Mais Charles, bouleversé par cette visite, dit à son entourage – et ses paroles furent rapportées à son hôte : « Je suis l'Infortuné. »

Atahualpa reçut un très jeune homme en provenance de Florence, la ville de l'amauta Machiavel qu'il avait étudié à Salamanque. Le jeune homme se faisait appeler Lorenzino, il était issu d'une grande famille, les Médicis, et animé d'une passion ardente lorsqu'il s'exclamait étrangement : « Si les républicains étaient des hommes, quelle révolution demain dans la ville ! » Higuénamota ni Pedro Pizarro n'entendaient rien à cette phrase, mais il parlait à l'Inca de palais prodigieux et de trésors remarquables, pour l'entraîner dans des guerres compliquées. Avant tout, il sollicitait son aide pour renverser son cousin, roi de Florence, un débauché qui tyrannisait son peuple. Quizquiz, intrigué par les descriptions de ce pays fabuleux, rêvait de partir à sa découverte, mais n'obtint d'Atahualpa, à qui parlait peu l'idée d'un régime politique fondé sur une sorte de collégialité seigneuriale dont l'autorité émanerait du peuple et non du Soleil, que la promesse d'accorder asile et protection au jeune Florentin.

Un homme venu d'une ville d'Allemagne nommée Augsbourg avait été envoyé par une famille, les Fugger, qui n'étaient pas exactement des seigneurs ni des curacas mais étaient à la tête d'une sorte d'ayllu. C'étaient des marchands qui faisaient commerce d'or et d'argent. L'envoyé était vêtu très simplement, et Charles le reçut avec morgue. Néanmoins, les Quiténiens avaient perçu un déséquilibre étrange. Dans la société levantine, l'or et l'argent ne servent pas uniquement d'ornementation ou d'attribut seigneurial mais confèrent à celui qui les possède un pouvoir considérable, en cela qu'ils permettent, sous forme de petites pièces rondes, d'acquérir et d'échanger toutes sortes de biens. Ainsi l'envoyé des Fugger pressait l'empereur d'acquitter certains engagements qui avaient été inscrits sur des feuilles qui parlent faisant office de quipus, faute de quoi l'approvisionnement en or et en argent serait interrompu. Cette perspective semblait mettre Charles dans un embarras considérable. Atahualpa, quant à lui, s'abandonnait à la rêverie, et souriait en songeant à ses montagnes andines, qui regorgeaient de ces métaux.

Un amauta, arrivé lui aussi d'Augsbourg, vint l'entretenir de la présence « réelle » du dieu cloué lors de cérémonies religieuses impliquant de boire du breuvage noir et de manger du pain. Il s'appelait Philippe Mélanchthon et portait un chapeau plat en tissu noir. Atahualpa fit mine de l'écouter attentivement, car il avait vu que Charles n'aimait pas cet homme, ni ses idées, et néanmoins il l'avait reçu longuement et semblait nourrir, sinon une inquiétude (qui ne pouvait être que secondaire, eu égard à sa situation présente), du moins une vive préoccupation en rapport à ces questions. Mélanchthon était l'envoyé d'un personnage que Charles considérait comme un démon, ce Luther qui avait fomenté une révolte religieuse, parce qu'il souhaitait réformer des aspects du culte chrétien et remettre en cause certains points de doctrine dont les Quiténiens peinaient à voir l'importance.

Arrivé de Paris où il était parti étudier, un tondu avait demandé audience à Charles, pour l'entretenir du meilleur moyen de contrecarrer l'influence grandissante de Luther. La situation nouvelle engendrée par l'irruption d'Atahualpa modifiait quelque peu les priorités politiques ; cependant, il n'en demeurait pas moins urgent, aux yeux des représentants de la religion locale dont le roi d'Espagne se voulait le fervent défenseur, de combattre ces rebelles réformateurs venus du nord. Atahualpa écouta avec intérêt les explications du tondu, qui avait pour nom Iñigo López de Loyola. C'était un petit homme au regard vif, dans l'œil duquel se mêlaient la ruse et la bonté, qui aimait parler de ses croyances et qui avait le goût du discours clair, si bien que les Quiténiens tirèrent profit de ses propos pour accroître leurs connaissances des légendes du Nouveau Monde.

Les Levantins croyaient en une famille de dieux composée d'un père, d'une mère et de leur fils. Le père vivait dans le ciel et avait envoyé son fils sur la terre pour sauver les hommes mais, après de multiples aventures et une suite de malentendus, il l'avait laissé se faire clouer sur une croix par les hommes qu'il était venu aider, et qui ne l'avaient pas reconnu. Puis le fils était revenu du monde souterrain et avait rejoint son père au ciel. Depuis ce jour, dessillés et mortifiés par leur erreur, les Levantins attendaient et espéraient le retour du fils sur terre. En même temps, ils ne cessaient de prier et de vénérer la mère, qui avait la particularité étrange d'être restée pucelle lorsque le père l'avait fécondée. Il existait aussi une divinité secondaire qu'ils appelaient le Saint-Esprit et qui se confondait tantôt avec le père, tantôt avec le fils, tantôt avec les deux. Le signe de la main que les adeptes du culte chrétien faisaient à tout propos représentait la croix sur laquelle le fils avait été cloué. Ainsi toutes leurs actions se prétendaient dictées par la volonté de réparer l'ingratitude que leurs ancêtres avaient montrée envers leur dieu, lorsqu'ils l'avaient torturé et cloué sur une croix de bois qu'ils avaient dressée au sommet d'une montagne, dans un pays lointain d'où ils avaient été chassés mais qu'ils rêvaient de reconquérir.

Toute la guerre avec les Maures venait du fait que ceux-ci, bien qu'ayant connaissance de son existence, refusaient de faire allégeance au dieu cloué. Ils reconnaissaient le père mais pas le fils. Ils avaient aussi des habitudes alimentaires différentes, et une langue différente. Cela leur avait suffi, semble-t-il, à guerroyer sans merci pendant des centaines de récoltes. Une troisième tribu, les Juifs, quoique plus ancienne, avait des coutumes similaires à celles des Maures. Par exemple, ils enlevaient un bout de peau du membre des bébés mâles, peu après la naissance de ceux-ci, refusaient de manger du cochon, ne consommaient de la viande que lorsque celle-ci avait été consacrée par leurs prêtres et abattue selon certains rites. (En revanche, ils pouvaient boire du breuvage noir, ce que les Maures s'interdisaient.) Ils ne pratiquaient pas non plus le culte du dieu cloué, qui avait pourtant jadis été l'un des leurs. Mais, contrairement aux Maures qui avaient été autorisés à rester après la défaite et l'exil de leur dernier roi Boabdil, les Juifs, qui n'avaient ni roi ni royaume, avaient été brutalement chassés d'Espagne, à moins qu'ils n'eussent fait démonstration d'allégeance au dieu cloué et renoncé aux coutumes qui leur étaient propres. Ceux qui étaient restés à ce prix, qu'on appelait conversos, étaient maltraités et toujours suspectés de demeurer fidèles à leurs anciennes croyances. L'Inquisition les persécutait, allant même jusqu'à les brûler. Le tondu Loyola n'approuvait pas cette politique, pas plus que celle qu'il appelait la *limpieza de sangre*, la pureté du sang qui rendait finalement impraticable le passage d'une tribu à l'autre. « Notre Seigneur Jésus n'est pas dans nos veines, disait-il, il est dans nos cœurs. »

Fort de ces informations, Atahualpa décida qu'il était temps de se chercher des alliés. Il proposa à Charles d'édicter une loi qui autoriserait les différents cultes dans tout son royaume, auxquels il conviendrait simplement d'ajouter le culte du Soleil. Charles Quint, bouche ouverte, sembla d'abord ne pas comprendre de quoi il retournait, bien qu'Higuénamota, s'étant perfectionnée dans son rôle, lui eût parfaitement traduit la proposition de l'Inca. Puis l'empereur à la mâchoire saillante se mit à vociférer d'indignation en crachant comme un lama, et enfin refusa hautement.

Atahualpa n'était pas en mesure de lui imposer ses décrets à l'échelle de l'Empire, ou même de l'Espagne, mais il chargea Chalco Chimac et Pedro Pizarro d'aller faire connaître sa proposition, au moins, aux habitants de Grenade. Elle fit beaucoup parler au sein des ruelles blanches de l'Albaicín, et jusqu'à la colline voisine du Sacromonte, où les effluves de l'Inquisition étaient venus semer la peur et la consternation. On avait commencé par brûler des juifs. Nul n'ignorait ce que cela signifiait : bientôt, on brûlerait des morisques. Les tenants de la religion des Maures, toutefois, concevaient mal la perspective d'élargir le nombre de leurs divinités. « Allah est le plus grand », répétaient-ils à l'envi. D'abord, ils n'avaient aucune intention d'élargir leur panthéon. Et cependant, l'exemple des conversos juifs qu'ils avaient sous les yeux (car ils vivaient en bonne intelligence avec eux) leur donnait à réfléchir : les conversos ne devaient-ils pas adopter les rites et les croyances des maîtres chrétiens ? Et, par surcroît, ne devaient-ils aussi abandonner leurs propres coutumes, sous peine de mort ?

Après tout, « Allah est le plus grand » ne veut pas dire que *seul* Allah est grand. Leur devise même permettait peut-être la coexistence de leur dieu unique avec d'autres divinités secondaires.

Certains commencèrent à regarder le Soleil autrement.

19. Marguerite

Prisonnier dans son palais inachevé, dont la rotondité même avait pour lui quelque chose d'ironique et d'amer (sans qu'il sache dire exactement quoi), Charles ne pouvait se départir de sa mélancolie, mais il recouvrait ses nerfs et sa santé en faisant des parties d'un jeu semblable au hnefatafl, qui opposait des figurines noires et blanches sur un plateau de bois divisé en soixante-quatre cases. L'ironie, dans ce cas, ne pouvait lui échapper : le but du jeu consistait à capturer le roi.

Il avait enseigné les règles aux généraux incas et, si Chalco Chimac était vite devenu un adversaire redoutable, c'est Quizquiz qui, lorsque son service le permettait, occupait les soirées de l'empereur en disputant avec lui moult parties, et en les perdant presque toutes.

Un jour, les guetteurs de Quizquiz annoncèrent la venue d'une visiteuse. C'était une reine, la sœur du roi de France, qui se présentait à l'Alhambra pour solliciter une audience auprès des deux empereurs. Elle était accompagnée d'une suite nombreuse, et faisait tirer sa litière par quatre chevaux blancs comme la neige. Ses cheveux étaient coiffés avec un soin prodigieux et elle était vêtue d'un manteau d'une texture exquise. Sa figure et son castillan étaient des plus gracieux, quoique son teint fût pâle, et son accent différent des gens d'ici.

D'ailleurs, elle s'entretint avec Charles dans une langue inconnue, si bien que nul parmi les Quiténiens ne sut ce qu'ils se disaient. Les témoins notèrent, toutefois, la figure cramoisie de Charles qui, à nouveau, s'étouffait de colère, tandis que Marguerite (c'était le nom de la reine) s'adressait à lui sur le ton le plus froid.

Cependant, le jeune Lorenzino, qui n'était pas encore retourné dans sa ville de Florence, sut fournir aux Quiténiens les lumières qui leur faisaient défaut : ce n'était pas la première fois que la reine rendait visite à l'empereur. Quand Lorenzino était enfant, il se souvient que le roi de France avait perdu une bataille à l'issue de laquelle il avait été fait prisonnier par les troupes impériales. Sa sœur Marguerite était alors venue plaider sa libération auprès de Charles, mais en vain. Le roi François n'avait finalement dû sa délivrance qu'à la promesse de céder à son rival de vastes morceaux de son royaume.

Or, selon toute vraisemblance, c'étaient ces territoires qu'aujourd'hui la reine Marguerite venait réclamer, au nom de son frère et de la France.

Fort de ces renseignements, Atahualpa accepta de la recevoir dans la salle des Ambassadeurs.

Bien qu'il entendît de mieux en mieux la langue de ce pays, il souhaitait qu'Higuénamota continuât à lui servir de truchement, parce que ainsi elle lui permettait de réfléchir pendant qu'elle traduisait les paroles des Levantins, et aussi parce que sa présence lui était chère et lui avait toujours porté chance, tandis qu'elle intimidait son interlocuteur.

À sa droite, Lorenzino avait pris pour cette fois la place de Ruminahui, afin d'éclaircir les éventuels points obscurs dans le discours de la visiteuse.

Or, ceux-ci ne manquaient pas.

Le royaume de la reine, la Navarre, se situait entre l'Espagne et la France, et une requête de Marguerite était la garantie que Charles renonce à toute revendication sur ses terres.

Le roi de France désirait récupérer des territoires du Nord, l'Artois et la Flandre, perdus lors de la paix des Dames, il y a de cela quatre récoltes.

Il souhaitait que le roi d'Espagne renonce définitivement à la Bourgogne, une région qui semblait revêtir une importance particulière pour chacune des parties.

Il revendiquait également la souveraineté sur deux villes du pays d'Italie, Milan et Gênes.

Il était aussi question d'un pays appelé Provence et des villes de Nice, Marseille et Toulon.

Tout cela était de peu d'intérêt pour Atahualpa. Que lui importait la Bourgogne ou l'Artois ? Que signifiait Milan ou Gênes ? Rien. Une idée. Moins qu'une idée. Un mot. Des lieux dont il ignorait l'existence il y a un an, une lune, une semaine, un jour.

L'horizon d'Atahualpa était l'Andalousie : il avait repoussé d'un revers de la main les prétentions d'un Boabdil qui voulait récupérer son bien. Mais il pouvait brader sans remords les morceaux d'un empire qui ne lui appartenait pas. Il pouvait les jeter aux chiens, quelle importance ! Ce n'était que des points sur une carte.

Mais pourquoi au juste le ferait-il ?

Marguerite de Navarre baissa la voix. Elle avait saisi qu'Atahualpa venait d'au-delà des mers, et non pas de l'Est ou du Sud mais de l'Ouest. Peut-être des Indes, des Moluques, de Cipango, ou peut-être d'ailleurs. Elle savait qu'il était très loin de chez lui, mais qu'à la suite de circonstances particulières, le sort des armes lui ayant été favorable, il tenait à sa merci Charles Quint, empereur des Romains, roi des Espagnes, roi de Naples et de Sicile, duc de Bourgogne. C'était une situation bien merveilleuse.

Elle parlait d'une voix douce mais ferme. Jamais la Chrétienté n'allait tolérer semblable situation. Le pape ne la tolérerait pas. Il ordonnerait une croisade pour prendre Grenade, quand bien même ses relations avec Charles n'étaient pas des meilleures. L'Inquisition allait immanquablement déclarer hérétiques les adorateurs du Soleil. Ferdinand, l'archiduc d'Autriche, viendrait sous peu aider son frère, à la tête d'une armée formidable. Mais le grand roi venu de la mer – à ces mots, Marguerite faisait un petit mouvement de révérence – pouvait compter, s'il le désirait, sur le soutien du roi de France. François, son frère, n'avait-il pas conclu une alliance avec Soliman, l'empereur de la Sublime Porte, chef des infidèles ? Contrairement à Charles, François le Très Chrétien n'avait pas toujours été un défenseur acharné de la Chrétienté. Dans les querelles religieuses qui embrasaient le Nord, il avait fait montre de mesure et de compréhension envers les luthériens. D'où l'on pouvait déduire que, si l'empereur venu des mers en était d'accord, une alliance indissoluble pouvait être nouée entre les deux pays. François Iᵉʳ, roi des Français, offrait son amitié et son soutien à Atahualpa. Car enfin, qui voudrait du Soleil pour ennemi ?

Atahualpa avait écouté très attentivement. L'éloquence dont avait fait preuve la reine de Navarre, et ce qu'il comprenait des équilibres du Nouveau Monde l'incitaient à lui donner tout ce qu'elle était venue réclamer, en échange d'une aide militaire précieuse. En réalité, la proposition d'alliance du roi de France était providentielle. Mais elle se heurtait à un obstacle difficile à contourner : contrairement à ce que voulait croire Marguerite, Atahualpa pouvait disposer du roi mais pas du royaume, et Charles, tout otage qu'il fût, était encore roi et empereur. Lui seul pouvait céder les territoires de son empire. Atahualpa savait déjà qu'aucune forme de pression ni de menace ne pourrait l'y faire consentir.

Marguerite repartit pour la France avec un perroquet et des promesses.

L'Inca réunit son conseil dans la cour des Lions. Coya Asarpay suggéra de tuer Charles ou de le faire abdiquer en faveur de son fils, dont l'extrême jeune âge – il n'avait pas six récoltes – garantissait la docilité. Quizquiz s'opposait à la mort du roi au motif qu'elle exposerait les Quiténiens à la vengeance de ses sujets. Quant à Charles, il n'avait aucun intérêt à abdiquer, au contraire : il savait que sa souveraineté était sa meilleure protection et que, privé d'elle, il ne serait plus utile à personne. Les Quiténiens n'étaient donc pas en mesure de satisfaire aux demandes du roi de France. Charles vivant, ils ne pouvaient pas donner ses terres sans son consentement. Charles mort les laissait sans défense contre l'armée impériale. Tout au plus, en l'état, pouvaient-ils garantir qu'aucune offensive ne serait ordonnée contre le royaume de France.

La question militaire restait donc entière. Il fallait des hommes pour se défendre, et de l'or pour les recruter. Il fut décidé de rappeler l'envoyé des Fugger. Celui-ci ne voyait pas d'inconvénient à avancer des fonds, mais il exigeait des garanties que l'Inca n'était pas en mesure de lui fournir.

Alors ce dernier chargea Higuénamota d'une mission secrète. La princesse cubaine devait s'en retourner à Lisbonne. Elle serait accompagnée, à sa demande, par le jeune Pedro Pizarro. Ils emmenaient avec eux quelques conversos qui transportaient à dos d'âne un chargement de breuvage noir, de bonnes épées de Tolède, de cannes à feu, de coffrets qui parlent, de blé, de peintures et de cartes du Nouveau Monde. Charles avait consenti à remettre un message pour le roi João III son beau-frère, lui enjoignant, pour l'amour de lui, de mettre à leur disposition un bon navire et le meilleur pilote qu'il trouverait. Atahualpa confiait également à son amie cubaine un quipu composé de nombreux fils dont l'agencement des nœuds avait été méticuleusement préparé par son archiviste personnel, et dont même Higuénamota, en qui il avait pourtant toute confiance, ignorait le contenu.

Ce quipu était un message à remettre exclusivement à son frère Huascar.

20. Sepúlveda

Il y avait dans l'entourage de Charles un amauta qui était chargé de tenir la chronique de son règne, et aussi d'assurer l'éducation de son fils, le petit Philippe.

Cet homme manifestait un intérêt pour les Quiténiens qui semblait sincère. Il se montrait toujours désireux d'échanger avec eux, leur posait beaucoup de questions sur leur histoire, leurs coutumes, leurs croyances, et leur témoignait en apparence la sympathie la plus vive. Ainsi comprit-il, le premier, d'où ils venaient, et ce qui les avait amenés en Espagne.

Il s'appelait Juan Ginés de Sepúlveda.

Il avait un maître qu'il invoquait beaucoup, Aristote, et deux ennemis qu'il ne vitupérait pas moins, Érasme et Luther.

En réalité, cet homme était fourbe et excellait si bien dans la dissimulation qu'il gagna la confiance des Quiténiens, qui le chargèrent d'une ambassade à Santa Fe. Il devait assurer les Espagnols que leur roi était bien traité, de même que sa femme et ses enfants, qu'il jouissait de toutes ses prérogatives à l'exception de sa liberté de mouvement, qu'il en serait ainsi tant que l'Alhambra serait préservée de toute attaque, en conséquence de quoi il ordonnait aux commandants de son armée de ne rien entreprendre pour sa libération.

Au lieu de cela, Sepúlveda les excita autant qu'il put, en leur jurant que leur roi n'avait plus un jour à vivre s'ils n'intervenaient pas, que la reine et l'infant dépérissaient en raison des mauvais traitements qu'on leur infligeait, qu'ils baignaient dans leurs propres ordures et que si rien n'était fait, c'en était fini de la famille royale et de la monarchie espagnole.

Il ajouta qu'Atahualpa et ses hommes étaient des infidèles et des mécréants, des adorateurs de Mahomet, des démons tout droit sortis des enfers, des païens qui ignoraient jusqu'au nom du Christ, des fornicateurs et des putains qui allaient nues sans aucune notion de pudeur, insultant les yeux et l'âme des bons chrétiens.

Il répéta aussi ce qu'il avait appris de la bouche de ceux qui s'étaient imprudemment confiés à lui, à savoir que leur chef avait été chassé de son pays par son frère, et que somme toute, ils n'étaient qu'une bande de fugitifs qui avaient erré longuement à travers le monde, comme des juifs.

Il confirma au camp des Espagnols que les barbares n'étaient pas deux cents, parmi lesquels des femmes et des enfants, et leur confia que, d'après ce qu'il avait pu observer, ils étaient peu familiers du maniement des arquebuses, ou de l'artillerie en général.

Antonio de Leyva, l'estropié de Salamanque, accueillit ce discours avec enthousiasme. Mais les autres, Tavera, Granvelle, Cobos, étaient plus circonspects. Si les étrangers étaient des barbares sanguinaires, d'un autre côté, ils n'étaient pas hermétiques à la raison, les rapports sur leur parcours et leurs agissements depuis qu'ils avaient débarqué dans la péninsule Ibérique l'attestaient. Or, ils savaient que leur salut passait par celui de Charles. Leur otage n'avait de valeur que vivant. Leur faiblesse même et leur petit nombre garantissaient la vie de l'empereur.

Cependant, d'autres facteurs plaidaient en faveur d'une intervention rapide. Il fallait payer les troupes et l'argent manquait. Fugger refusait de prêter davantage tant que la situation n'était pas clarifiée. En attendant, les Suisses grondaient et les lansquenets s'impatientaient. Déjà, en Flandre, en Galice, en Italie, on rapportait des nouvelles d'exactions, de pillages, de mutineries. Nul ne voulait revivre le sac de Rome. Et si l'armée impériale se délitait, elle offrirait à la France des opportunités d'offensive, ce que le conseil des Espagnols redoutait par-dessus tout.

Et puis Tavera prononça un nom, sur un ton de menace, dont les autres n'étaient pas certains de savoir à qui il s'adressait : « Ferdinand va venir. » Il était peu probable qu'il goûte ces atermoiements.

Il fut donc décidé que Sepúlveda s'en retournerait auprès du roi pour espionner et rapporter les faits et gestes des étrangers. Il devait préparer l'évasion de Charles ou sa mise en lieu sûr en prévision de l'assaut. En temps voulu, il ouvrirait les portes de l'Alhambra. D'ici là, il continuerait à dissimuler et à feindre l'amitié.

21. *Les Incades*, chant I, strophe 20

C'est alors que les dieux du Cinquième Quartier
D'où partent les décrets gouvernant les humains
Durent se réunir en auguste assemblée
Pour régler d'Orient, le sort et les destins.
Sur le sol radieux du séjour de lumière

Par la voie étoilée on les vit accourir,
Ils viennent sur l'appel du Maître du Tonnerre
Qui par son messager les a fait avertir.

22. L'Alhambra

Des lunes passèrent. Atahualpa regrettait la compagnie d'Higuénamota, mais il pouvait désormais se dispenser de truchement. Coya Asarpay était enceinte de ses œuvres. Il s'entretenait avec Charles et perfectionnait son castillan. Ensemble, ils échafaudaient des plans pour triompher de la Sublime Porte, reconquérir Jérusalem et envahir le pays des Maures. Atahualpa rêvait à cette mer du Sud que Charles appelait Méditerranée. Sepúlveda lui expliquait le mystère de l'eucharistie et, en retour, Atahualpa lui contait l'histoire de son ancêtre Manco Capac. Quizquiz jouait avec le petit prince Philippe et sa sœur Marie. Ruminahui inspectait les défenses de la forteresse. Quispe Sisa et Cusi Rimay suppliaient Lorenzino de les emmener en Italie, tandis qu'il leur promettait les plus belles robes en riant. On plantait des tomates dans les jardins du Generalife, sur les hauteurs de l'Alhambra. Chalco Chimac surveillait Sepúlveda en qui il n'avait pas confiance. À bon droit, car celui-ci préparait l'évasion de son maître.

Charles alternait les moments d'abattement et de résolution. Il priait des heures dans la salle des Rois du palais des Lions, celle-là même où sa grand-mère Isabelle et son grand-père Ferdinand avaient donné leur première messe, après la prise de l'Alhambra. L'endroit n'appartenait pas au périmètre qu'on lui avait assigné dans son palais inachevé mais se trouvait dans la partie occupée par Atahualpa et sa cour. L'Inca lui avait généreusement accordé cette liberté, comme une marque d'estime et de respect d'un souverain envers un autre souverain.

En réalité, Charles n'était pas si abattu qu'il éprouvât le besoin de se recueillir des soirées entières. C'était une idée de Sepúlveda. La salle des Rois lui donnait accès au palais des Lions, lui-même accolé au palais de Comares. Jadis, le jeune Boabdil, retenu prisonnier par son père dans un cachot de la tour de Comares, s'était laissé glisser par la fenêtre le long d'une corde faite d'écharpes nouées que lui avait préparée sa mère.

Charles devait emprunter le même chemin. Les hommes d'Atahualpa montaient la garde mais ils n'étaient pas assez nombreux pour un palais aussi grand, et personne n'avait jugé utile de surveiller une prison vide.

La tentative échoua, car le jour de l'évasion, Charles fut frappé d'une crise de goutte qui le cloua dans son lit.

L'ingénieux Sepúlveda ne se découragea pas. Chaque matin, les portes de l'Alhambra s'ouvraient pour accueillir des conversos et des mahométisants de l'Albaicín, qui venaient grossir la main-d'œuvre afin de cultiver les jardins, faire la cuisine, laver le linge et s'acquitter de toutes sortes de tâches non militaires, pour lesquelles les Quiténiens et leurs renforts de Tolède n'étaient pas assez nombreux. Le soir, les portes s'ouvraient à nouveau pour les laisser repartir. Sepúlveda imagina de déguiser Charles pour le faire sortir avec eux. Il fit prévenir les gens de Santa Fe. Un détachement d'hommes se tiendrait embusqué à la sortie, chargé de récupérer le roi et de l'emmener en lieu sûr.

Le jour dit, au coucher du Soleil, les deux hommes se mêlèrent aux ouvriers qui rentraient chez eux. Pour passer inaperçus, ils s'étaient vêtus des habits les plus simples et portaient des capuches qui dissimulaient leur visage. Mais Chalco Chimac, méfiant, observait comme chaque soir l'ouverture des portes depuis les remparts. Il reconnut Charles à son nez de tapir qui dépassait de sa capuche. Aussitôt il donna l'alarme et ordonna de fermer les portes. Ceux du dehors qui étaient embusqués l'entendirent et donnèrent l'assaut aux cris de « *Santiago !* ». Des Espagnols en armes firent irruption dans l'Alhambra. Les Quiténiens firent feu, les assaillants ripostèrent. La panique saisit les ouvriers et la situation tourna immédiatement à la plus grande confusion. Les flèches et les frondes sifflèrent, couchant les hommes face contre terre ou leur arrachant des cris de douleur. Les Espagnols, qui étaient venus en petit nombre pour ne pas se faire repérer, refluèrent. Sepúlveda voulut emmener Charles qu'il tenait par le bras mais soudain, celui-ci s'écroula, foudroyé par un tir d'arquebuse. Sepúlveda eut tout juste le temps de franchir la porte avant qu'elle se referme. Il parvint à s'enfuir avec les survivants. Mais Charles était resté à l'intérieur, étendu au milieu des cadavres. Chalco Chimac se précipita. Le roi d'Espagne respirait faiblement.

Il mit trois jours à mourir. Ses dernières paroles ne furent pas comprises.

Pour les Quiténiens, c'était une catastrophe. À aucun prix, sa mort ne devait être révélée. Ils enterrèrent le corps de nuit, sans cérémonie, dans les jardins de l'Alhambra, au milieu des plants de tomates. Mais Sepúlveda l'avait vu s'effondrer, il répétait aux seigneurs de Santa Fe que leur roi avait été mortellement blessé et que plus rien ne s'opposait à l'attaque de l'Alhambra. Certes, il y avait encore derrière ces murs la reine, l'infant Philippe et sa petite sœur Marie aux mains des barbares, mais aucune considération autre que la vengeance ne pouvait l'emporter dans le cœur meurtri de tout bon chrétien. « *Represalia !* » disait-il.

Et cependant, comment être certain de la mort de Charles ? Les Espagnols dépêchèrent des délégations qui furent toutes renvoyées. Malgré tout, ils espéraient encore un miracle, et ne pouvaient se résoudre à la mort de leur souverain. Du reste, les événements tels que Sepúlveda et les autres témoins les avaient rapportés étaient si peu clairs qu'on n'était même pas sûr de la provenance du tir fatal. Sepúlveda jurait qu'il venait des remparts, mais sa partialité rendait son jugement douteux. D'ailleurs, cela ne changeait rien à l'affaire. Soit Charles était vivant, soit il était mort.

Les Quiténiens mirent à profit ce temps d'hésitation pour arrêter une stratégie. Ils se doutaient que la reine et ses enfants ne seraient pas d'un poids suffisant pour retenir les Espagnols, et que l'assaut était imminent. Bien défendu, l'Alhambra était imprenable mais, sans le bénéfice de leur otage, ils se savaient en nombre insuffisant pour tenir un siège. Chalco Chimac suggéra de maquiller le corps et de le promener le long des remparts comme s'il était vivant. Sa proposition ne fut pas retenue, quoique les autres louassent son ingéniosité.

Au fait, la situation n'appelait qu'une seule décision : il fallait tenter une sortie. Lorsque Santa Fe leur eut fait parvenir un dernier ultimatum exigeant la preuve que Charles était encore en vie, Atahualpa décida qu'ils partiraient le soir même, le plus discrètement possible. S'ils parvenaient à gagner les montagnes, ils se sauveraient peut-être. À toutes fins utiles, ils emmenaient avec eux la reine et ses deux enfants.

À peine le dernier lama du cortège eut-il franchi le seuil de l'Alhambra qu'il fallut abandonner tout espoir que ce plan se réalisât. Les Espagnols les attendaient, ils leur tombèrent dessus. La route de la montagne était coupée. Les Quiténiens furent repoussés au bas de la colline, où coule une petite rivière, dans laquelle ils commencèrent à se faire massacrer. Coya Asarpay fut prise de contractions.

Sur l'autre versant, la colline de l'Albaicín leur barrait la route, ils étaient au fond d'une gorge et ils allaient mourir. Mais l'Albaicín ne dormait pas. Au contraire, elle bruissait et semblait s'animer comme la mer. Ses habitants contemplaient la scène, la résistance héroïque des étrangers face aux chrétiens, écrasés sous les tirs de l'artillerie et les assauts de la cavalerie espagnole. Une rumeur se répandit dans les ruelles blanches. Les morisques se répétaient une phrase, dans leur langue, qu'ils croyaient tenir de leur dieu : « Vous aurez les gouvernants que vous méritez. » Sans doute virent-ils dans la situation présente une occasion, politique, providentielle, sentimentale. Des vagues d'hommes dévalèrent la colline et se jetèrent dans la mêlée. Où avaient-ils trouvé leurs armes ? Dans les cuisines, les boutiques, les ateliers, aux champs. Peut-être les avaient-ils gardées, ou volées, ou forgées de leurs propres mains, en prévision d'un événement semblable.

La surprise coupa l'élan des Espagnols. Ils étaient trop bien équipés et trop nombreux pour se débander, mais ils fléchirent et ils reculèrent. Ils battirent en retraite sans toutefois rompre les rangs. Ce répit, néanmoins, fut suffisant ; il permit aux Quiténiens de s'extirper du ravin dans lequel ils s'embourbaient pour se perdre dans le dédale des ruelles blanches, où les Espagnols n'iraient pas les chercher.

23. Cadix

La révolte des morisques se propagea dans toute l'Andalousie. Atahualpa mit à profit la confusion qu'elle engendra pour fuir à nouveau. L'Albaicín fut un refuge, le temps de soigner les blessés, mais ce n'était pas un sanctuaire où ils pouvaient rester indéfiniment ; tôt ou tard, les Espagnols reviendraient. Et ce Ferdinand, dont on disait qu'il avait une armée formidable, viendrait pour venger la mort de son frère.

Cordoue, Séville… désormais, ils évitaient les villes. Ils avaient laissé derrière eux leurs perroquets, leurs lamas, leurs cuys, et même le puma d'Atahualpa, n'emmenant que leurs trois derniers otages, la reine et ses deux enfants, tout ce qui restait, à ce moment-là, de la couronne d'Espagne. Ceux qui le pouvaient montaient à cheval ; il n'y avait plus de litières, seulement quelques charrettes pour tirer les blessés. Et ce cortège lamentable suivait la course du Soleil en geignant, accompagné par les cris des vautours dans le ciel, qui sont les condors de ce pays.

Si l'intention d'Atahualpa avait été simplement de gagner la mer, ils seraient allés au sud. Mais c'était l'ouest qu'il cherchait ; toujours plus à l'ouest, il allait, du matin au soir, sans jamais dévier, poussant les hommes et les bêtes à brûler leurs dernières forces, comme s'il courait après le Soleil, comme s'il avait voulu le rattraper, ou l'atteindre, ou le dépasser, mais toujours le Soleil, Inti, son ancêtre et son dieu, lui échappait, si bien qu'ils arrivèrent à Cadix.

La ville semblait déserte mais en fait, les habitants, ne sachant à quoi s'en tenir, se terraient chez eux, volets fermés. Les Quiténiens, sentant leur sourde présence, avançaient à pas de puma. Le temple de Cadix construit en l'honneur du dieu cloué était une autre bâtisse formidable, dans laquelle ils souhaitèrent s'arrêter pour prendre un peu de repos. Quant à lui, Atahualpa voulait à tout prix gagner le port. Ses hommes commencèrent à suspecter qu'il cherchait un bateau pour rentrer chez lui. Certains pensèrent que ce n'était pas une mauvaise idée. Malheureusement, le port était vide, à l'exception de quelques barques ; tous les bateaux étaient partis. Alors seulement Atahualpa consentit à ce qu'on s'installe dans le temple.

Des jours passèrent. Les conversos et les morisques qui n'avaient pas voulu abandonner les Quiténiens sortaient dans la ville puis revenaient avec des vivres. Un jour, le fils de la vieille juive de Tolède apporta des nouvelles alarmantes : un détachement de soldats approchait, ils venaient les chercher, pour les capturer ou les tuer sur place, et ce n'était sans doute qu'une avant-garde. L'armée de Charles était en route, et Ferdinand peut-être. Il fallait fuir sans tarder.

Mais Atahualpa n'était plus disposé à fuir. Les hommes n'en pouvaient plus, sa sœur-épouse était sur le point d'accoucher. Ils étaient au bout du chemin. Ceux dont le rang les autorisait à lui adresser la parole avaient beau lui dire que chaque heure passée à attendre était une erreur aux conséquences possiblement irrémédiables, le jeune Inca ne se troublait pas. Il chargea Quizquiz d'organiser la défense de la ville. Cadix était ceinte par des remparts, et ils pouvaient compter sur le renfort des morisques alentour, mais s'il s'agissait de tenir un siège, pourquoi avoir quitté l'Alhambra ? se demandaient les généraux. Les murailles qui entouraient Cadix ne pouvaient soutenir la comparaison avec la gigantesque citadelle rouge perchée sur ses rochers. Naturellement, personne n'osa en faire la remarque devant Atahualpa. Seule Coya Asarpay, qui arrivait au terme de sa grossesse, se plaignait en gémissant.

Puis la situation se dégrada rapidement. Quizquiz sut contenir l'avant-garde espagnole, mais alors un nouveau siège commença, dans des conditions beaucoup plus incertaines. Les habitants restés en ville étaient hostiles aux Quiténiens et le port les rendait vulnérables, à la merci d'une attaque maritime. C'est là d'ailleurs qu'Atahualpa concentrait toute son attention, pendant qu'il laissait la défense des remparts à ses généraux. Et c'est là que, sans doute, fut jeté le plus gros poids dans l'un des plateaux de la balance.

Un matin, alors que la fin du siège n'était plus qu'une affaire de jours, peut-être d'heures, cinq vaisseaux apparurent à l'horizon. Pris à revers, tous les Quiténiens crurent que, cette fois-ci, leur histoire s'achevait pour de bon. Seul Atahualpa envisageait une autre possibilité. Ses yeux scrutaient la proue des navires. Et tandis que ses compagnons résignés attendaient les premiers coups de canon, il reconnut Higuénamota, Pedro Pizarro, et Tupac Hualpa, le frère de Huascar et le sien. Alors, il sut qu'ils étaient sauvés, et que ce monde serait à lui.

24. *Les Incades*, chant I, strophe 24

Immortels habitants du lumineux Empire
Du firmament serein, du Pôle de splendeur,
Vous vous rappelez tous sans l'entendre redire,
Que de forts Quiténiens la brillante valeur
A de hauts faits sans nombre illustré leur histoire,
Et que ce peuple aura par la Loi des Destins
Un grandiose avenir effaçant la mémoire
Des Assyriens, des Grecs, des Persans, et Romains.

25. La conquête

L'Allemagne, l'Angleterre, la Savoie, la Flandre, peu lui importait. L'Andalousie lui importait. La Castille. L'Espagne. L'Andalousie était sa terre, maintenant, et il mourrait pour elle, s'il le fallait, mais ce ne serait pas aujourd'hui.

Les cales des navires regorgeaient de trois choses : de l'or, de l'argent, du salpêtre.

Avec le salpêtre, Quizquiz nourrit les canons des remparts et dispersa les assiégeants. Il ne s'agissait nullement de venir à bout de l'armée espagnole, mais simplement de faire passer un message : la situation a changé. Votre monde ne sera plus jamais le même. Vous êtes le Cinquième Quartier.

Avec l'or et l'argent, on pouvait acheter des hommes. La nouvelle des cales remplies d'or se répandit et les mercenaires accoururent. Nombreux furent ceux qui désertèrent l'armée espagnole pour rejoindre la troupe de l'Inca.

Atahualpa proclama que les conversos, juifs, morisques, luthériens, érasmiens, sodomites, sorcières, étaient désormais sous sa protection.

Chaque jour, des centaines de renforts grossissaient sa troupe et rendaient sa proclamation plus tangible.

Lorsqu'un émissaire fut envoyé en Navarre, un autre galopait déjà vers Augsbourg.

Atahualpa prit possession de Séville sans un coup de canon. Il installa la reine et l'infant dans le palais de l'Alcazar, avec lui.

C'est de Séville qu'il établit une liaison maritime avec Tahuantinsuyu, qui passerait par Cuba. Ainsi l'approvisionnement en or et en argent serait-il assuré. Fugger lui avancerait autant qu'il désirait.

Et de fait, Atahualpa avait de gros besoins car il avait de grands projets.

Il convoqua les Cortes pour qu'ils confirment sans attendre l'infant Philippe comme le futur roi d'Espagne, et, accessoirement, qu'ils entérinent la régence d'Atahualpa. Dans ce monde, tout semblait possible avec de l'or ; ou du moins, rien ne l'était quand il venait à manquer. L'or et l'argent simplifiaient tout.

Le parti des Tavera et des Granvelle, qui avait failli l'anéantir, n'avait plus aucun moyen de s'opposer à lui : ni la légitimité, qui s'était éteinte avec Charles, ni l'or, qui s'était tari, ni l'armée, exsangue et ravagée par une maladie inconnue.

L'Inca s'était empressé d'offrir la Flandre et l'Artois au roi de France, et l'armée de Ferdinand était partie défendre les provinces de son frère, lui laissant le champ libre.

Maintenant, il voulait régner. Ou plutôt, puisque la couronne d'Espagne n'était pas exactement vacante, il voulait gouverner.

Qu'avait-il offert à Huascar pour faire la paix ? Du breuvage noir, des arquebuses, un peu de blé, des feuilles qui parlent et des tableaux. L'idée que le monde était assez grand pour tous les deux. Et la perspective de richesses nouvelles, en échange de ce dont Tahuantinsuyu regorgeait : l'or et l'argent.

Ainsi les Incas découvrirent le commerce, cette activité qui consistait à échanger des marchandises en utilisant de la monnaie.

Higuénamota avait parfaitement rempli sa mission. Elle aurait pu rester à Cuba, avec les siens, et ne jamais revenir. Elle en avait décidé autrement, par amour pour Atahualpa, peut-être, bien qu'elle ne fît pas mystère de sa relation avec le jeune Pizarro. Mais sans doute, plus sûrement, le goût de l'aventure, la curiosité avaient-ils prévalu dans son choix. Elle aimait ce monde de fureurs et de promesses ; elle voulait savoir où tout ça les emmènerait. Et puis, elle aussi voulait voir l'Italie. D'ailleurs, elle fut chagrinée d'apprendre que Lorenzino était retourné dans son pays. Elle ignorait alors quel rôle le destin réservait au jeune homme de Florence.

Elle ignorait tout des événements à venir.

26. *Les Incades*, chant I, strophe 74

« Il paraît que le Sort en son caprice ordonne,
Que ces fiers Quiténiens partout victorieux,
Imposeront leur joug, et la loi de Bellone
Sur les peuples d'Europe aguerris et nombreux.
Et moi, fils d'un père, entre les dieux Auguste,
Qui de titres si grands puis me glorifier,
Tranquille, je verrais que le Destin injuste
Élève un nouveau nom qui doit m'humilier. »

27. Manco le jeune

Tupac Hualpa avait apporté avec lui un quipu qui était la réponse de Huascar au message d'Atahualpa.

Huascar pardonnait à son frère et voulait bien oublier les offenses passées, puisque celui-ci disait renoncer à toute prétention au trône des Quatre Quartiers. À sa demande, il lui envoyait trois cents hommes, et de grandes quantités d'or, d'argent, de salpêtre. En échange, il attendait davantage de breuvage noir, de cannes à feu et de peintures magiques qui donnaient l'illusion de la profondeur. Il remerciait son frère de lui avoir dépêché l'ingénieur Pedro Pizarro pour lui expliquer le fonctionnement de ces armes nouvelles. Comme il pouvait le voir, les Incas avaient su construire leurs premiers canons, dont ils avaient équipé les navires qu'ils avaient affrétés depuis Cuba.

Huascar, dans son infinie bonté, à la demande de son frère et par amour pour lui, renonçait à envahir l'île d'où était originaire la princesse Higuénamota (en échange d'un modeste tribut).

Le quipu avait été tressé à Tumipampa, où Huascar résidait avec sa cour, car il n'avait pas voulu rentrer à Cuzco, pressentant peut-être que le cours des événements continuerait à se déplacer vers le nord (le sud étant de toute façon barré par les sauvages Araucanes).

Il n'avait pas été facile pour Higuénamota d'arriver à l'empereur, mais la princesse cubaine, comme toujours, avait fait impression partout où elle était passée. À Lisbonne, elle parvint à obtenir non pas un mais trois navires de João, aidée, il est vrai, par le fait qu'Isabelle, la sœur du roi, épouse de Charles Quint, était aux mains d'Atahualpa. À son retour à Cuba, les Taïnos, qui avaient acquis le savoir-faire nécessaire, en avaient construit deux autres, pendant qu'elle allait chercher Huascar au cœur de l'Empire.

L'empereur avait pris connaissance du quipu et, impressionné par les présents qu'Higuénamota apportait avec elle, avait bien voulu exaucer les demandes d'Atahualpa, dans la mesure où les Quatre Quartiers disposaient en grande quantité des produits que celui-ci demandait. Il avait confié à son frère-général Tupac Hualpa le soin d'acheminer la marchandise. Atahualpa avait décidé, en accord avec Higuénamota, après examen des cartes qu'ils savaient maintenant lire parfaitement, que les navires débarqueraient non pas à Lisbonne, mais à Cadix, plus proche de Grenade.

Tupac Hualpa était venu avec un autre de leurs demi-frères, le tout jeune Manco Capac, qui avait l'honneur redoutable de porter le nom du grand ancêtre fondateur. Tupac Hualpa repartait avec des navires chargés d'armes, de vin et de peintures, mais le jeune Manco Capac restait. Il serait en quelque sorte l'ambassadeur de Huascar à Séville, c'est-à-dire son espion, ce qu'Atahualpa, diplomatiquement, feindrait d'ignorer.

28. L'Alcazar

L'accueil que réserva Séville aux Quiténiens fut très différent des précédents.

Ce jour-là, la reine Isabelle montait un cheval blanc et était elle-même vêtue de satin blanc, en signe de deuil. À ses côtés, Atahualpa arborait sur son front la couronne écarlate du Sapa Inca.

Les plus grands seigneurs de la cité, le duc de Medina Sidonia, le duc d'Arcos, le marquis de Tarifa, étaient venus à leur rencontre avec le maire (qui était le curaca chargé d'administrer la ville), et ils s'inclinèrent conjointement devant la reine et l'Inca.

Le jeune Philippe et sa sœur suivaient derrière, ainsi qu'une armée de six mille hommes.

En faisant leur entrée dans la ville, Chalco Chimac et Quizquiz échangeaient des regards, et il est aisé de deviner qu'ils repensaient à la tente de Charles Quint, dans la campagne de Salamanque, mesurant le chemin parcouru aux marques d'attention protocolaire qu'on leur dispensait maintenant.

D'ailleurs, Quizquiz observait devant lui les sauts et les gambades de Sempere, le long chien blanc de l'empereur, qui avait suivi le petit Philippe dans la débâcle de Grenade. L'animal avait gardé sur la truffe la trace des griffes du puma d'Atahualpa. En découvrant les jardins de l'Alcazar, ébloui par leur splendeur, Quizquiz songea que le fauve aurait aimé y séjourner, grimper aux palmiers, se baigner dans les bassins, chasser les oiseaux, et se demandait où il pouvait bien être à présent.

C'est dans ces jardins que Coya Asarpay donna naissance à un fils, qui reçut de son père le nom de Charles Capac, en hommage à son rival malheureux. Le petit Philippe fut autorisé à se pencher sur le berceau et à être son *padrino*. Sur l'insistance d'Isabelle, qui était très pieuse, l'enfant fut aspergé d'eau par un prêtre local, à toutes fins utiles. Atahualpa jugea ce parrainage de bonne politique. Il offrit même à Isabelle de la prendre pour épouse secondaire mais celle-ci déclina la proposition.

Lorenzino revint d'Italie avec un artiste de grande réputation nommé Michelangelo, qu'il était allé chercher à Rome. On discuta d'abord d'un tombeau à construire où transférer le corps de Charles Quint qu'on avait laissé à l'Alhambra au milieu des tomates. Puis on le chargea d'une sculpture représentant Viracocha, créateur du Soleil, de la Lune et des étoiles. Atahualpa aurait souhaité qu'il fît le portrait de sa sœur-épouse et de son fils nouveau-né, mais comme l'artiste détestait peindre les personnes vivantes, il dut y renoncer et Lorenzino fut chargé d'aller trouver un autre peintre, familier de Charles, qu'il savait exercer son art dans une ville du nom de Venise. Cependant, Michelangelo accepta de faire une exception pour la princesse Higuénamota, dont il fit la magnifique sculpture qui trône aujourd'hui dans le grand temple de Séville, là même où s'étaient mariés jadis Charles et Isabelle.

Au vrai, Atahualpa aurait préféré retourner à Grenade car il se sentait mieux perché sur les hauteurs de l'Alhambra, mais il lui fallait un lieu de résidence qui soit relié par la mer à son pays d'origine, et le fleuve Guadalquivir qui traversait Séville, quoique peu profond et difficilement praticable par les bateaux de fort tonnage qu'on envoyait vers Cuba, faisait ce lien. Bientôt, les tonneaux de breuvage noir et de farine roulèrent jour et nuit sur les quais du port, croisant les tonneaux de salpêtre et de coca qui roulaient en sens inverse, qu'on débarquait avec les caisses d'or et d'argent envoyées par Huascar, pendant qu'on chargeait des jarres d'huile d'olive, de miel et de vinaigre, dont les Incas d'outre-mer étaient friands.

Le trafic prit une telle ampleur qu'Atahualpa ordonna la création d'une institution spécifique, que les locaux appelèrent *Casa de contratacion*, pour administrer les relations commerciales entre Tahuantinsuyu et le Cinquième Quartier. Nul, en Espagne ou ailleurs sur toutes les terres du Levant, n'était autorisé à commercer avec les pays du Ponant sans passer par Séville, à l'exception de Lisbonne, qui reçut une dérogation en remerciement de l'aide apportée à Higuénamota, sans laquelle c'en eût été fini des Quiténiens en Espagne, et toute l'histoire aurait pris un autre cours. (Toutefois, un quintile de tout ce que rapportaient les navires portugais devait être reversé à la couronne d'Espagne.)

C'était aussi une manière de compensation envers la reine Isabelle, sœur de João III, de la perte de son mari qu'elle adorait.

29. Les Cortes

Une autre compensation était la promotion de son fils aîné au rang de roi d'Espagne.

L'usage voulait qu'une assemblée de seigneurs, de prêtres et de marchands, venus de toutes les régions de Castille, vienne présenter ses hommages au nouveau roi. C'étaient les Cortes, et la cérémonie solennelle avait quelque chose d'intimidant pour le petit Philippe. Cependant, afin de parer à tout embarras, Chalco Chimac lui avait écrit son discours, qu'Higuénamota, avec l'aide de Pedro Pizarro, avait fait traduire en castillan. Les ducs d'Arcos et de Medina Sidonia avaient eu l'obligeance de le relire, afin que le discours bénéficiât de leur connaissance tant des institutions locales que des formes protocolaires attachées à ce type de rassemblement.

Ainsi le petit Philippe put-il assurer qu'il serait digne de la charge qui lui incombait, puisqu'il avait plu à Dieu de lui confier si jeune le sort de l'Espagne. Les seigneurs sévillans, qui avaient prêté leur concours à la préparation de l'exercice, avaient cru bon de souligner que son père avait été rappelé à Dieu à l'âge de trente-trois ans, et Chalco Chimac, soupçonnant l'importance symbolique de cette information, l'avait fait mentionner à plusieurs reprises dans le texte du discours.

Cependant, Dieu n'avait pas laissé le petit roi démuni face à l'ampleur d'une telle entreprise. Dans sa grande miséricorde, il lui avait envoyé le fils du Soleil, de par-delà les mers, pour le guider et le conseiller.

Ce rôle de conseil, d'ailleurs, pouvait difficilement passer inaperçu : lorsque le petit Philippe hésitait ou perdait le fil de son discours, Chalco Chimac, qui se tenait à ses côtés, s'agenouillait pour lui souffler à l'oreille les mots qu'il devait prononcer, ce qui ne produisit pas tout d'abord une impression très favorable auprès de l'assemblée. Puis les plus anciens se remémorèrent qu'il en avait été de même, naguère, avec le jeune Charles et son vieux maître le seigneur de Chièvres. La situation, il est vrai, était alors sensiblement différente, mais en définitive à peine moins extraordinaire, avec l'arrivée d'un jeune monarque qui ne parlait pas un mot d'espagnol. Au moins Philippe était-il né à Valladolid, et non en Flandre. Quant au seigneur d'outre-mer, il avait de l'or et semblait disposé à le partager.

Ainsi le jeune roi, inspiré par son nouvel entourage, pouvait-il présenter les premières mesures de son règne.

La toute première était la dissolution du Conseil suprême de l'Inquisition et la suppression pure et simple du tribunal du Saint-Office. Aux murmures d'approbation qui parcoururent l'assemblée, y compris chez certains représentants des prêtres, Atahualpa comprit qu'elle ne serait pas trop impopulaire.

La seconde mesure consistait à céder l'Artois et la Flandre au royaume de France, en contrepartie d'un traité d'alliance consolidé par une promesse d'assistance mutuelle. Les provinces du Nord n'intéressaient pas les Espagnols et cette nouvelle fut accueillie avec une indifférence teintée de soulagement.

Enfin, le seigneur d'outre-mer Atahualpa, fils du Soleil, était nommé au poste de chancelier du roi, en lieu et place de Nicolas Perrenot de Granvelle, dont la tête, comme celle des autres rebelles, était mise à prix.

La récompense offerte pour la tête de Sepúlveda, déclaré responsable de la mort du roi Charles, était de mille ducats.

Pedro Pizarro était nommé secrétaire d'État en remplacement de Francisco de los Cobos y Molina, également placé sur la liste des hors-la-loi, tout comme Juan Pardo Tavera et Antonio de Leyva.

Un ministère des Cultes était créé, qu'Atahualpa aurait souhaité confier à Iñigo López de Loyola, mais celui-ci ayant refusé, c'est un converso humaniste, Juan de Valdes, ramené de Rome par Lorenzino, qui se vit attribuer le poste.

Le décret de l'Alhambra concernant l'expulsion des juifs, daté de l'an 1492 de l'ancienne ère et signé par les grands-parents de Charles Quint à Grenade, était abrogé.

30. Lettre de More à Érasme

Thomas More à Érasme de Rotterdam, salut,

Tu sais combien, très cher Érasme, je goûtais à ma retraite depuis que j'avais rendu le Sceau et renoncé à la charge de chancelier dont sa majesté le roi Henry avait eu la bonté de m'honorer.

De ton côté, j'ai eu vent que tu avais quitté Bâle parce que ta santé vacillante te faisait aspirer à davantage de tranquillité, et à ce sujet, j'espère de tout cœur que la gravelle t'a laissé quelque répit.

Si toutefois je prends la plume aujourd'hui, mon très cher Érasme, c'est pour te conjurer de venir en aide à ton vieil ami dans une affaire qui dépasse mon cas personnel mais engage, je ne crains pas de le dire, le sort de la Chrétienté tout entière.

Tu n'es pas sans savoir que sa majesté le roi d'Angleterre s'est mis en tête de faire annuler son mariage avec la reine Catherine pour épouser Lady Anne Boleyn, et que le pape lui refuse cette annulation, ce qui fait de lui, présentement, un bigame aux yeux de l'Église.

Tu dois également avoir entendu parler de cette nouvelle religion qui se répand, partie d'Espagne, que certains appellent l'intisme et d'autres le solisme, et qui se veut la religion du Soleil, d'après celle de ce nouveau seigneur Atahualpa qui a causé la perte de l'empereur Charles et dont on dit qu'à l'heure actuelle il est le vrai maître des Espagnes.

Or, peux-tu te figurer quelle idée a frappé Sa Majesté mon roi ? Il menace de se convertir à la religion de l'Inca, et avec lui toute l'Angleterre, si le pape ne lui donne pas satisfaction, car il a entendu que dans cette religion, on pouvait multiplier les épouses comme Notre Seigneur multiplia les pains.

Notre Saint-Père a beau menacer le roi d'excommunication, rien n'y fait. Sa Majesté est si éprise et si obstinée qu'elle semble bien décidée à passer outre les arrêts du souverain pontife en personne.

Peux-tu imaginer un plus grand blasphème ? Nous avions déjà à nous défendre des progrès de ce Luther et de son hérésie mille fois condamnable. Mais voilà que désormais il nous faut affronter un péril plus grand encore et plus diabolique, ces idolâtries de barbares qu'on dirait tout droit sortis des enfers.

Je te supplie, très cher Érasme, d'écrire une lettre au roi pour lui faire voir toutes les conséquences de cette folie, qui ne peut qu'aboutir à saper les fondations de toute foi véritable en Notre Seigneur. Vois-tu, il ne s'agit plus seulement de combattre ceux qui s'évertuent à nier le purgatoire ou qui refusent de manger maigre pendant le vendredi saint. Ce n'est plus seulement l'unité de notre Sainte Église qui est en danger mais la Chrétienté elle-même qui risque de sombrer dans l'infidélité et l'athéisme.

Le mieux, pour te dire la vérité, serait que tu publies un texte pour rappeler notre attachement à la vraie foi et pour condamner ces superstitions impies.

Toi seul, en effet, as l'autorité suffisante pour mettre un terme à cette folie, et un mot de toi peut remettre toute l'Europe dans le chemin de Dieu.

Qui sait ? Peut-être cet Atahualpa nous a-t-il été envoyé par Dieu, pour réconcilier l'Église avec ses brebis égarées, ramener les adeptes de Luther à la raison, et faire front tous ensemble contre ces nouveaux païens.

Tu sais que j'ai toujours ardemment désiré que sorte de ton cœur, organe le plus approprié pour veiller à la vérité, un traité qui montrerait de façon irréfutable que notre foi est la vraie. En vérité je crois que nul moment ne pourrait être mieux choisi qu'aujourd'hui, et je souhaite que rien ne puisse te détourner de cette noble tâche.

Porte-toi bien, Érasme, le plus cher de tous les mortels.

De Chelsea, le 21 janvier 1534,
À maître Érasme de Rotterdam,
homme d'une vertu et d'un savoir éminents.
De tout cœur avec toi,
Thomas More

31. Lettre d'Érasme à More

Érasme à Thomas More, salut,

Tu ne t'es pas trompé, mon ami, quand tu as subo-doré ma fatigue et ma lassitude. En vérité mon corps ne me laisse guère tranquille et il n'est plus un jour où je ne sois accablé de nouvelles douleurs.

Cependant, par amitié pour toi, et parce que tu abordes des matières importantes qui méritent qu'on s'y arrête, je prends la peine de te répondre le plus dili-gemment qu'il m'est possible.

Tout d'abord je te dirai que les calomnies m'ont tant affaibli que je n'ai plus la force ni la fougue néces-saires pour, de nouveau, entrer dans l'arène : voilà pour ce qui est du traité que tu me demandes.

D'autre part, ces mêmes calomnies et la perte de crédit qu'elles ont attachée à ma réputation me font douter que le roi d'Angleterre écoute un vieillard déjà à demi enterré et oublié, et qui, de surcroît, a refusé à maintes reprises les généreuses invitations que ton sou-verain lui avait adressées.

Quant au pape, je pense que celui qui est ton meil-leur allié dans cette affaire et t'aidera le mieux dans ta noble entreprise est peut-être cet Atahualpa lui-même que, à mon sens, tu noircis avec trop d'empressement.

En effet, en causant la perte de Charles, qui était le neveu de la reine Catherine et qui menaçait Rome de représailles si jamais celle-ci était répudiée avec la béné-diction du Saint-Père, il a supprimé la menace que repré-sentait l'empereur, et par là même, l'obstacle principal à l'annulation de ce mariage. Une fois cette annulation prononcée, rien ne s'opposera à officialiser les épousailles du roi Henry avec Lady Anne, et ainsi cette officialisation, en lui donnant pleine satisfaction, ôtera toute raison à ton roi de déserter l'Église catholique.

Mais par-delà ces considérations, je te demande de réfléchir à ce que tu as dit à propos de cet Inca et de sa religion. Penses-tu réellement qu'elle soit pire et plus dangereuse que les hérétiques luthériens que tu vilipendes ? Et qu'elle fasse plus de tort à notre Église que les moines cupides aux mœurs corrompues que tu dénonçais naguère ? Certes, c'est en toute connaissance de cause que Luther a tiré le glaive pour déchirer l'Église. Mais Atahualpa est innocent de cela. Est-ce sa faute si le message de l'Évangile n'était pas encore parvenu à son île, où qu'elle se trouve ?

Tu sembles convaincu que les ennemis de l'Église sont voués à l'enfer, et je ne saurais te détromper, mais rappelle-toi, mon ami, que l'enfer ne peut attaquer les païens.

De plus, si tu voulais bien te pencher sur cette religion du Soleil, tu y verrais de nombreux points communs avec notre propre foi. Viracocha et le Soleil ne sont-ils pas un peu comme Dieu le Père et son Fils Jésus, Notre Seigneur ? La Lune, sœur et épouse du Soleil, n'évoque-t-elle pas, de façon certes lointaine et imagée, l'image de la Vierge Marie ? Et la foudre qu'ils adorent ne figure-t-elle pas notre Saint-Esprit ? Après tout, tu as vu souvent le Saint-Esprit représenté dans nos églises sous l'aspect d'un oiseau, alors pourquoi ne le serait-il pas sous celui d'un éclair ?

Prends garde, mon ami, à ne pas voir des hérétiques là où il n'y a que des créatures de Dieu. Plus le nom *d'hérétique est odieux à des oreilles chrétiennes, plus il faut éviter d'en flétrir qui que ce soit à la légère. Tu sais que je condamne chez Luther sa volonté de destruction et sa passion guerrière. Eh bien, vois-tu, ami, je te donne raison sur un point : peut-être cet Atahualpa est-il une chance pour la paix.*

Porte-toi mille fois bien, mon ami, et embrasse pour moi Mrs Alice et Mrs Roper.

De Fribourg, le 28 février 1534
À Thomas More, le plus sage
et le plus fervent défenseur de Dieu.

Didier Érasme de Rotterdam

32 Lettre de More à Érasme

Thomas More à Érasme de Rotterdam, salut,

Une fois de plus, ta clairvoyance avait frappé dans le mille, toi le plus sage d'entre les sages : notre très Saint-Père a suspendu ses menaces d'excommunication et finalement autorisé l'annulation du mariage. Rien n'empêche plus, désormais, le roi Henry de convoler avec Lady Boleyn.

Mais ton étonnante sagacité n'est pas allée jusqu'à deviner ce que personne, à part Dieu, ne pouvait prévoir.

Tu pourrais penser que l'Angleterre est sauvée, puisque le roi se voit ainsi privé de motif pour tomber dans l'impiété. Sache pourtant qu'il n'en est rien, et que le péril n'a jamais été plus grand.

Peux-tu imaginer que Sa Majesté s'est mis en tête d'ouvrir un temple du Soleil, rempli de vierges choisies par ses soins et mises à sa disposition ? En effet, sa folie est désormais si avancée qu'il s'est décrété fils du Soleil, suivant l'exemple de cet Atahualpa aux mœurs barbares.

J'aimerais partager ta bienveillance vis-à-vis de cette religion impie mais en aucun cas je ne saurais y voir un quelconque rapport avec la vraie foi. Et quand bien même cela serait ? Certes, l'Ancien Testament annonçait le Nouveau, comme tu me l'as rappelé pertinemment, et contenait en lui, sans doute, les signes annonciateurs de la venue du Messie. Mais je te le demande, cher Érasme : en admettant que Moïse ait préparé la venue de Jésus, est-ce une raison pour devenir juif ?

Quoi qu'il en soit, je te remercie pour ta lettre au pape, je ne doute pas qu'elle ait pesé dans sa décision d'annuler le mariage, même si celle-ci n'a pas eu, en définitive, les effets escomptés.

Dieu te garde, Érasme, le plus cher de mes amis.

Chelsea, le 23 mars 1534
À Érasme de Rotterdam, adieu.

Thomas More

33. Lettre d'Érasme à More

Érasme de Rotterdam à son cher More, salut,

Ne t'avais-je pas dit que cet étranger, ce barbare, comme tu l'appelles, était une chance pour l'Europe ? En vérité, je n'avais que peu de mérite, et certainement pas cette prescience que tu veux m'attribuer, car c'est par une lettre de notre bon ami Guillaume Budé que j'avais pu me forger cette opinion.

En effet, le roi François a reçu le mois dernier à Paris un ambassadeur de la couronne espagnole qui était accompagné par plusieurs de ces Indiens ou Incas, je ne sais comment les nommer. (Peut-être sont-ils de Perse, comme là-bas on adore le soleil.) Il paraît que ce sont des êtres d'un grand raffinement et d'une grande beauté mais, surtout, qu'ils ont œuvré pour la signature du traité de paix entre la France et l'Espagne, en concédant au royaume de France de larges portions de l'héritage du roi Philippe. En contrepartie, le roi François, dans sa grande sagesse, a déclaré renoncer au Milanais, ce qui met peut-être l'Italie, terre de guerres incessantes, à l'aube d'une paix durable.

Mais ce n'est pas tout. En vérité, je tremble de joie et de contentement en écrivant ces lignes pour t'informer, si tu ne l'es déjà, mon très cher More, des dernières nouvelles venues d'Espagne.

Imagine-toi que le jeune roi Philippe, suivant les conseils de son nouveau chancelier, a promulgué à Séville un édit qui proclame le libre choix ainsi que le libre exercice de sa religion sur tous les territoires de Castille et d'Aragon. La seule obligation est de célébrer deux fois l'an la fête du Soleil. (Le plus fervent défenseur de la Chrétienté pourra convenir que la contrainte est légère, je veux croire que tu seras du même avis que moi là-dessus.)

Comprends-tu ce que cela signifie, mon très cher More, le plus précieux de mes amis ? C'est la porte qui s'ouvre enfin à cette Europe de tolérance dont nous désespérions et, peut-être même, si Dieu le veut, la

voie vers la paix universelle. Puisse, en effet, cet édit de
tolérance servir d'exemple aux rois et princes, et puisse-
t-il par la même occasion désarmer la fureur de Luther.

Vois-tu, cher More, quelle est la leçon de tout cela ?
La sagesse d'un païen, s'il est guidé par Dieu, quand
bien même à son insu, peut faire davantage pour
l'humanité qu'un chrétien assoiffé de sang. Après
tout, Socrate ne fut-il pas, lui aussi, un précurseur de
Notre Seigneur Jésus ? Dirais-tu que Socrate et Platon
étaient des barbares impies ? Dirais-tu, à l'inverse,
que le moine Savonarole qui faisait régner la terreur à
Florence au nom de Notre Seigneur était un bon chré-
tien ?

Cher Thomas, j'attends avec impatience d'avoir ton
avis sur tout ceci, et d'ici là t'embrasse avec affection.

De Fribourg, le 17 avril 1534
À Thomas More, mon frère humaniste.

Érasme

34. Lettre de More à Érasme

Mon très cher Érasme,

J'ai reçu ta lettre avec un peu de retard, n'étant pas
là où elle aurait dû me trouver, et te prie de m'excuser
pour avoir tardé à te répondre.

J'aurais aimé partager ta joie et ton enthousiasme
devant le cours des événements mais hélas, ici les
choses ne se sont pas passées comme on était en droit
de l'espérer.

Comme je te le disais dans ma précédente lettre, le roi Henry, en effet, a promulgué une loi qui décrète qu'il est, tout comme ton nouvel ami le chancelier d'Espagne, fils du Soleil.

Partout dans le royaume d'Angleterre, il remplace les monastères et les abbayes par des temples du Soleil qui ne sont ni plus ni moins que des bordels tenus par ce que les plus indulgents nommeront des vestales mais que les plus lucides tiennent pour des putains.

Et comme si tout cela ne suffisait pas à notre honte et à notre grande affliction, il a exigé de tous ses sujets qu'ils reconnaissent sous serment que leur roi est bel et bien, par la grâce de Dieu, fils du Soleil.

Et voilà pourquoi je t'écris aujourd'hui de la tour de Londres, où je suis maintenant enfermé, attendant mon procès et ma probable sentence de mort, ayant refusé, comme tu peux l'imaginer, de jurer et de prêter mon concours à cette hérésie inimaginable, couronnée à la face du monde par ces blasphèmes inouïs.

À toi, Érasme de Rotterdam, adieu.
De Londres, le 15 août 1534

Thomas More

35. Lettre d'Érasme à More

Cher Thomas, mon frère bien-aimé,

Si j'ai invoqué Socrate dans ma précédente lettre, ce n'était certes pas pour que tu calques ta conduite sur la sienne en allant volontairement au-devant de la mort.

Je te conjure, au nom de notre vieille amitié et de l'amour que te portent Alice, Margaret, et tous tes enfants, de prêter serment au roi et de jurer ce qu'il voudra. Dût-il se prétendre le Grand Turc ou Dieu en personne, que t'importent ses fantaisies ? Tu sais, nous savons, au fond de nos cœurs, quelle est la vérité de Dieu délivrée par le message des Évangiles.

L'amour des tiens, voilà ce qui t'importe, tout comme les tâches que tu as encore à accomplir et le bien que tu peux dispenser sur cette terre. Ces choses-là comptent bien plus que les enfantillages d'un monarque capricieux, ne crois-tu pas ? Je te supplie, mon vieil ami, de sauver ta vie. Qu'est-ce qu'un serment arraché sous peine de mort ? Quelle validité pourrait-il bien avoir devant Dieu et ta conscience ?

Laisse-moi te rappeler une histoire. C'était il n'y a pas si longtemps, et peut-être ne l'as-tu pas oubliée, bien qu'elle remonte à l'époque où tu n'étais encore qu'un tout jeune homme. Quand le roi Louis XII, en arrivant au trône, demanda le divorce d'avec sa femme fille de Louis XI, la chose déplut à beaucoup de gens de bien, entre autres à Jean Standonck et à son élève Thomas, qui, dans leurs sermons, ne dirent rien, sinon qu'il fallait prier Dieu et bien inspirer le roi. Celui-ci se borna à les bannir et les rappela une fois le divorce accompli. Maintenant, laisse-moi te poser une question : si le terrible Standonck s'est accommodé d'une situation qui offensait pourtant sa conscience, le bon More ne peut-il en faire de même ? Prends garde, mon ami, au démon de la vanité. As-tu conseillé à ta femme, à tes enfants, à tes amis, de suivre le même chemin que toi en refusant de prêter serment ? Non, bien sûr, car tu ne souhaites pas leur mort, et tu sais d'autre part *que ce serment ne met pas en péril le salut de leur âme. Pourquoi, alors, ce qui est assez bon pour eux ne le serait-il pas pour toi ? Quelle est cette vocation de martyr qui s'est emparée de toi ?*

Je prie Dieu pour qu'il te ramène à la raison et à plus d'humilité, et je m'en vais écrire sur-le-champ une lettre au roi Henry pour plaider en ta faveur.

D'ici là, que Dieu te garde, mon ami, mes prières t'accompagnent.

De Fribourg, 5 septembre 1534

Érasme

36. Lettre d'Érasme au roi Henry VIII

À l'invincible roi d'Angleterre Henry VIII, Érasme de Rotterdam, salut,

Ta sagacité est sans égale, c'est pourquoi je ne doute pas que tu devines, ô grand roi, l'objet de cette lettre. Si je prends la plume aujourd'hui, c'est pour supplier Ta Majesté d'épargner la vie de notre grand ami commun, le distingué Sir Thomas More.

Ce n'est pas un hasard, dois-je te le rappeler, s'il fut un temps pas si lointain où tu le comblais d'honneurs. Tu le vois aujourd'hui comme un traître, déloyal à votre amitié, mais t'a-t-il trahi lorsqu'il s'est volontairement démis de la charge que tu lui avais confiée ? Était-il un fourbe et un comploteur, celui qui renonçait de lui-même à la plus haute fonction auprès du roi d'Angleterre ?

Tu sais, ô roi, que notre More est incapable de rien faire qui puisse nuire à Ta Majesté, tant est grand l'amour qu'il te porte.

Il est vrai qu'en matière religieuse, sa piété peut avoir quelque chose d'irritant dans sa naïveté et tend parfois vers la superstition. Mais quoi ! Un fils qui a grandi ne peut-il pardonner à son père comme celui-ci jadis pardonnait à son fils ? Que t'importe le serment d'un pauvre homme sans pouvoir ?

Je te supplie, ô roi invincible et sage, de suspendre le glaive à ton bras et d'épargner la tête de notre bon More. En épargnant un homme d'une piété et d'une érudition si remarquables que déjà l'immortalité l'a touché, le roi d'Angleterre aura travaillé pour lui-même et pour sa propre gloire. Si vraiment tu souhaites le punir, alors bannis-le de ton royaume, ô le plus brillant des rois, et montre ainsi à la fois ton pouvoir et ta clémence.

Quant à moi, je ne doute pas que ces mots sauront toucher le cœur de celui à qui j'enseignais Plutarque lorsqu'il était encore cet enfant qui donnait les plus belles espérances et qui, devenu adulte, les a comblées au-delà de toute attente.

Fribourg, 5 septembre 1534,

Érasme de Rotterdam

37. Élisabeth

L'édit de Séville souffla comme un ouragan sur l'Europe entière (puisque c'est ainsi qu'ils nommaient leur monde avant qu'il devînt le Cinquième Quartier).

En Espagne, il était logique et raisonnable que les morisques et les conversos fussent les premiers à saluer la nouvelle loi, car ils en étaient les plus immédiats bénéficiaires. Atahualpa savait que l'édit lui attachait leur loyauté, qu'il se gardait toutefois de juger indéfectible, car il avait bien connaissance des peuples et de leurs humeurs changeantes.

En Allemagne, en France, en Angleterre (comme le montrent assez les documents précédents), en Suisse même, partout où croissaient les luthériens, partout où ils étaient persécutés, partout où ils luttaient pour remplacer leur vieille religion par une nouvelle, rajeunie (quoique assez proche de l'ancienne en vérité, reconnaissant les mêmes dieux mais souhaitant leur rendre hommage selon des coutumes différentes), l'édit de Séville fut accueilli comme une lueur d'espoir dans les ténèbres. Puisque le rêve d'un monde sans Inquisition prenait forme en Espagne, alors peut-être tout devenait-il, sinon possible, du moins envisageable, y compris la paix et la concorde.

Luther se taisait sur la religion du Soleil parce qu'il ne pouvait l'approuver.

Le roi de France, revenu de son indulgence première, ne souhaitait pas faire la paix avec ces luthériens dont il réprouvait l'insolence et qu'il était davantage enclin à brûler vifs.

Mais d'autres, lassés des massacres, appelaient de leurs vœux des édits copiés sur celui de Séville.

On racontait des histoires terribles d'hommes dépecés vivants, rôtis, mangés à la façon des Chirihuanas, qui révulsaient les Quiténiens. Une lettre de Marguerite de Navarre rapportait qu'en France, un luthérien s'était fait dévorer le cœur par une foule de catholiques déchaînés, et le récit de ce crime, que la reine elle-même qualifiait d'« exécrable boucherie », circula dans l'Alcazar, faisant frissonner les Incas. Ces actes effroyables étaient, selon elle, conséquence d'une croyance incompréhensible : lors de leurs rites qu'ils effectuaient dans leurs temples, les Levantins étaient invités par leur prêtre à manger une petite galette blanche et à boire une gorgée de breuvage noir. Or, par un prodige d'imagination que les Quiténiens peinaient à concevoir, les tenants de la vieille religion croyaient qu'il s'agissait réellement du sang (car le breuvage noir se teintait de rouge à la lumière) et du corps de leur dieu, qu'ils buvaient et mangeaient ainsi.

Ceux de la jeune religion ne voulaient pas croire une chose pareille, mais les Quiténiens n'entendaient pas qu'ils commettaient moins de crimes. Eux aussi brûlaient des hommes.

Les fils du Soleil ne laissaient pas de s'étonner que ces querelles, causées par des superstitions aussi incroyables, pussent dégénérer en conflits mortels, parfois au sein même des familles ou des ayllus.

En Allemagne, surtout, ces divisions faisaient rage, dont les échos parvenaient jusqu'à Séville.

Une princesse qui s'était convertie au luthéranisme avait quitté son mari, margrave de Brandebourg catholique, pour se réfugier chez son oncle, landgrave de Thuringe, qu'elle pressait de promulguer en son royaume la même liberté religieuse qui régnait désormais en Espagne. Elle avait adressé une belle lettre fervente au chancelier Atahualpa pour lui témoigner son admiration et lui dire l'espérance de paix qu'il avait levée dans le Nord (elle-même venait d'un petit pays dont les Quiténiens n'avaient encore jamais entendu parler, le Danemark). Chalco Chimac avait alors suggéré à son maître de lui proposer un mariage en vue d'alliances nouvelles. Coya Asarpay dut rappeler au général les règles matrimoniales du Nouveau Monde, auxquelles les princes eux-mêmes devaient souscrire (à l'exception notable, dorénavant, du roi d'Angleterre) : Élisabeth de Danemark était déjà mariée, et tant que son époux vivrait, elle ne pouvait s'unir à personne d'autre, quand bien même seraient-ils séparés et brouillés d'une façon irréconciliable. De fait, ce qu'elle demandait n'était pas un mariage, mais des troupes pour se défendre. Elle suppliait le chancelier de lui accorder sa protection. Depuis la mort de Charles, l'ombre de Ferdinand s'étirait sur l'Europe et chacun redoutait sa colère, ou plutôt, chacun, sachant qu'elle devait inévitablement s'abattre, priait pour qu'elle frappe le champ du voisin, comme la foudre. Élisabeth de Danemark mentionnait bien une ligue de Smalkalde, alliance de petits pays luthériens, mais celle-ci n'aurait su faire le poids face à l'armée impériale. Ferdinand, roi des Romains, successeur de son frère Charles à la tête de l'Empire, devait se faire incessamment couronner à Aix-la-Chapelle. Élisabeth suppliait Atahualpa d'empêcher ce couronnement qui serait leur perte à tous.

Cependant, les pays du Nord ni Ferdinand n'entraient encore véritablement dans les préoccupations de l'Inca, qui devait d'abord s'employer à affirmer sa position espagnole.

38. Valence

Certes, l'Andalousie était entièrement pacifiée. Ruminahui était retourné à Grenade pour y établir une garnison. Cadix fabriquait des bateaux. Un temple du Soleil dessiné par Michelangelo était creusé dans la cathédrale de Cordoue. Séville devenait plus riche chaque jour, et sa population se multipliait, faisant d'elle la plus grande ville du Nouveau Monde. Les juifs affluaient, fournissant une main-d'œuvre qualifiée qui accroissait la prospérité du pays. Le jeune Philippe avait finalement inhumé les restes de son père, transférés de l'Alhambra, dans le splendide tombeau de marbre érigé au sein de la cathédrale qui l'avait vu s'unir à sa femme Isabelle. Comme promis, Lorenzino avait ramené un peintre de Venise, le Titien, dont il vantait les mérites, et qui s'était immédiatement attelé à un portrait d'Atahualpa en fils du Soleil. Et toujours, les caisses d'or et d'argent croisaient les tonneaux de breuvage noir sur les radeaux du Guadalquivir.

Il restait néanmoins deux foyers de troubles dans le reste de la péninsule. L'un était Tolède, en Castille ; l'autre Valence, en Aragon.

Tolède abritait les derniers fidèles de Charles Quint. Sa position, perchée sur un mamelon rocheux, rendait la prise de la ville difficile. Cependant, le réduit tolédan n'inspirait qu'une inquiétude modérée à l'état-major inca : sans aide extérieure, les rebelles ne pourraient soutenir un siège indéfiniment.

Pour Valence, il s'agissait d'autre chose. Cette ville était la porte de l'Italie par voie de mer, d'où partaient les navires pour Gênes, et de là pour Naples et la Sicile, dont le petit Philippe avait hérité à la mort de son père. Sa position même l'exposait aux convoitises et aux attaques incessantes des pirates barbaresques à la solde du Turc Soliman. Or, plus du tiers des habitants de Valence étaient des morisques, que les vieux chrétiens accusaient d'être solidaires de leurs frères d'Afrique, dont ils partageaient la religion et la langue, et, à n'en pas douter, le désir de rendre l'Espagne à ses anciens maîtres.

On mentirait en disant que l'édit de Séville avait été accueilli favorablement partout en Espagne, puisqu'il n'avait échappé à personne qu'il profitait d'abord aux juifs et aux morisques. Néanmoins, la fin de l'Inquisition avait contribué à rendre les lois nouvelles plus acceptables aux vieux chrétiens, de même que les avait adoucis la suppression des impôts dont Charles, de son vivant, les accablait sans cesse pour financer ses voyages et ses guerres. Avec le flot d'or et d'argent qui lui parvenait de Tahuantinsuyu, Atahualpa n'en avait pas besoin. C'est la misère qui crée le désordre. Or, l'Espagne devenait chaque jour plus prospère.

Mais c'est la peur, aussi. À Valence plus qu'ailleurs, les morisques étaient restés des Maures, et tandis que les chrétiens repoussaient les assauts des pirates, ils croyaient sentir dans leur dos la lame froide des poignards recourbés. Aussi un mouvement de révolte était-il né. Une fraternité de vieux chrétiens s'était organisée pour combattre les nouvelles lois. Des curacas envoyés par Séville s'étaient fait assassiner.

Atahualpa savait que la solution au problème de Valence n'était pas militaire mais politique, et qu'elle allait nécessiter du doigté et de la ruse. À nouveau, il se fit faire lecture du Florentin Machiavel.

39. *Le Conseil*

De tous les portraits d'Atahualpa faits par le Titien, le plus fameux est sans doute celui peint dans les jardins de l'Alcazar, que l'histoire a retenu sous le titre du *Conseil*. L'Inca y est représenté en fils du Soleil, ceint de sa couronne écarlate, offrant son meilleur profil (l'artiste ayant pris soin de dissimuler son oreille abîmée pendant la guerre civile avec son frère), un perroquet bleu sur le bras, un bracelet d'or au poignet gauche. Il se tient debout devant une fontaine, sur le rebord de laquelle sont posés des paniers d'oranges et d'avocats. Un chat roux dort à ses pieds. Un serpent est enroulé autour de sa jambe. À l'arrière-plan, des palmiers montent vers le ciel où brillent ensemble le soleil et la lune, cerclés d'or et d'argent. Sur sa tunique d'alpaga, l'empereur a fait broder ses armoiries en fils d'or : on y reconnaît le château de la Castille, les bandes rouge et jaune d'Aragon, un faucon entre deux arbres, ainsi qu'une caravelle mauve découpée dans un soleil couchant, figurant son voyage depuis Cuba. Au centre, cinq têtes de puma sous un arc-en-ciel encadrent un fruit jaune aux pépins rouges, symbole de Grenade et de l'Andalousie.

En retrait, on aperçoit Coya Asarpay tenant son nouveau-né dans les bras (selon la coutume du Nouveau Monde qu'elle avait adoptée), Higuénamota, altière et nue, Quizquiz, Chalco Chimac, Manco Capac, Pedro Pizarro, Lorenzino de Médicis.

Sont absents Ruminahui, Quispe Sisa, Cusi Rimay Ocllo, Philippe II et Isabelle.

En vérité, la généalogie de ce tableau permet de retracer l'un des tournants les plus décisifs de l'histoire de l'Espagne et du monde.

En effet, Atahualpa avait pris l'habitude de réunir son conseil pendant ses séances de pose.

Au cours de l'une d'elles furent prises la série de mesures qui décidèrent du sort, non seulement d'un certain nombre d'individus, et non des moindres, mais aussi de pays entiers.

Atahualpa n'était alors que chancelier. Ce n'est qu'au moment de finaliser le tableau que le peintre ajouta les blasons de l'Espagne sur la tunique de l'Inca.

Ruminahui était en garnison à l'Alhambra ; Quispe Sisa et Cusi Rimay jouaient quelque part dans les jardins ; mais l'absence du jeune roi Philippe et de sa mère signifiait autre chose. La vérité est qu'ils n'avaient pas été conviés.

Après tout, les rebelles tolédans étaient partisans du père. Il valait mieux se méfier du fils et de la veuve.

On décida d'envoyer Quizquiz faire le siège de Tolède. Le général fut choisi pour sa valeur militaire mais aussi pour l'éloigner du jeune Philippe, à qui il apprenait l'escrime avec des épées de bois, et qu'il aimait beaucoup.

Lorenzino était chargé d'aller à Gênes trouver l'amiral Doria pour monter une flotte, afin d'enlever les ports qui servaient de base arrière aux Barbaresques, de l'autre côté de la mer Intérieure. On enverrait Isabelle à Lisbonne pour demander à son frère João le concours du Portugal. Higuénamota irait à Paris chercher celui du roi de France.

Parallèlement, les morisques de Valence seraient déplacés. Atahualpa jugeait ces mesures propres à calmer la colère des vieux chrétiens d'Aragon.

Cependant, Higuénamota fit remarquer qu'il n'était pas judicieux de mécontenter ses alliés et que ces mesures n'étaient pas un bon signal donné aux morisques. Chalco Chimac proposa de travestir la déportation en mission de confiance : les morisques de Valence seraient chargés d'aller pacifier les états allemands en proie aux anthropophages et qui, d'ailleurs, nous appelaient à l'aide. Ils passeraient par la France, et s'installeraient aux Pays-Bas, gouvernés par la tante de Philippe, Marie de Hongrie, où ils s'assureraient d'abord que la souveraineté espagnole n'était pas remise en cause après la mort de Charles. Manco Capac les conduirait.

Il fallait aussi décider du sort de Philippe. Les espions de Chalco Chimac avaient intercepté des lettres de Ferdinand : le nouvel empereur jurait à son neveu que l'armée impériale marcherait sur l'Espagne dès que la lutte contre les Turcs lui laisserait quelque répit. Des plans d'évasion et des complicités au sein de l'Alcazar avaient été mis au jour. La question se posait à nouveau de savoir si un roi mort n'était pas finalement plus avantageux qu'un roi vivant. Atahualpa avait des visées sur le trône, et, entre eux, ses lieutenants ne feignaient plus de l'ignorer.

Coya Asarpay, qui donnait le sein au petit Charles, prônait une exécution publique, pour l'exemple.

Mais les réactions des Espagnols étaient imprévisibles. Ils avaient appris à aimer le père, il était à craindre qu'ils soutiennent le fils, d'autant que celui-ci était encore très jeune, n'ayant pas atteint huit récoltes.

Chalco Chimac proposait une élimination plus discrète, dont la nature paraîtrait accidentelle. Cette solution avait l'avantage de ne pas heurter le roi du

Portugal, qui était aussi l'oncle de Philippe, ni sa mère, ni le peuple.

Cependant, Quizquiz s'y opposait farouchement. « Ce n'est qu'un enfant ! » répétait-il.

Mais Atahualpa, qui était demeuré silencieux, finit par lui répondre : « Non, c'est un roi. »

C'est alors que se produisit cette scène fameuse. Le peintre Titien ne comprenait pas l'objet de la discussion, celle-ci ayant lieu dans la langue des Incas, que Lorenzino et Pedro Pizarro avaient apprise et entendaient suffisamment. Mais, peut-être mue par quelque sombre pressentiment, sa main avait tremblé, et lâché son pinceau.

Atahualpa avait quitté la pose, s'était avancé, et, se baissant, avait ramassé le pinceau qu'il avait tendu au peintre.

Voilà ce qui arriva et non ce que raconte Gomara, qui dit du reste bien d'autres choses dont je ne crois pas devoir parler.

Et à ce propos, je dis et j'affirme que ce qui est contenu dans ce livre est très véridique. Ce ne sont pas là de vieux contes et des histoires de Mochicas et de Chimus qui remontent à sept cents récoltes : c'est hier, peut-on dire, que se passèrent les événements qu'on peut lire dans cette histoire, avec le comme et le quand et la véritable manière.

Quoi qu'il en soit, la question du sort du roi demeura en suspens. Mais la vie de Philippe ne tenait plus qu'à un fil.

En effet, Atahualpa avait de grands projets de réforme pour l'Espagne, qu'il croyait ne pouvoir accomplir qu'en étant investi pleinement du pouvoir royal, débarrassé de tout obstacle dynastique.

Ses conseillers s'étonnèrent : une réforme ? Religieuse ? Encore ?

Atahualpa avait alors répondu, ce que ne peuvent contredire ni Francisco de Gomara, ni Antonio de Guevara, ni Alonso de Santa Cruz, ni aucun de ces chroniqueurs du Cinquième Quartier : « Pas religieuse. Agraire. »

40. Philippe

Ils sont deux, tout petits ; une duègne les garde. Leur père est mort, leur mère est loin. Ils jouent au bord du grand bassin de l'Alcazar, avec leurs petits bateaux de bois. Ils rêvent de gloire, de tempêtes et d'aventures. Philippe se voit à la tête de la flotte qu'on rassemble de partout. Il ira conquérir le pays des pirates, aux côtés de Quizquiz, quand celui-ci reviendra. Mais Marie ne veut pas être en reste. « D'abord, nous prenons Tunis. Ensuite nous prenons Alger. » Le frère et la sœur se disputent la capture de Barberousse. La duègne vêtue de noir les surveille tendrement.

Une lettre, arrivée de Lisbonne, dit leur mère en chemin, avec son frère l'infant Luis, duc de Beja, leur oncle, qui leur apporte vingt-trois caravelles. Mais c'est Doria, le vieil amiral, qui excite leur imagination, à la tête de ses galères génoises. Et ces drôles d'Indiens, où sont-ils ?

Quizquiz incendie Tolède.

Higuénamota couche avec le roi de France, qui enverra dix mille hommes.

Manco arrive à Bruxelles, avec ses morisques de Valence, au terme d'une longue transhumance.

Ruminahui est en route pour Barcelone, où se rassemblent les troupes.

Entouré de ses ingénieurs, dans la fraîcheur du palais, là où trônait jadis le roi Pierre Ier le Cruel, Atahualpa se penche sur des cartes et trace des plans, absorbé par de vastes projets de terrassement, pour cultiver le maïs et la papa dans les montagnes d'Espagne. Au sud, la Sierra Nevada, qu'il connaît pour l'avoir franchie lors de sa fuite de Grenade. Au nord, les Pyrénées, chez son amie Marguerite de Navarre. Trop longtemps il a fui, maintenant il bâtira. Ses yeux sont rouges, comme à l'accoutumée.

D'une fenêtre du palais, Chalco Chimac observe les deux enfants. Son œil est noir, comme son cœur.

Chalco Chimac était une chose terrible.

Il descend dans le jardin, et vient murmurer quelque chose à la duègne. La vieille pâlit, mais s'exécute. Elle emmène Marie sous un prétexte quelconque. La petite fille proteste, ne comprend pas, veut jouer encore, songe à se débattre mais craint de froisser sa belle robe. Elle se résigne et suit la vieille.

Philippe n'est pas méchant mais il se réjouit, en son for intérieur, d'avoir le bassin pour lui tout seul. Personne pour discuter ses ordres. Lui et lui seul, il commande à l'armada des petits bateaux. Avec une feuille de palme ramassée dans le jardin de l'Étang, il crée des vagues pour faire voguer ses jouets. Ainsi l'onde se propage et voguent ses navires.

Il n'a pas prêté attention à Chalco Chimac, derrière lui. Son chien Sempere dort tranquillement.

Le petit Philippe est léger, il est penché sur l'eau, une seule main suffit au Quiténien. Le bruit est à peine celui d'une pierre qui tombe. Les cris de l'enfant réveillent le chien qui comprend, et qui aboie, impuissant. La scène dure atrocement. Des gardes accourent pour intervenir mais, voyant leur général immobile au bord du bassin, se retirent prudemment. Puis le petit corps se tait et flotte sur le ventre. Les aboiements du chien se changent en gémissements plaintifs.

Au même instant, Isabelle franchit le détroit de Gibraltar, heureuse d'avoir revu ses frères, et de retrouver ses enfants.

Tout à ses projets de réforme, Atahualpa se passionne pour les cultures locales et l'élevage des petits lamas blancs qui peuplent les campagnes espagnoles.

Un cygne, que l'agitation inhabituelle a dérangé dans son bassin, passe au-dessus de l'Inca, qui ne lève pas la tête.

Chalco Chimac était une chose terrible, au service de son maître.

41. Tunis

Après la mort de Philippe, tout devint plus facile.

Les Cortes de Castille et d'Aragon, ensevelies sous l'or de Tahuantinsuyu, proclamèrent Atahualpa Ier roi des Espagnes, de Naples et de Sicile. Pour plus de commodité, il se prêta au rituel du baptême, auquel les Levantins accordaient tant d'importance. Il se vit attribuer le nom d'Antonio, mais ce n'est pas celui que l'histoire a retenu, car tous, amis ou ennemis, à l'exception de certains vieux chrétiens castillans, continuèrent à l'appeler par son vrai nom.

Ce dont l'histoire se souvient, ce sont ses promesses aux Cortes. Comme son prédécesseur, il jura qu'il était déterminé à vivre et mourir en Espagne. On a vu comment il tint parole.

S'ensuivit une politique de mariages destinée à affirmer la position des Incas en Europe.

Isabelle, anéantie par la mort de son fils, n'eut pas la force de repousser une seconde fois la demande d'Atahualpa ; ainsi la veuve de Charles Quint devint-elle son épouse secondaire. La cérémonie ne fut pas joyeuse, à cause du deuil, mais solennelle. Pour ne pas aviver la tristesse de la mariée, elle eut lieu non pas dans la cathédrale de Séville, où trônait désormais le tombeau de Charles, mais dans celle de Cordoue. La pompe des Incas rencontra celle de la couronne espagnole. Le roi d'Espagne passa des sandales aux pieds de sa nouvelle épouse, puis on sacrifia des lamas, comme le voulait la coutume. Des caisses de bijoux furent livrées à la reine.

Plus heureuse, Quispe Sisa épousa Lorenzino et le suivit en Italie. En cadeau de mariage, Atahualpa avait nommé le jeune homme duc de Florence à la place de son cousin Alexandre. Ce dernier, ayant perdu le soutien de Charles Quint, dut quitter la ville sous les injures et les pierres.

Manco fut promis à la fille de Marguerite de Navarre, la petite Jeanne d'Albret.

Le petit Charles Capac devrait s'unir à Marie, fille de Charles Quint et d'Isabelle de Portugal, petite-fille de Jeanne la Folle et de Philippe le Beau, arrière-petite-fille des rois catholiques Isabelle de Castille et Ferdinand d'Aragon.

Tolède tomba sous une pluie de galets rougis au feu comme des braises. Les frondes de Quizquiz autant que ses réserves de poudre inépuisables vinrent à bout des rebelles. Antonio de Leyva fut jeté vivant du haut des remparts. Cobos et Granvelle eurent la vie sauve après avoir fait acte de soumission. Tavera refusa de prêter allégeance au nouveau roi et fut pendu après avoir été fouetté. Le traître Sepúlveda fut jeté dans une cave obscure remplie de serpents et sa peau arrachée à son cadavre servit à faire un tambour qui fut envoyé à l'Inca.

Atahualpa baptisé, l'expédition de Tunis reçut la bénédiction du pape. La flotte de Barberousse, très inférieure en nombre, fut écrasée et entièrement coulée. Le port de la Goulette fut pris au bout d'un mois de siège long et pénible. Atahualpa venait du nord et n'avait pas connu les déserts du Chili ; il souffrit de la chaleur et de la soif, mais n'en laissa rien paraître. La prise de la Goulette ouvrait la voie vers Tunis, où le corsaire Barberousse, nommé capitaine général de la mer par Soliman, s'était barricadé avec cinq mille janissaires, ses troupes d'élite turques. Sa situation semblait inexpugnable, la chaleur écrasait les hommes et les rendait malades, Atahualpa perdait patience, quand une révolte d'esclaves lui vint en aide. Vingt mille chrétiens, détenus dans les geôles de la cité, se soulevèrent contre leurs bourreaux et coururent aux herses des remparts.

C'est Pedro Pizarro qui franchit le premier les portes de la ville, à la tête d'un régiment de morisques de l'Albaicín formé par Ruminahui. À ses côtés, Puka

Amaru qui, depuis Tolède, était devenu son lieutenant le plus fidèle, fracassait des crânes avec sa masse étoilée. Un tableau du Tintoret représente la scène, qui fit beaucoup pour la gloire du Quiténien aux cheveux rouges.

Les vingt mille esclaves chrétiens, déchaînés contre leurs anciens maîtres, ravagèrent la belle cité barbaresque. Ainsi Atahualpa fit-il son entrée dans un charnier à ciel ouvert, au milieu de ruines fumantes. Il ne manqua pas, cependant, de saluer cette éclatante victoire en criant à ses troupes, par trois fois, la devise de Charles Quint : « Plus loin ! » Par trois fois, une formidable clameur lui répondit.

Le triomphe, toutefois, ne fut pas total, car Barberousse était parvenu à s'échapper. Or, Tunis seule ne valait pas grand-chose. C'est toute la côte barbaresque qu'il fallait nettoyer. L'infant Luis du Portugal insistait pour aller débusquer le corsaire dans son repaire d'Alger. Atahualpa aurait voulu complaire à son nouveau beau-frère, mais pour des raisons qui lui appartenaient, il ne souhaitait pas s'éterniser. Soliman affaibli, occupé de surcroît par une nouvelle guerre contre les Persans, libérait Ferdinand sur son front de l'est et lui donnait ainsi l'occasion d'attaquer à l'ouest. Maintenant qu'il avait retrouvé un royaume, l'Inca comptait bien s'en occuper. Moulay Hassan, un Maure qui avait été sultan de Tunis avant d'en être chassé par Barberousse, fut rétabli dans ses prérogatives, en échange de quoi son royaume devenait par traité tributaire du royaume d'Espagne. Après tout, Atahualpa n'avait-il pas libéré la ville du joug des Turcs ? Le régiment des morisques de l'Albaicín fut laissé en garnison.

Puis la flotte reprit la mer et fit route vers la Sicile. L'accueil que lui réserva la ville de Palerme permit à Atahualpa de mesurer l'impact de sa campagne victorieuse. Soudain, l'Inca était devenu un héros de la Chrétienté. On construisit un arc de triomphe en son honneur. Le pape lui adressait ses félicitations. Tout le monde le comparait à un certain Scipion. Alonso de Santa Cruz, qui ne s'était pas encore piqué de devenir chroniqueur mais n'était alors que cartographe, avait dressé une carte qui serait utilisée par le peintre Vermeyen pour la tapisserie d'une tenture monumentale intitulée *La Conquête de Tunis*. Le breuvage noir coulait à flots.

42. La Mita

Atahualpa épuisa les délices de Palerme avant de rentrer à Séville, chargé de caisses de vin sicilien.

Des rapports de Manco l'informaient que les morisques déportés dans les Flandres s'étaient retrouvés en butte à l'hostilité des populations locales. La régente Marie de Hongrie ne s'était pas montrée aussi accueillante que sa fonction, et la sujétion au roi d'Espagne qu'elle supposait, pouvaient laisser l'espérer. Puis Manco s'était rendu en Allemagne, dans les régions aux mains des luthériens. Là-bas, ce fut pire : suite à un appel de Luther en personne à « combattre les puissances du démon », les morisques furent massacrés et peu d'entre eux en réchappèrent. Manco lui-même manqua perdre la vie. Atahualpa se borna à lui conseiller de se rendre en Navarre pour offrir des cadeaux à Marguerite, sa future belle-mère. À vrai dire, l'agitation du Nord le laissait toujours indifférent. Il n'avait pas encore pris la mesure de ce qui s'y jouait.

Une lettre de Lorenzino en provenance de Florence le lui assurait : désormais, sa réputation brillait si haut dans le ciel du Cinquième Quartier que Ferdinand lui-même n'oserait plus, avant longtemps, s'attaquer au sauveur de la Chrétienté, de crainte de se voir condamné par tous et mis au ban de l'Europe. C'était là tout ce qu'il souhaitait savoir.

Enfin, l'Inca pouvait s'adonner à sa passion secrète. Bien sûr, tout monarque aime à s'enivrer de ses conquêtes. Mais Atahualpa avait compris cette vérité : il est plus difficile de régner que de guerroyer. Son aïeul Cusi Yupanqui avait reculé les frontières de l'Empire plus qu'aucun autre souverain. Mais le nom que la postérité lui avait légué disait assez de quelle nature était la trace qu'il avait laissée : Pachacutec. *Le Réformateur du monde.*

De fait, l'ambition d'Atahualpa ne se limitait pas à dessiner quelques terrasses sur les robes des montagnes de la Sierra Nevada. La racaille de Tahuantinsuyu que Huascar lui envoyait par navires entiers – Collas, Chachapoyas, Chimus, Canaris, Caras… tous les rebuts de l'Empire ! – lui servit d'abord de main-d'œuvre. Partout où la terre n'était pas encore exploitée, sur le flanc des montagnes, dans les massifs enneigés ou sur les plateaux arides, là où personne avant lui n'aurait songé à cultiver quoi que ce soit, il fit planter du maïs, du quinoa, des papas, dont les gens du Cinquième Quartier sont si friands qu'ils les ont renommées *pommes de terre.* Ces vastes solitudes se drapèrent de cultures ; des forêts de canaux furent creusées pour irriguer des sols qu'on avait crus stériles, jusqu'alors.

Les moutons, ces petits lamas blancs qui pullulaient dans toute l'Espagne, mangeaient la terre depuis trop longtemps. Atahualpa jugea qu'ils étaient responsables de ces paysages pelés, secs, poussiéreux. Il les fit abattre par troupeaux entiers. Le nouveau roi d'Espagne ne voulait pas d'un peuple de bergers. Il voulait prendre racine.

Il créa des greniers. La viande de mouton était découpée en lanières, salée, séchée. Les graines de maïs, de quinoa étaient transformées en farine ; les tubercules des papas étaient gelés la nuit et desséchés le jour pour pouvoir se conserver pendant des lunes. Les vivres étaient gardés dans des jarres ou enterrés dans des trous profonds.

Avec ces réserves, il assurerait la subsistance de ceux qui avaient faim, en temps de disette, de peste, de mauvaise récolte.

Les paysans d'Espagne se mirent à mâcher la coca, augmentant ainsi leur résistance à la fatigue et profitant de ses effets médicinaux. (Il est vrai que certains en abusèrent et ceux-là sombrèrent dans l'abrutissement.)

Il mit fin au système du fermage et remercia les entrepreneurs des gardes qui finançaient l'armée par des prêts à intérêt.

Il abolit la plupart des impôts et distribua des portions de terre aux paysans, regroupés en ayllus, ou aux communautés déjà constituées, telles que les *comunidades*, à charge pour chaque groupe de répartir les travaux et les biens en son sein.

En contrepartie, il développa un système de corvées qui remplaçaient les impôts et les taxes, calqué sur la mita en vigueur à Tahuantinsuyu. Les paysans devaient consacrer une part de leur temps à travailler les terres de l'Inca, ainsi que celles du Soleil (dont l'Inca avait également la charge, en tant que son représentant sur terre, mais qu'il déléguait aux responsables du culte). Chacune de ces périodes fut marquée par des fêtes nouvelles qui égayèrent les populations.

Cette vaste entreprise de redistribution eut des répercussions dans toute la société. De nombreux prêtres catholiques abandonnèrent le dieu cloué pour changer leurs églises en temples du Soleil, afin de bénéficier du nouveau système. Pour les mêmes raisons, des couvents se transformèrent en maisons de femmes choisies.

Les artisans furent soumis à des astreintes similaires : ils devaient dédier une partie de leur temps à la collectivité (maçonnerie, ferronnerie, ponts, canaux…) ou au service personnel de l'Inca (poterie, orfèvrerie, textile…) – ce qui, en fin de compte, était tout un.

Chaque ayllu ou communauté était tenu de nourrir, loger et soigner les infirmes, les vieillards, les veuves et les malades.

Les fruits de la terre appartenaient à ceux qui l'exploitaient, y compris en cas d'excédents, mais pas la terre elle-même. La répartition des terres était régulièrement revue et ajustée en fonction des besoins. Si la population d'un groupe baissait, la terre qui lui était allouée diminuait en proportion. Inversement, si elle croissait, on lui attribuait des terres supplémentaires afin que le groupe puisse nourrir ses nouvelles bouches. Lorsque la taille des groupes variait trop, on redistribuait les hommes. Des armées de quipucamayocs tenaient les comptes dans leurs registres : hommes, femmes, enfants étaient autant de petits nœuds accrochés aux cordelettes colorées qui formaient les franges des quipus.

Il y eut çà et là des réticences, et quelques révoltes, qui furent sévèrement réprimées.

Les envoyés de l'Inca, ses gouverneurs, ses curacas, et même des hidalgos qu'il enrôla spécialement à cet effet, eurent pour tâche de répandre le message qu'il avait délivré à l'intention des populations dans toutes les campagnes, tous les villages et villes de Castille et d'Aragon, à savoir que les terres qu'il prenait n'étaient pas celles dont les Levantins avaient besoin, mais celles dont ils ne savaient que faire, et qu'ils ne pouvaient travailler ; que tout le tribut qu'il leur imposait était la récolte des terres qu'il faisait travailler à ses frais ; qu'il leur donnait plutôt de son propre bien, en leur distribuant ce qui restait après avoir subvenu à l'entretien de son armée et de sa cour ; que les dissensions et les querelles qui s'élevaient entre eux pour des causes très futiles avaient disparu, qu'enfin tout leur royaume pouvait être certain que ni le riche, ni le pauvre, ni le grand, ni le petit ne recevraient d'offense.

Pour finir, Atahualpa décréta que chaque paysan se verrait offrir, le jour de son mariage, un couple de lamas, en cadeau de son roi.

43. Le Prince

Cependant le règne de l'Inca était encore jeune, et celui-ci n'ignorait pas que cette jeunesse même le rendait vulnérable. Le fils du Soleil n'inspirait pas ici le même respect que dans son pays natal.

« Rien ne fait autant estimer un prince que ne le font les grandes entreprises, et de donner de soi des exemples exceptionnels », disait Machiavel dans ses feuilles qui parlent.

Le nouveau roi prit garde de ne pas rogner les privilèges des grands d'Espagne. Il distribua des Toisons d'or, une distinction très prisée qui ne lui coûtait rien et qui possédait l'avantage de lui lier celui qui la recevait. De toute manière, leur nombre était négligeable, et ils manquaient de ressources, mais les nobles espagnols n'en constituaient pas moins un danger potentiel, et il convenait de les divertir.

Atahualpa buvait les mots de ce Machiavel parce qu'il lui semblait qu'ils racontaient son histoire à travers celle d'un autre : « Nous avons à notre époque Ferdinand d'Aragon, l'actuel roi d'Espagne. On peut presque l'appeler un nouveau prince, parce que, de roi faible qu'il était, il est devenu quant à la renommée et à la gloire le premier roi de la Chrétienté ; si vous considérez ses actions, vous les trouverez toutes très grandes et quelques-unes extraordinaires. Au début de son règne, il attaqua le royaume de Grenade et cette entreprise fut la base de son pouvoir. D'abord, il la fit en une période de calme et sans crainte d'être empêché : il y occupa les féodaux de Castille, qui, pensant à cette guerre, ne pensaient pas à susciter des changements. Il acquérait par ce moyen réputation et autorité sur eux sans qu'ils s'en aperçoivent. »

Ainsi l'Inca avait-il marché, sans le savoir, dans les pas de ce glorieux prédécesseur, le propre grand-père de Charles dont il avait pris la place, et de Ferdinand qui la revendiquait.

Cependant, la suite du texte dessinait des différences, sinon des divergences, entre les deux monarques : « Avec l'argent de l'Église et du peuple il put nourrir des troupes et donner avec cette longue guerre des fondements à son armée, qui lui a ensuite fait honneur. Outre cela, pour pouvoir entreprendre de plus grandes choses, en se servant toujours de la religion, il se décida à une pieuse cruauté en chassant et dépouillant son royaume des marranes : il ne peut y avoir d'exemple plus pitoyable et plus exceptionnel. »

Ce que Ferdinand d'Aragon avait fait, Atahualpa l'avait donc défait. Pourtant l'Inca se sentait plus proche de cet homme que de n'importe qui. Avec quelle curiosité avide découvrait-il son histoire : « Il attaqua l'Afrique sous ce même manteau ; il fit l'expédition d'Italie, il a dernièrement attaqué la France et il a ainsi toujours fait et ourdi de grandes choses, qui ont toujours tenu en suspens et en admiration les esprits de ses sujets, et les ont maintenus dans l'attente de leur issue. Ses actions sont nées de telle manière l'une de l'autre, qu'il n'a jamais, entre l'une et l'autre, donné aux hommes le temps de pouvoir agir calmement contre lui. »

D'un signe, Atahualpa fit taire le serviteur qui lui faisait la lecture, et décida d'attaquer Alger.

44. Alger

L'amiral Doria lui conseilla de hâter l'invasion, s'il ne voulait pas s'exposer aux tempêtes hivernales, et l'Inca suivit son conseil.

Il laissa passer les fêtes du Maïs et celles du Soleil, puis rassembla une gigantesque armada, pour ne rien laisser au hasard.

Le roi de France, convaincu par Higuénamota qu'il méritait sa part de gloire, en était.

De même, la fine fleur de la noblesse espagnole, rangée sous la bannière de l'Inca.

Le pape lui-même lui dépêcha son géographe personnel, un Maure converti du nom d'Hassan al-Wazzan, qu'on appelait Léon l'Africain pour sa grande connaissance du monde mahométisant.

Atahualpa n'avait pas négligé d'embarquer des régiments entiers de morisques à qui on avait présenté l'invasion comme une entreprise de libération du joug turc, ainsi qu'un régiment de juifs auxquels on offrait l'occasion de retrouver leurs frères jadis expulsés.

L'armada occupa la baie d'Alger et bientôt le soleil et la croix remplacèrent le croissant sur les remparts du Peñon, l'îlot qui en protégeait l'accès.

Les chrétiens craignaient de ne pas trouver Barberousse, mais le corsaire les attendait, retranché derrière les murailles de la ville.

Pedro Pizzaro fut envoyé à sa rencontre pour négocier une reddition honorable. Il était accompagné de Puka Amaru dont on espérait que les cheveux rouges créeraient une connivence, mais cette initiative s'avéra inutile : les cheveux de Barberousse étaient blancs, et donnaient à penser qu'ils n'avaient jamais été roux.

Puka Amaru joua son rôle, cependant. En effet, Barberousse rejeta l'offre de reddition avec mépris, et fit preuve d'une incroyable insolence dans sa réponse, s'adressant à Pedro Pizarro en ces termes très exacts : « Dis à ton maître que jamais un chien de chrétien n'a pris ni ne prendra Alger, et que si le mien était instruit de vos desseins, il enverrait n'importe lequel de ses esclaves, avec quelques troupes ramassées à la hâte, pour balayer votre misérable armée et vous jeter tous à la mer. »

Alors Puka Amaru, après avoir écouté le traducteur, s'était levé d'un bond et avait prononcé ces mots passés à la postérité : « Mon maître n'est pas chrétien, et tu es un esclave. »

Pedro Pizarro, ayant cru sa dernière heure arrivée, portait déjà la main au pommeau de son épée, prêt à défendre sa vie ; mais, respectant les règles universelles de la guerre et de la diplomatie, Barberousse les laissa repartir sains et saufs.

Avec peu d'hommes, le corsaire se défendit vaillamment ; néanmoins, la ville tomba en quelques semaines, sous le feu nourri d'une artillerie infatigable.

François Iᵉʳ eut un cheval tué sous lui lors d'une escarmouche : le roi de France était ravi.

D'abord, Atahualpa avait songé confier la ville au fils de l'ancien émir Salim at-Toumi, chassé jadis par le premier Barberousse, Arudj au bras d'argent. À la mort de son père (qu'on avait étranglé dans son bain), Yahia at-Toumi s'était réfugié en Espagne. Après tout ce temps, il avait accueilli la proposition d'Atahualpa comme une bénédiction du ciel. Cependant, l'Inca se ravisa, ayant compris que le père n'avait pas joui d'un excès de popularité pendant son règne. Il ne suffirait pas d'être maure pour remplacer le Turc. Le deuxième Barberousse était nimbé d'une aura encore plus légendaire que son frère, auquel il avait succédé. Atahualpa voulait rompre avec cette lignée de corsaires au service des Ottomans, mais jugeait sage, également, d'inscrire leur successeur dans une forme de continuité. Ainsi décida-t-il de nommer Puka Amaru gouverneur d'Alger, qu'il présenta à la foule comme un troisième Barberousse – Barberousse *le Véritable*. *Barbarossa* ne signifiait rien dans le langage des Barbaresques, et de toute façon Puka Amaru ne portait pas la barbe qui, sans être inconnue à Tahuantinsuyu, avait toujours été considérée comme une anomalie et une disgrâce physique, d'ailleurs souvent propre aux cheveux rouges. *Amaru*, en revanche, se rapprochait d'un mot signifiant « rouge » pour les peuplades locales. L'Inca lui fit confectionner un serpent rouge pour emblème, et lui affecta des morisques de Valence pour garde personnelle. Il nomma vizir Hassan al-Wazzan afin de l'assister dans sa tâche. (D'ailleurs, ce Léon l'Africain était originaire de Grenade.) Atahualpa jugeait sage de faire gouverner ces contrées par des Maures d'Espagne, qui lui étaient acquis depuis l'édit de Séville, et qui partageaient les mêmes croyances que ceux d'ici. Il nomma chef de la garde un morisque du nom de Cristobal qui avait été esclave chez une dame de Burgos, ville du nord de l'Espagne, et qui avait rallié l'Inca pour échapper à sa condition.

Des peintures représentant les exploits de Puka Amaru aux portes de Tunis furent accrochées sur les murs de son palais. Et pour que tous comprennent qu'Alger avait changé de maître, la tête du corsaire auquel il succédait fut plantée sur les remparts.

Barberousse éliminé, le nettoyage de la côte ne fut qu'un jeu d'enfant. Bougie, Ténès, Mostaganem, Oran... la flotte conduite par Doria s'empara de tous les forts barbaresques comme on cueille des fleurs. Pour les Espagnols, Atahualpa était désormais le *conquistador*. Pour les Maures, le libérateur. Mais quand l'amiral génois voulut profiter de cet élan irrésistible, suggérant d'aller reprendre l'île de Rhodes, plus à l'est, Atahualpa décida qu'il était temps de mettre un terme à cette équipée. Il n'avait aucun intérêt à chasser Soliman de la mer Intérieure, et préférait laisser à Ferdinand de quoi s'occuper dans ses frontières orientales. Rhodes ne constituait pas un enjeu stratégique pour l'Espagne. De Naples à Cadix, la route de Cuba était libre pour les navires du Cinquième Quartier : il n'en désirait pas davantage. D'ailleurs, François Ier l'approuva, qui, par le passé, n'avait pas eu trop de préventions contre le Turc dans sa guerre avec Charles Quint. Peu de temps après, le roi de France signerait un traité commercial avec la Sublime Porte.

45. Les Flandres

L'histoire aurait pu s'arrêter là. Mais la geste des hommes est un fleuve dont personne, hormis le Soleil s'il venait à s'éteindre, ne saurait interrompre le cours.

Ferdinand était en route pour recevoir la couronne du Saint Empire à Aix-la-Chapelle.

On a dit que l'Allemagne n'intéressait pas Atahualpa, et c'était vrai, jusque-là. Mais un événement vint changer cette disposition.

Marie de Hongrie, régente des Pays-Bas, était de la maison d'Autriche, la sœur de Ferdinand. C'était une Habsbourg. Elle vit dans la venue de son frère l'opportunité de rompre avec la nouvelle couronne espagnole pour rejoindre le giron de l'empire familial. En prévision d'une réaction de la France, alliée de l'Espagne, elle avait fait lever un nouvel impôt, aux fins de payer une armée de mercenaires. Or, les bourgeois de Gand, la ville même où Charles Quint était né, estimèrent qu'ils avaient assez payé pour financer des guerres qui n'étaient pas les leurs. Ils se soulevèrent contre cette nouvelle contribution.

La rumeur de cette révolte parvint à Séville, et avec elle, l'écho de la conspiration habsbourgeoise.

Atahualpa n'avait pas oublié l'accueil qui avait été réservé à Manco et aux morisques de Valence. Il eût été disposé à laisser l'Allemagne à Ferdinand, cet agrégat de royaumes turbulents que l'empereur ne gouvernait pas vraiment. Mais les Pays-Bas constituaient l'héritage bourguignon de Charles Quint, auquel, tout bien considéré, et cela sans y avoir jamais mis les pieds, il se sentait attaché. L'Inca décida de s'y rendre en personne.

Il prit la tête de son armée et traversa la France, jusque dans les Flandres.

46. Gand

Partout où il passait, il interdisait à ses hommes de vivre sur l'habitant, ce qui nécessitait une intendance colossale. De nouveau, comme à l'époque de la guerre civile qui l'avait opposé à Huascar, s'étirait l'armée impériale, dans un nuage de poussière. Il y avait désormais moins de perroquets et de cuys encagés, moins de lamas, moins de jaguars et de pumas apprivoisés, mais plus de moutons et de bœufs, plus d'artillerie, des canons et des chariots remplis jusqu'à la gueule de barils de poudre, et toujours des faucons dans le ciel et des chiens courant le long des files de soldats.

Il fit construire des casernes, des entrepôts qu'il alimenta d'abord avec des vivres apportés d'Andalousie – dont certains provenaient de Tahuantinsuyu.

Arrivé devant Gand, il fit installer un campement gigantesque.

Il parcourut en très peu de temps toutes les campagnes qui s'étaient révoltées, où il laissa des gouverneurs et mit une garnison. Puis il revint au camp pour faire reposer ses hommes et, sans prendre lui-même un moment pour se changer, entra dans la ville avec une escorte réduite, entouré de ses deux généraux Ruminahui et Chalco Chimac. (Quizquiz, affecté par la mort de Philippe, était resté à Séville pour veiller sur la capitale du royaume.)

Il franchit un fortin dont la herse avait été levée, puis remonta un chemin désert bordé de maisons aux volets clos jusqu'à parvenir à une grande place où se tenait l'un de ces temples de pierre dont le clocher s'élançait vers le ciel. Les édifices à plusieurs étages ne laissaient jamais de l'étonner. Ici, la pierre était rouge, comme à Grenade, mais les toits des maisons étaient plus pointus et crénelés. Chaque région avait son style, Atahualpa goûtait cette variété.

Un canal rudimentaire traversait la place.

Une foule s'y était massée.

Les femmes et les enfants allèrent au-devant de lui, avec des rameaux verts dans les mains, s'écriant dans la langue des Français : « Unique seigneur, fils du Soleil, consolateur des pauvres, pardonnez-nous. »

(L'écho des réformes qu'il avait engagées en Espagne était parvenu jusque dans ces provinces.)

L'Inca les reçut avec beaucoup de clémence et leur fit dire que ses députés en Flandres avaient été cause des malheurs qui leur étaient arrivés. Qu'au reste, il pardonnait de bon cœur à tous les rebelles ; qu'il venait les voir en personne pour que, entendant le pardon de sa propre bouche, ils fussent plus satisfaits et perdissent toute l'appréhension où leur faute pouvait les mettre. Il commanda qu'on leur donnât tout ce dont ils avaient besoin, qu'on les traitât avec amour et charité, et qu'on eût grand soin d'assurer la subsistance des veuves et des orphelins, fils de ceux qui étaient morts dans les affrontements contre les troupes de la régence.

Les habitants avaient craint qu'il se livrât à un grand massacre. (Tolède était encore dans les mémoires.) Ainsi son discours fut-il reçu avec une très grande joie et les acclamations de la foule. Les uns l'embrassaient ; les autres lui essuyaient la sueur du visage ; d'autres ôtaient la poussière qui le recouvrait ; d'autres lui jetaient des fleurs et des herbes odorantes. L'Inca gagna ainsi le grand temple où, selon les rites des adeptes du dieu cloué, une cérémonie fut dite en son honneur. Puis il alla rendre visite aux notables de la ville, auxquels il assura qu'aucun impôt ne leur serait plus demandé. En échange, il exigeait seulement une partie de leur temps et de leur travail pour fournir ses entrepôts.

On offrit à Atahualpa de résider dans le palais de Charles, où il fut fêté pendant trois jours.

Puis il partit pour Bruxelles, trouver Marie de Hongrie.

47. Bruxelles

Les troupes de Marie n'étaient pas prêtes, mal armées et mal payées ; elles furent balayées.

Les membres du conseil défilèrent dans la ville, nus, un nœud coulant autour du cou. La régente supplia qu'on lui épargnât cette indignité, mais Atahualpa ne souffrit aucune exception. Higuénamota, du reste, ne l'aurait pas permis.

Marie de Hongrie ressemblait à son frère Charles, mais ses lèvres étaient plus épaisses, ses joues plus pleines, ses hanches plus larges. L'Inca lui trouva la physionomie agréable et la poitrine encore ferme ; il en fit sa concubine, et bientôt elle fut grosse.

Il eût pu la rendre à son frère Ferdinand contre rançon. Mais Chalco Chimac vit le parti qu'ils pourraient tirer de cette union et conseilla à son maître d'épouser la régente. Marie serait seconde épouse secondaire du roi d'Espagne, après Isabelle.

Ainsi naîtrait un héritier qui serait moitié Inca, moitié Habsbourg.

Une cérémonie solennelle fut organisée dans la cathédrale Sainte-Gudule, qui était le grand temple de Bruxelles. Atahualpa, porteur de la couronne écarlate tressée de laine, reçut l'hommage de sa régente et nouvelle épouse Marie, qui vint s'agenouiller devant lui et lui chausser sa sandale en signe d'allégeance. Il tenait dans chaque main un vase d'or rempli de breuvage noir et lui tendit celui qu'il avait dans la main gauche, en signe d'amitié. Puis l'Inca et sa nouvelle épouse burent ensemble en témoignage de respect mutuel. Le contenu de l'autre vase fut déversé dans une jarre en or, pour être offert au Soleil.

Cette scène est aujourd'hui représentée sur un vitrail du temple de Sainte-Gudule, où l'on indique, dans la langue savante réservée aux amautas du Levant, les qualités d'Atahualpa : *Atahualpa Sapa Inca, Semper augustus, Hispaniarium et Quitus rex, Africae dominator, Belgii princeps clementissimus, et Maria ejus uxor.* En effet, la côte barbaresque où étaient Tunis et Alger était aussi appelée Afrique, et les habitants de Bruxelles se faisaient appeler *Belges* car ils se considéraient descendants d'une tribu et d'un peuple qui portaient ce nom. Ceux qui sont curieux des langues ne seront sans doute pas ennuyés si je mentionne pareils détails. Que les autres veuillent m'excuser.

Huit mille Bruxellois, considérés comme des fauteurs de troubles parce qu'ils avaient combattu pour la régente, appelé à la résistance ou répandu des discours hostiles à la venue de l'Inca, furent envoyés en Espagne, dans une province peu peuplée qui s'appelait la Mancha.

Pour renchérir sur Gand et faire oublier la rébellion de la ville, on décréta neuf jours de festivités. Le foyer des célébrations eut lieu au palais du Coudenberg, qui était celui de feu Charles Quint, où résidait sa sœur Marie, dans une salle d'apparat dont la longueur était telle qu'aucun palais de Cuzco ne pouvait prétendre en posséder de semblable, et qui jouxtait la rue en pente que la régente et les membres de son conseil avaient dû gravir, la corde au cou, nus et humiliés. Un grand bal à la mode du Cinquième Quartier s'y déroula, que, par une ironie amère, la régente présidait aux côtés de son nouvel époux. Puis on sacrifia des lamas noirs dans les jardins, et l'on fit défiler les troupes de l'Inca.

Ici, je dois m'interrompre un instant pour ramener le lecteur à Séville où, jour après jour, arrivaient les bateaux en provenance des Quatre Quartiers, qui apportaient de l'or et de la poudre, mais aussi quantité d'hommes, venus tenter leur chance au Nouveau Monde, si bien qu'à la suite des cent quatre-vingts pionniers de Quito, l'Espagne s'était enrichie d'un nombre considérable d'émigrants du Tahuantinsuyu, dont la plupart avaient grossi les rangs de l'armée espagnole.

Or, Ruminahui, en tant que général en chef, avait organisé son armée en fonction des différentes nationalités qui la constituaient. En effet, il ne pouvait être question de mélanger les Chinchas et leurs anciens ennemis les Yuncas, et encore moins les Yuncas et les Chimus, en raison de la guerre sanglante que ces deux peuples s'étaient livrée jadis, de même que les Quechuas, qui haïssaient les Chancas, ne pouvaient concevoir de marcher au combat côte à côte avec eux.

Ainsi, les Bruxellois purent voir défiler chaque régiment aux couleurs des peuples et des tribus dont ils étaient composés.

Les féroces Chancas, parce qu'ils s'étaient particulièrement distingués au combat, défilaient les premiers. Ils étaient suivis des morisques de Valence, des cavaliers d'Andalousie, et d'un régiment de juifs issus de toute l'Espagne. Les Charas suscitaient la curiosité et l'admiration de la foule car ils étaient parés d'ailes de condor attachées dans le dos. Les Yuncas, avec leurs masques hideux, effrayaient l'assistance, parce qu'ils faisaient des gestes et des grimaces de fous, d'idiots ou de niais. Ils avaient à la main des flûtes, des tambourins discordants, des peaux déchirées, dont ils se servaient pour faire mille sottises. Comme il était de coutume, la garde montée des Yanas, troupe d'élite de l'Inca menée par Pedro Pizarro en l'absence de Quizquiz, fermait la marche.

Au défilé succédèrent des chants, des danses et des jeux de ballon, sur une vaste étendue gazonnée qui s'étendait devant le palais royal. De grands cygnes blancs glissaient sur l'eau d'un bassin.

La bière, qui est une sorte d'akha (à cette différence qu'elle est non pas tirée du maïs mais d'une autre céréale), coula à flots, car c'était un breuvage très prisé en ces contrées.

Atahualpa décréta que l'ancienne Constitution serait remplacée par les nouvelles lois d'Espagne. Il fit proclamer que les Flandres et toutes les provinces des Pays-Bas étaient indissolublement rattachées au royaume d'Espagne, à l'exception de la partie cédée au roi de France, comportant les villes de Lille, Douai, Dunkerque.

De fait, la Bourgogne, telle que l'avait bâtie Charles le Téméraire, et telle que l'avait rêvée Charles Quint jusqu'à sa mort, cessait d'exister.

Marie donna naissance à une fille qui fut nommée Marguerite Duchicela, d'après Marguerite d'Autriche, née Habsbourg, la tante de Charles Quint qui avait précédé Marie dans ses fonctions de régente, et d'après Paccha Duchicela, princesse de Quito, la propre mère d'Atahualpa. Plus tard, la petite infante épouserait son demi-frère Charles Capac.

48. L'Allemagne

Cependant, l'Allemagne qui préparait le sacre de Ferdinand continuait à se déchirer. En Hesse, en Thuringe, en Poméranie, dans les villes impériales de Strasbourg, Ulm, Constance, dans celles hanséatiques de Brême, Lübeck ou Hambourg, on jugeait que l'Église romaine avait suffisamment profité de la crédulité des pauvres gens et que si le corps du dieu cloué était contenu dans une galette de sel ou dans un bout de pain, ce bout de pain n'en restait pas moins un bout de pain.

Ainsi le duc de Saxe, landgrave de Thuringe, le margrave de Brandebourg, le comte palatin du Rhin, tous princes-électeurs du Saint Empire romain germanique, n'entendaient pas accueillir Ferdinand, défenseur de la vieille foi, comme leur messie réincarné. Le landgrave de Hesse, Philippe le Magnanime, qui s'était lié d'amitié avec Mélanchthon, menait la ligue de Smalkalde pour convertir l'Allemagne aux idées luthériennes, ou du moins obtenir de l'empereur qu'elles y soient tolérées, par l'épée si besoin. Tous lorgnaient sur les biens de l'Église, qu'ils entendaient confisquer, ainsi que sur ses droits exorbitants, qu'ils souhaitaient lui supprimer pour mieux se les réattribuer.

Ce vent de révolte avait toutefois ses limites, et pour les avoir dépassées, les anabaptistes, qui jugeaient qu'un enfant, tout le temps qu'il était dénué de raison, ne devait pas se voir imposer la religion du dieu cloué par la cérémonie du baptême, l'avaient payé de leur vie. De même, les paysans, qui avaient cru voir en Luther un champion de leur cause et un contempteur de la misère, s'étaient-ils fait massacrer pour s'être soulevés au nom de la justice sur terre. Luther, d'ailleurs, n'avait pas souhaité les soutenir mais, bien au contraire, avait exhorté les princes à les égorger jusqu'au dernier.

Frédéric le Sage, Philippe le Magnanime, éminents princes-électeurs convertis au luthéranisme, s'étaient acquittés de cette tâche avec zèle et diligence, tuant les chefs, mutilant ceux qui les avaient suivis. Depuis lors, des milliers d'hommes sans nez et sans oreilles peuplaient les campagnes d'Allemagne.

Or, la venue conjointe de Ferdinand et d'Atahualpa vint rallumer les braises de ces fureurs passées.

D'un côté, les princes luthériens voyaient dans l'édit de Séville un modèle duquel l'Allemagne devrait s'inspirer pour la paix religieuse. Ils comptaient sur la venue d'Atahualpa dans ses provinces du Nord pour faire pression sur Ferdinand avant le sacre d'Aix-la-Chapelle, arracher des concessions au nouvel empereur qui, face aux puissances conjuguées de la France et de l'Espagne, sans parler de la menace que représentait Soliman dans son dos, ne pouvait pas s'aliéner les princes allemands, eussent-ils été luthériens.

De l'autre, les paysans allemands, informés des réformes agraires qui touchaient les Pays-Bas après l'Espagne, sentaient se rallumer une espérance. Ils voyaient dans l'Inca un nouveau Luther, et peut-être un nouveau Müntzer.

Plus que jamais, les âmes d'Allemagne, cette région étrange peuplée de fantômes hagards et de visions brumeuses, étaient troublées. Des armées de sans-nez se rassemblaient silencieusement. On se souvenait des héros d'hier, et de leurs rêves brisés. On pleurait à l'évocation d'un pauvre Conrad. Mais on grinçait des dents, aussi. Les noms du coutelier Kaspar Preziger, de Jean de Leyde, de Jan Mattyjs, et surtout du grand Thomas Müntzer, furent sur les lèvres des mutilés qui racontaient à leurs enfants de vieilles histoires terribles, le soir venu. Certains des spectres du passé resurgirent, comme ressuscités, des cachettes où ils s'étaient réfugiés si longtemps qu'on les avait crus morts. La venue d'Atahualpa produisait des miracles. Un vagabond sorti des bois prétendit être Pilgram Marpeck l'anabaptiste. Le pelletier Sebastian Lotzer, son ami le forgeron Ulrich Smid réapparurent en Souabe, récitant leurs vieilles revendications comme si pas un jour, pas une récolte ne s'étaient écoulés.

« Chaque communauté paroissiale a le droit de désigner son curé et de le destituer s'il se comporte mal. Le curé doit prêcher l'Évangile, précisément et exactement, débarrassé de tout ajout humain. Car c'est par l'Écriture qu'on peut aller seul vers Dieu, par la vraie foi. » Ainsi disaient-ils, et le souffle épais de la plaine venait coller aux visages de ceux qui s'arrêtaient de bêcher pour les écouter.

« Les pasteurs sont rémunérés par la grande dîme. Un supplément éventuel peut être perçu pour les pauvres du village et pour le règlement de l'impôt de guerre. La petite dîme est à supprimer parce que inventée par les hommes puisque le Seigneur Dieu a créé le bétail pour l'homme, sans le faire payer. » Ainsi disaient-ils et le faucon huissait dans le gris du ciel, approbateur.

« La longue coutume du servage est un scandale puisque le Christ nous a tous rachetés et délivrés sans exception, du berger aux gens bien placés, en versant son précieux sang. Par l'Écriture, nous sommes libres et nous voulons être libres. » Ainsi disaient-ils, et la forêt amie leur répondait par le bruissement des feuilles.

« C'est contre la fraternité et contre la parole de Dieu que l'homme pauvre n'a pas le pouvoir de prendre du gibier, des oiseaux et des poissons. Car, quand le Seigneur Dieu a créé les hommes, il leur a donné le pouvoir sur tous les animaux, l'oiseau dans l'air comme le poisson dans l'eau. » Ainsi disaient-ils et la forêt obscure leur répondait par des grognements de bêtes.

« Les seigneurs se sont approprié les bois. Si l'homme pauvre a besoin de quelque chose, il doit le payer au double de sa valeur. Donc tous les bois qui n'ont pas été achetés reviennent à la communauté pour que chacun puisse pourvoir à ses besoins en bois de construction et en bois de chauffage. » Ainsi disaient-ils et l'écorce des bois secs crépitait, joyeuse et menaçante.

« Les corvées, toujours augmentées et renforcées, sont à réduire de manière importante comme nos parents les ont remplies uniquement selon la parole de Dieu. » Ainsi disaient-ils, et ils ajoutaient : « Les seigneurs ne doivent pas relever les corvées sans nouvelle convention. »

« Beaucoup de domaines agricoles ne peuvent pas supporter les fermages. Des personnes respectables doivent visiter ces fermes, les estimer et établir de nouveaux droits de fermage, de sorte que le paysan ne travaille pas pour rien car tout travailleur a droit à un salaire. » Ainsi disaient-ils, et des corneilles gelées pleuvaient du ciel comme des pierres.

« Les punitions par amende sont à établir selon de nouvelles règles. En attendant, il faut en finir avec l'arbitraire et revenir aux anciennes règles écrites. » Ainsi disaient-ils, mais ceci était avant la trahison de Luther.

« Beaucoup se sont approprié des champs et des prés appartenant à la communauté : nous voulons de nouveau les prendre de nos mains simples. » Ainsi disaient-ils, et l'ombre d'Atahualpa planait désormais sur ces mots.

« L'impôt sur l'héritage est à éliminer intégralement. Plus jamais veuves et orphelins ne doivent se faire dépouiller ignoblement. » Ainsi disaient-ils, comme des hiboux ululant à la tombée de la nuit.

« Si quelque article n'est pas conforme à la parole de Dieu ou se révèle injuste, il faut le supprimer. Il ne faut pas en établir davantage qui risque d'être contre Dieu ou de causer du tort à son prochain. » Ainsi disaient-ils, et ce scrupule les honorait, qui témoignait d'une naïveté enfantine et d'un sens moral qu'ils avaient su cultiver dans leurs fables et leurs superstitions.

49. Le Petit Johan

Entre le marteau de l'hérésie solaire et l'enclume de la paysannerie furieuse, les princes n'étaient pas sûrs de leur stratégie. Ceux du Nord et de l'Est, gagnés au luthéranisme, dans lequel ils voyaient un moyen de confisquer les immenses richesses de l'Église du dieu cloué, se défiaient de Ferdinand, gardien des croyances ancestrales, opposé à toute rupture avec le grand prêtre de Rome, mais aussi rempart contre le Turc. Cependant, ils savaient d'expérience que la colère des paysans excédait largement les questions religieuses de communion sous les deux espèces et autres points de rituel que ces derniers considéraient comme secondaires, eu égard à leur condition misérable. Et tandis que cette colère grondait à nouveau, les princes de Saxe, de Thuringe, de Brandebourg restaient dans l'expectative, incertains, attendant les consignes en provenance de Wittenberg, la ville du Brandebourg où vivait Luther.

Il n'en était pas de même à l'ouest et au sud, dans les régions de Westphalie, d'Alsace, de Souabe, où les princes souhaitaient noyer la révolte sans attendre, comme on noie une portée de chatons, avant qu'à nouveau elle n'embrase leurs domaines. Ils payèrent des mercenaires pour écumer les campagnes et les villes.

Or, il arriva que des lansquenets traquèrent un jardinier strasbourgeois qu'on tenait pour fomenteur de troubles, parce qu'il prêchait de village en village pour le droit de couper du bois, de chasser et de pêcher librement. Un jour qu'ils crurent le débusquer dans une ferme où il s'était réfugié, ils ne trouvèrent que sa femme et son fils nouveau-né, qu'ils tuèrent cruellement. La nouvelle de ce meurtre indigne se répandit bientôt dans tout le pays. Comme le nourrisson assassiné se prénommait Johan, dans tous les villages, toutes les fermes, toutes les échoppes, on ne parla plus bientôt que de venger « *der kleine Johan* ». C'est ainsi qu'une nouvelle confrérie succéda à celle du « Pauvre Conrad » du temps jadis, non plus seulement pour demander justice, mais pour obtenir vengeance.

Cependant leur colère, si légitime fût-elle, même attisée par le crime, n'était pas d'un poids suffisant face aux hallebardes et aux mousquets des mercenaires. Les paysans ne se souvenaient que trop bien comment, il n'y a pas si longtemps, à peine deux dizaines de récoltes, la tête de Thomas Müntzer, leur chef, avait roulé dans la sciure, rejoignant les cadavres pourrissants de cent mille des leurs semés dans les champs.

C'est peu dire que ni Luther ni l'empereur ne leur avaient été d'aucun secours. Mais aujourd'hui, la situation avait changé.

Ils dépêchèrent un messager à Bruxelles pour requérir l'aide d'Atahualpa, le protecteur des pauvres, car ils savaient que sans un appui extérieur, ils n'avaient rien à attendre du duc de Lorraine (le si mal nommé Antoine le Bon), que des châtiments exemplaires et leur ruine à tous.

Atahualpa n'était pas pressé de rentrer en Espagne. Une ville l'aimantait à l'est, qui n'était qu'à une journée de cheval de Bruxelles : Aix-la-Chapelle, où son rival Ferdinand devait se faire couronner. Il savait que tant qu'il restait en Belgique, celui-ci ne s'aventurerait pas aussi près, sauf pour lui faire la guerre, ce qui impliquait qu'il fasse traverser l'Allemagne à son armée et découvre son flanc oriental.

Le roi d'Espagne, prince des Belges, souverain des Pays-Bas, seigneur des Barbaresques, décida qu'il soutiendrait la révolte du Petit Johan, et envoya ses troupes en Alsace, avec Chalco Chimac à leur tête.

Entre les bandes de paysans et l'invincible armée de l'Inca, le duc de Lorraine fut promptement écrasé, et la ville de Metz où il s'était réfugié ouvrit ses portes aux assaillants, car les marchands et les artisans compatissaient au sort des paysans, dont ils jugeaient les revendications raisonnables, parce qu'ils les estimaient « souvent taillés, mangés et rongés sans cause ». Toutefois, Chalco Chimac ne put faire prisonnier le duc car les paysans enragés se saisirent de sa personne, ainsi que de celle de son frère le duc de Guise, qu'ils dépecèrent vivants et mirent en pièces, puis fichèrent leurs têtes au bout d'une pique.

La politique, cependant, ne perdit pas ses droits, car ils soumirent au représentant de l'Inca une nouvelle mouture des vieilles revendications jadis portées par leurs frères souabes. Chalco Chimac la fit envoyer à Bruxelles. Une demi-lune plus tard, la réponse de l'Inca leur parvint. Je recopie ici le document original, que j'ai sous les yeux, annoté de la main même d'Atahualpa.

50. Les douze articles
de la paysannerie alsacienne

Article premier
L'Évangile doit être prêché selon la vérité, et non selon l'intérêt des seigneurs et des prêtres.
Chacun pourra exercer librement sa religion, à condition de participer aux fêtes du Soleil.

Article 2
Nous ne paierons plus de dîmes, ni grandes ni petites.
Accordé.

Article 3
L'intérêt sur les terres sera réduit à cinq pour cent.
Il sera supprimé et remplacé par un système de corvées tournantes.

Article 4
Toutes les eaux doivent être libres.
Accordé.

Article 5
Les forêts reviendront à la commune.
Accordé.

Article 6
Le gibier sera libre.
Accordé, mais uniquement durant certaines périodes déterminées par l'Inca, à l'occasion des fêtes du Soleil et de certaines autres fêtes. Ceci afin de préserver la bonne reproduction du gibier.

Article 7
Il n'y aura plus de serfs.
Accordé.

Article 8
Nous élirons nous-mêmes nos autorités. Nous prendrons pour souverain qui bon nous semblera.
Refusé.

Article 9
Nous serons jugés par nos pairs.
Accordé, tant que la nomination des juges est avalisée par l'Inca ou ses représentants.

Article 10
Nos baillis seront élus et déposés par nous.
Refusé. L'Inca se réserve cette prérogative, mais libre à vous de lui soumettre vos candidats.

Article 11
Nous ne payerons plus de cas de décès.
Accordé. Chaque famille du défunt recevra une aide de la commune et des vivres tirés des réserves personnelles de l'Inca.

Article 12
Toutes les terres communales que nos seigneurs se sont appropriées rentreront à la commune.
Accordé.

51. Charlemagne

Sitôt connus les termes de l'accord, ce fut une gigantesque explosion qui éclata dans toute l'Allemagne.

La victoire des paysans alsaciens encouragea tous les autres. Désormais, partout dans les campagnes allemandes, le paysan le plus malheureux, le plus isolé, savait qu'il n'était plus seul, mais qu'il pouvait compter sur une force formidable, providentielle, une puissance quasi divine capable de venir à bout de tous les princes, et par surcroît disposée à secourir les manants.

De fait, partout où son aide était demandée, Atahualpa envoyait ses troupes. Il prit lui-même la tête de son armée pour se rendre en Westphalie. Ainsi put-il voir de ses propres yeux le temple d'Aix-la-Chapelle où Charles avait été couronné empereur. Il put s'asseoir sur le trône de Charlemagne. Il put toucher de ses mains son tombeau doré. Les contes de Pedro Pizarro, lorsque celui-ci lui faisait lecture des aventures de Roland, d'Angélique de Médor et de Bradamante, lui avaient appris à admirer et envier ce grand empereur. C'est ainsi, sans doute, qu'une idée commença à germer sous son crâne royal, et à croître, jour après jour, aussi sûrement que la papa pousse et se fortifie dans les âpres solitudes.

Partout où ils se soulevaient, dans le sillage du Petit Johan, les paysans arboraient comme emblème une chaussure à lacet et un drapeau aux couleurs de l'arc-en-ciel. Atahualpa reprit pour son compte l'emblème de l'arc-en-ciel. Il trouvait que c'était une bannière qui conviendrait à l'empire de Charlemagne.

52. Augsbourg

La Diète était une sorte d'équivalent des Cortes pour l'Allemagne, à cela près qu'elle ne rassemblait que les princes et les souverains locaux, ainsi que les représentants des villes d'Empire, mais ceux-ci étaient si nombreux, l'Allemagne était alors si émiettée, que des centaines de personnes se pressaient à ces assemblées.

Une Diète avait été convoquée à Augsbourg, ville d'Empire située aux frontières des pays de Souabe et de Bavière. L'Inca, qui s'était rendu maître de toute l'Allemagne occidentale, y était devenu un invité de droit. Mais la présence de Ferdinand dans les parages lui en rendait l'accès difficile, voire impossible, d'autant que les prétentions de celui que l'archiduc d'Autriche tenait pour l'usurpateur du trône d'Espagne apparaissaient désormais au grand jour : c'était l'Empire, maintenant, qui était en jeu, nul n'en doutait plus. Ferdinand considérait qu'une lutte à mort s'était engagée entre eux du jour où son frère avait été tué, et voyait se rapprocher un affrontement qu'il jugeait inévitable ; aussi massait-il ses troupes en Bavière, qui était pour lui la porte d'entrée de l'Allemagne, mais également désormais l'état tampon qui le séparait de la Souabe presque entièrement occupée par les armées d'Atahualpa.

De fait, la situation semblait bel et bien bloquée : si Atahualpa barrait l'accès d'Aix-la-Chapelle à Ferdinand, l'empêchant de se faire couronner, Ferdinand barrait la venue d'Atahualpa à Augsbourg, lui interdisant de faire valoir ses prétentions devant la Diète.

Les deux armées se faisaient face, mais aucune n'osait attaquer l'autre. On s'observait. On se craignait. L'attente vint miner les esprits et les corps. Les hommes de Ferdinand, surtout, s'énervaient et tombaient malades. Mais face à eux, l'armée d'Atahualpa, qui avait guerroyé aux côtés des paysans contre les princes catholiques, était lasse, fatiguée par sa campagne d'Allemagne.

Le temps se figeait dans la plaine de Souabe.

Ce fut Higuénamota, une fois encore, qui trouva la solution au problème de son seigneur et ami.

La princesse cubaine écrivit personnellement au roi de France, pour lui suggérer d'envoyer un message à Soliman. Et voici ce que devait dire le message : « Ferdinand a la tête ailleurs, Vienne est à prendre. »

Une fois encore, l'armée du Turc, qui occupait déjà presque toute la Hongrie, se mit en branle.

Prévenu de la menace, Ferdinand n'eut d'autre choix que de regagner précipitamment son royaume d'Autriche pour protéger sa capitale. Son armée, d'ailleurs, était frappée d'un mal étrange qui s'était répandu d'abord en Espagne, en France, en Flandres, puis en Allemagne : les hommes étaient touchés par la fièvre, perdaient leurs cheveux, leur corps se couvrait de rougeurs, de ganglions. Le premier signe du mal était un chancre sur leur membre viril, leur fondement, ou au fond de la gorge. D'abord on avait craint la peste, qui foudroyait des pays entiers et vous emportait en quelques jours, mais ce mal-ci n'était pas mortel : les malades finissaient par se remettre et, sans guérir tout à fait, voyaient les traces de la maladie s'estomper. Cependant, ils restaient affaiblis, et tout ça n'était pas bon pour le moral des troupes. L'armée de Ferdinand ne fut pas fâchée de lever le camp. Le Turc, au moins, était un adversaire féroce mais familier, tandis que Dieu ou le diable semblait favoriser ces Indiens venus de la mer.

La voie était libre pour Atahualpa.

Lorsqu'il arriva à Augsbourg, il prit langue aussitôt avec l'homme le plus puissant de la ville, et sans doute d'Allemagne.

À vrai dire, Anton Fugger était si important qu'Atahualpa vint tout droit loger chez lui, avant même de se présenter à la Diète ou aux autorités locales. Le banquier l'accueillit dans sa vaste demeure, située au cœur de la ville, comme il avait jadis accueilli son prédécesseur Charles Quint. La pierre sablée de l'édifice plaisait à l'Inca. Le palais, dans sa massive simplicité, lui rappelait ceux de Quito. (La vérité est qu'il n'avait jamais mis les pieds à Cuzco.) Il goûta le festin que son interlocuteur lui avait préparé. Et la bière n'était pas mauvaise.

Les deux hommes avaient bien des choses à discuter.

Anton Fugger était vêtu simplement, quoique d'une façon un peu étrange, même selon les normes du Cinquième Quartier. Drapé dans un manteau noir, d'où dépassait une chemise blanche sans col, il était coiffé d'un chapeau qui avait la forme d'une large galette molle. Ses cheveux étaient enveloppés dans une sorte de sac et sa barbe avait quelque chose de vaporeux, à la fois fournie et clairsemée. Ses mains étaient dissimulées sous de fins gants blancs.

Il s'adressait à l'Inca en italien, et celui-ci lui répondait en espagnol. Ils se comprenaient bien assez.

En réalité, chacun ayant une conscience claire de ses propres intérêts, ils souhaitaient exposer précisément ce qu'ils avaient à offrir, et, surtout, en échange de quoi.

C'est à l'écart des festivités, dans le bureau de Fugger, que fut nouée l'alliance qui allait sceller, plus qu'aucune autre, les grands bouleversements à venir.

Il y avait dans la pièce un meuble aux nombreux tiroirs sur lesquels Atahualpa, qui savait désormais lire et écrire, reconnaissait des noms de villes : *Lisbona, Rom, Sevilla, Augsburg.* D'autres lui étaient encore inconnus : *Venedig, Nüerenberg, Cracaf…*

Fugger, de son côté, n'ignorait rien des motifs pour lesquels cet homme en jupe coiffé d'une couronne à plumes se tenait devant lui. C'était les mêmes que ceux de Charles Quint, naguère : l'Empire coûtait cher, à double titre. D'une part, il fallait payer les mercenaires pour faire la guerre. D'autre part, il fallait acheter le vote des grands électeurs. L'or d'outre-mer n'arrivait pas assez vite à Séville, et de Séville s'acheminait trop lentement jusqu'ici, sans compter qu'il fallait ensuite le changer en monnaie sonnante. Fugger pouvait avancer les sommes colossales que l'entreprise d'Atahualpa allait engloutir à la conquête de l'Empire. Atahualpa devait comprendre qu'en échange de son or, Fugger allait fournir des unités de mesure en forme de pièces rondes. L'Inca fit un geste vague de la main. La monnaie n'existait pas sous cette forme à Tahuantinsuyu, mais il en avait perçu l'ingéniosité depuis son arrivée en Espagne.

Fugger lui expliquait la valeur de ces petites pièces : un florin pouvait s'échanger contre vingt-cinq poules, 1 kilo de poivre, 10 litres de miel, 90 kilos de sel, et dix jours de travail d'un ouvrier qualifié.

Atahualpa pouvait l'en croire : il allait avoir besoin de beaucoup de florins.

L'Inca l'avait écouté attentivement, et maintenant, continuait à se taire. Il se refusait à poser la question à laquelle le banquier allait répondre de lui-même.

Que voulait-il en échange ?

Fugger versa deux verres de breuvage noir, d'une carafe qui trônait sur son bureau, et en tendit un à l'Inca, qui l'accepta sans se formaliser. Le vin venait de Toscane, la région de Florence. Le banquier semblait en ressentir de la fierté. Durant toutes ces années passées au Nouveau Monde, et en vérité depuis la guerre civile avec son frère, là-bas, Atahualpa avait appris à ne plus s'offusquer des manquements au protocole que sa naissance royale aurait dû lui réserver. Voilà bien longtemps qu'il acceptait qu'on s'adresse à lui directement, et non derrière un voile tendu entre lui et son interlocuteur. Il avait aussi eu tout le temps de se familiariser avec les coutumes du Cinquième Quartier : il savait qu'ici, offrir un verre était un gage d'amitié et de bonne volonté, un rite qui s'accomplissait en général entre égaux, l'occasion de célébrer une heureuse rencontre, une occasion spéciale, ou une affaire conclue. Ce pouvait aussi être une ruse pour empoisonner son hôte. Mais cet Allemand n'avait vraiment aucune raison d'empoisonner celui qui allait faire de lui l'homme le plus riche d'Europe, et lui permettre de supplanter définitivement son grand rival Welser, l'autre banquier d'Augsbourg, ainsi que les Gênois et les marchands d'Anvers.

Sans doute l'Allemand avait-il hésité avant de choisir l'Inca. Il eût été naturel de soutenir Ferdinand, héritier désigné de Charles Quint à la tête de l'Empire. Mais deux facteurs l'avaient décidé : la solvabilité d'Atahualpa, dont les ressources en or et en argent semblaient inépuisables. Et la perspective de nouveaux marchés.

Fugger exigeait peu de chose, en vérité. Jadis, le roi du Portugal avait accordé puis retiré à son oncle, Jacob le Riche, l'autorisation de commercer avec la ville de Goa, aux Indes, dans l'Orient lointain. Ce que demandait Anton Fugger au roi d'Espagne était une licence semblable pour aller acheter les produits d'outre-mer. Les Fugger étaient une famille de tisserands qui s'étaient enrichis. Anton souhaitait faire commerce, notamment, de la laine d'alpaga dont la qualité n'avait pas d'équivalent en Europe. Il avait aussi dans l'idée d'importer du caoutchouc, qu'il voyait comme un investissement prometteur, car le bois qui pleure d'où ce matériau était extrait ne se trouvait nulle part de ce côté-ci du monde.

Atahualpa consentit. Il voulut trinquer pour sceller leur affaire, comme il savait qu'il était d'usage, mais Fugger suspendit son geste.

Il avait encore une condition.

Il exigeait que l'Inca le débarrasse de Luther.

Atahualpa fut surpris que son hôte se piquât de religion.

En vérité, Luther était mauvais pour les affaires. Le prêtre rebelle avait toujours vilipendé ce qui constituait le cœur de l'activité des banquiers :

le prêt avec intérêt. Et c'est lui, ce petit moine de Wittenberg, qui avait ruiné le lucratif commerce des indulgences, avec lequel Rome devait rembourser les dettes colossales contractées auprès de l'oncle Jacob.

Le neveu n'en faisait pas une affaire personnelle, mais il le voulait mort, d'ici deux lunes, sans quoi leur accord n'était plus valable, et il suspendrait tous ses paiements.

Sans avoir une idée bien claire des possibilités de réalisation de cette partie du contrat, ni de ce qu'elle impliquait en matière de répercussions politiques, Atahualpa, aveuglé par son rêve impérial, accepta. Ils trinquèrent enfin, à l'amitié entre les peuples, et à l'Empire universel.

L'Inca repartit avec un coffre rempli de cinq mille florins, dont on dit qu'il s'agissait d'un millième du trésor des Fugger.

53. Les princes protestants

Il lui restait à soumettre, par la force ou la persuasion, les princes allemands de l'Est et du Sud, majoritairement favorables à la réforme de Luther.

Cela concernait principalement le margrave de Brandebourg Joachim-Hector, son cousin le duc de Prusse Albert de Brandebourg, le landgrave de Hesse Philippe, dit le Magnanime, et surtout le protecteur personnel de Luther, neveu de Frédéric le Sage, électeur de Saxe, Jean-Frédéric, dit aussi le Magnanime (une qualité apparemment très partagée chez ces princes).

Il y avait également Maurice de Saxe, cousin et rival du précédent, mais celui-ci n'étant ni électeur ni franchement luthérien, et de surcroît possédant d'importants moyens militaires pour se défendre le cas échéant, Atahualpa décida de concentrer ses efforts sur les autres.

Les princes luthériens étaient confrontés à un dilemme. Opposés a priori à Ferdinand, comme ils l'avaient été à Charles, parce que, tout comme son frère défunt, celui-ci ne voulait pas entendre parler d'une réforme de la religion officielle dont il s'estimait le garant, ils appelaient de leurs vœux un édit de Séville allemand qui étendrait à l'Empire la liberté religieuse qu'Atahualpa avait accordée à l'Espagne.

En même temps, accueillir l'Inca en Allemagne et lui confier la charge de l'Empire en lieu et place de Ferdinand revenait à importer chez eux cette religion du Soleil qui tenait non seulement de l'hérésie, mais au fond, autant qu'ils pouvaient en juger, du paganisme pur et simple.

Cependant, l'idée d'un compromis ne leur était pas étrangère. Ils avaient compté sur Charles d'abord, puis sur Ferdinand, pour les aider à mater les révoltes de paysans. Pour une semblable tâche, l'armée d'Atahualpa ferait aussi bien l'affaire.

Ce qui les inquiétait, néanmoins, était ce programme de réformes politiques qu'Atahualpa avait mis en œuvre en ses royaumes, et les concessions qu'il avait faites aux paysans alsaciens. Les princes ne souhaitaient à aucun prix renoncer aux substantiels revenus qu'ils tiraient des ressources de leurs terres et du travail de leurs paysans, que leur assurait leur modèle d'organisation de la vie civile, fondé sur les privilèges que la noblesse s'était octroyés depuis des temps immémoriaux. Or, la présence d'Atahualpa dans les environs risquait d'attiser le brandon de la révolte, en même temps que l'espérance de réformes calquées sur les douze articles qu'on s'échangeait sous le manteau dans les campagnes de Saxe et de Prusse. Il y avait là comme une sorte d'adéquation, ou de compatibilité inquiétante, dangereuse, entre les projets d'Atahualpa et les aspirations paysannes. Tout au plus les princes pouvaient-ils envisager d'affranchir leurs serfs, qui étaient des paysans entièrement réduits en esclavage. Mais la seule idée d'une redistribution des terres au profit des communes, ou de quiconque, leur semblait absolument inconcevable. Et c'était pourtant ce qui s'était produit en Alsace, en Westphalie, en Rhénanie, jusqu'en Souabe et dans certaines provinces du Palatinat...

Ce sont donc ces princes totalement désemparés, en proie à l'indécision la plus flagrante, que rencontra Atahualpa. Une fois encore, il fit appel au rusé Chalco Chimac pour mener les négociations. Le général usa de ce savant dosage de menaces et de promesses, ce mélange subtil de fermeté et d'onctuosité, qu'il savait nécessaire pour aider la partie adverse à prendre les bonnes décisions.

Cependant les princes protestants ne pouvaient se départir de leurs hésitations.

Pour mettre fin à ces tergiversations, ils proposèrent à l'Inca d'organiser une rencontre avec Luther en personne. Lui leur indiquerait la voie à suivre, et ils promettaient de se ranger à son avis. Cela, naturellement, n'excluait pas les innombrables prébendes qu'ils allaient réclamer auprès du nouvel empereur, et qu'Atahualpa était prêt à leur accorder, ni les gigantesques indemnités qu'il devrait débourser pour s'assurer de leur appui et de leur vote, et que Fugger devait lui avancer.

Atahualpa donna son accord. On fit partir une convocation pour Wittenberg, où résidait Luther. Il était demandé à celui-ci de se rendre séance tenante à la Diète d'Augsbourg pour rencontrer le roi d'Espagne, nouveau prétendant au titre impérial, ceci afin d'écouter ses arguments et d'estimer s'il l'en trouvait digne, autrement dit si sa candidature lui semblait compatible avec les Évangiles.

La réponse arriva quelques jours plus tard : le docteur Luther remerciait l'honorable assemblée pour son invitation mais se voyait au regret de la décliner. Le moine souhaitait rappeler respectueusement à ses interlocuteurs un précédent qu'ils n'avaient certainement pas oublié : s'étant présenté naguère à la Diète de Worms devant Charles Quint, il s'était retrouvé mis au ban de l'Empire, enlevé par des inconnus dans une forêt obscure, et avait bien cru sa dernière heure arrivée. En conséquence de quoi, il suppliait les princes, ses bienfaiteurs, de lui pardonner son refus, et recommandait tout le monde à Dieu.

Atahualpa, connu et loué pour sa maîtrise de soi légendaire, commença toutefois à manifester quelques signes d'impatience.

Le duc de Saxe lui proposa alors de faire le voyage à Wittenberg. Il s'occuperait en personne de recevoir l'Inca avec tous les égards dus à son rang, et organiserait la rencontre entre lui et Luther.

Cet homme gras aux yeux en demi-lune, à la barbe rouge, aux cheveux courts, lui inspirait une défiance instinctive, mais l'Inca, après une brève concertation avec son état-major, donna son accord. De toute façon, l'appel de l'Empire était trop fort.

Parmi les sept électeurs qui votaient pour désigner l'empereur, il y avait trois prêtres et quatre princes. Les trois archevêchés de Trèves, Mayence et Cologne étaient passés sous son contrôle durant la guerre du Petit Johan qu'il avait menée victorieusement aux côtés des paysans. Ces trois votes lui étaient donc acquis. Ferdinand avait hérité du royaume de Bohême, et le comte palatin du Rhin s'était réfugié dans ses terres de l'Est, après sa défaite face à l'armée conduite par Ruminahui. Ces deux votes lui échappaient. Il lui fallait donc encore arracher un vote. Restaient les deux électeurs luthériens. Le duc de Saxe et le margrave de Brandebourg tenaient le sort de l'Empire entre leurs mains.

Il irait à Wittenberg, accompagné d'Higuénamota et de Chalco Chimac. Les autres princes luthériens, et qui voudrait, viendraient assister à la rencontre. En vérité, on allait se presser de toute l'Allemagne, et même du Danemark ou de Pologne, pour voir ça.

54. Wittenberg

Le trajet fut riche d'enseignements. Ils croisèrent les paysans misérables, les familles affamées, les enfants malades. Ils virent les hommes sans nez ou sans oreilles. Certains avaient deux doigts amputés à la main droite. Les femmes ne disaient rien, ne pleuraient pas, mais jetaient autour d'elles des regards durs, chargés de haine, comme des animaux pris au piège, prêtes à cracher.

Un mendiant aux yeux crevés tendit sa sébile au passage de l'Inca. Les Yanas de la garde voulurent le chasser à coups de pied mais Atahualpa le fit approcher de sa litière. Le mendiant agitait sa sébile comme une clochette. Il dit, en fixant l'Inca de ses yeux blancs : « Dieu compatissant, soutiens le droit des pauvres. » Il repartit avec un anneau d'or et deux florins.

Peu après, le cortège fit étape dans la ville impériale de Nuremberg, dont la magnificence des bâtiments offrait un contraste saisissant avec la misère des campagnes avoisinantes.

La suite du voyage, qui comportait une étape à Leipzig, ville fameuse pour ses marchés, leur donna à voir les mêmes spectacles, et suscita en eux les mêmes réflexions. Ici, des hommes sans nez ; là, une opulence éclatante.

Enfin, ils arrivèrent.

Wittenberg était un centre d'études renommé, mais ne ressemblait en rien à Salamanque.

La ville était peuplée de moines en robe qui circulaient comme des fourmis affairées, des liasses de feuilles ou des coffrets qui parlent à la main, des cochons de lait, des miches de pain ou des tonnelets de bière sous le bras, et leur croix de bois autour du cou.

L'église du château était surmontée d'une tour effrayante, circulaire, coiffée d'une couronne hérissée d'épines, comme le bulbe d'une rose noire surmontée par sa propre tige, qui étendait sur la ville son ombre lugubre.

Sur la place du marché se côtoyaient les moines, les étudiants, les marchands et les fermières. Les moutons et les porcs se faufilaient entre les jambes.

Le château lui-même était inhabité depuis la mort de Frédéric le Sage. Son neveu et héritier offrit d'y loger l'Inca et ses hommes ; il leur envoya ses cuisiniers, qu'ils lui renvoyèrent. Ils occupèrent le château désert, puis Chalco Chimac se rendit sans attendre chez Philippe Mélanchthon, le bras droit de Luther qu'Atahualpa avait reçu naguère à Grenade, en vue de préparer la grande rencontre.

Mélanchthon parlant toutes les langues, l'entretien eut lieu en castillan. L'homme était de taille médiocre, affable, souriant derrière sa petite barbe rouge. Son visage, quoique précocement ridé, dégageait une expression juvénile qui inspirait habituellement une sympathie et une confiance immédiates, mais ce n'étaient pas les deux sentiments auxquels Chalco Chimac était le plus enclin. Ce que notait le général inca, c'était l'intelligence qui perçait derrière l'affabilité.

Le professeur et le général trinquèrent et burent la bière que Luther brassait lui-même, ce qui semblait amuser Mélanchthon, bien que pour sa part, il n'en fût pas grand consommateur.

L'entretien dura tout un après-midi, les deux hommes ignorant l'agitation de la maisonnée ; un vieux serviteur venait remplir la carafe de bière, des étudiants passaient déposer ou prendre des feuilles, intrigués par ce visiteur inaccoutumé qu'ils observaient à la dérobée, saisissant au passage des bribes de dialogue qu'ils ne comprenaient pas.

Et voici ce que rapporta le général inca, lorsqu'il revint faire son compte rendu auprès de son maître :

les gens d'ici se faisaient appeler « protestants ». Ils exigeaient la liberté de pratiquer leur religion comme bon leur semblait. Ils souhaitaient introduire des changements dans la façon d'adorer le dieu cloué. Ils étaient très attachés à certains rites, et à d'autres, non. Ils souhaitaient que leurs prêtres puissent se marier, règle qu'ils s'appliquaient déjà : Luther lui-même, qui était prêtre, avait une femme et des enfants, ce qui était théoriquement interdit, de même que tout commerce charnel. Ils étaient obsédés par la question de l'endroit où ils iraient après leur mort, et du meilleur moyen d'être sauvés, c'est-à-dire d'aller au ciel rejoindre leur dieu cloué (qui pourtant devait revenir sur terre à une date indéterminée, si bien que Chalco Chimac pensait qu'ils risquaient de se croiser) et non sous la terre où l'on brûlait les morts indéfiniment, sauf dans un endroit transitoire d'où l'on pouvait sortir au bout d'un certain temps, mais sûrement pas en rachetant son séjour, de son vivant, avec des florins.

Une autre question, que Chalco Chimac avait cru entendre davantage, concernait ce qu'ils appelaient les bonnes œuvres. Fallait-il ou non accomplir de bonnes actions dans l'espoir d'obtenir son salut ? Les protestants croyaient fermement que tel n'était pas le cas, et que les conditions de leur vie après leur mort étaient totalement indépendantes de leur comportement de leur vivant. Les bonnes actions devaient être accomplies de façon désintéressée, seulement motivées par l'exemple de leur dieu cloué, mais non par le désir d'en être récompensés. Chalco Chimac s'était retenu de demander à Mélanchthon comment, dans ce cas, le dieu cloué décidait qui sauver et qui envoyer brûler sous la terre. À vrai dire, les superstitions locales n'intéressaient le général que dans la mesure où il pouvait en tirer un profit politique. Les interrogations qu'elles soulevaient et les problèmes moraux qui en découlaient le laissaient indifférent.

L'inverse n'était pas vrai. Mélanchthon avait posé beaucoup de questions : il était curieux du pays de son visiteur, de ses coutumes, de ses dieux ; il avait demandé s'ils se faisaient la guerre, s'ils avaient des esclaves, s'ils avaient jamais entendu parler du dieu cloué, si le Soleil récompensait les justes ou punissait les méchants. Il avait manifesté beaucoup de curiosité pour l'emplacement de Tahuantinsuyu. Lui semblait comprendre, mieux que les autres, que les Quiténiens n'étaient pas des Indiens, avec lesquels on les confondait régulièrement.

Bref, l'homme lui avait semblé ouvert au dialogue et à la négociation. Mais il lui avait fait entendre à demi-mot que Luther n'était pas aussi facile, que le tempérament du grand prêtre de la Réforme pouvait être assez raide, et, de l'avis de tous, ne s'était pas amélioré au fil du temps.

La conversation s'était achevée sur des sujets périphériques. L'amauta à barbe rouge avait déclaré, entre autres, après beaucoup de bières : « Augsbourg est la Florence allemande, et les Fugger sont les Médicis de notre temps. » Chalco Chimac avait estimé cette remarque, faite en passant, suffisamment digne d'intérêt pour la rapporter à son maître.

55. Luther

La première rencontre eut lieu dans le grand bâtiment qu'ils nommaient *Universität*, devant un parterre de mille personnes, en présence de l'électeur de Saxe.

Luther fit l'effet d'un taureau furieux à Atahualpa, qui trônait sur une estrade entre Higuénamota et Chalco Chimac, tandis que le chef des protestants se présentait devant eux. Les mots du prêtre claquaient comme des coups de hache, que Mélanchthon traduisait en espagnol. Ses propos étaient néanmoins décousus, et le fil de sa pensée était difficile à suivre. Il parlait beaucoup des juifs, qu'il accusait de crimes terribles, et auxquels il souhaitait le plus grand mal. À l'en croire, ils étaient « remplis d'excréments du diable », et c'était une faute de ne pas les tuer. À tout le moins, il fallait les chasser d'Allemagne comme des chiens enragés, et brûler leurs maisons.

Luther discourut sans interruption près d'une heure sur le sujet. Atahualpa l'écoutait en silence, impassible comme toujours en pareille circonstance (mais cette circonstance, à vrai dire, était tout de même inédite), sans rien trahir de son incompréhension.

Puis Luther en vint à parler de ses hôtes, les visiteurs d'outre-mer.

Il ne faisait aucun doute, selon lui, qu'Atahualpa et ses hommes avaient été envoyés par Dieu pour châtier les pêcheurs et purifier l'Église.

Le Soleil dont ils se réclamaient n'était rien d'autre que la métaphore de Dieu, et Atahualpa était peut-être, sinon le messie réincarné, du moins un nouveau prophète, ou un ange envoyé sur la terre.

Cependant, lui, Luther, avait aussi été désigné par Dieu pour faire régner sa justice, et il ne pouvait pas se taire, non, il ne pouvait pas. Il se devait d'avertir l'Inca : il n'était pas bon que cette femme (il pointait le doigt sur Higuénamota) se tienne à ses côtés. Mélanchthon s'était arrêté de traduire, mais tous avaient compris ses paroles, même ceux qui n'entendaient pas l'allemand.

Higuénamota s'était résolue à se vêtir, car il faisait plus froid dans ces pays. Mais sans doute Luther avait-il eu vent des légendes qui circulaient autour de la célèbre princesse nue. Naturellement, il la soupçonnait d'être une envoyée du diable. Higuénamota s'en amusa. Alors on assista à cette scène extraordinaire, dont le peintre Cranach a fait un tableau célèbre, où la princesse, qui s'était levée, laissait glisser sa robe pour dévoiler son corps devant l'assistance stupéfaite.

Mais tandis qu'elle se tenait fièrement devant lui, provocante, un sourire de défi aux lèvres, suscitant tout ensemble des cris de réprobation et d'admiration mêlées dans l'assistance, et même quelques rires, Luther lâcha cette insolence, en pointant d'un doigt vengeur le corps dénudé de la Cubaine : « Les hommes ont les épaules larges et les hanches étroites. Ils sont doués d'intelligence. Les femmes ont les épaules étroites et les hanches larges, pour avoir des enfants et rester à la maison. »

La séance fut ajournée.

56. Le dilemme

« Tue-le », lui disait Higuénamota.

Mais ce n'était pas si simple.

Éliminer Luther, c'était remplir sa part de l'accord passé avec Fugger, et s'assurer ainsi que le banquier lui fournirait les centaines de milliers de florins nécessaires pour acheter le vote des deux électeurs protestants. Mais c'était aussi s'aliéner ces mêmes électeurs, et avec eux tous les princes favorables au moine rebelle, réunis dans la ligue de Smalkalde.

Il ne disposait pas sur place des moyens militaires pour venir à bout de cette coalition, Quizquiz étant resté en Espagne avec un tiers de son armée, aux fins de parer à toute attaque-surprise de Soliman ou de Ferdinand, et il avait laissé derrière lui le deuxième tiers pour occuper la Belgique et l'Allemagne occidentale.

Mais il ne pouvait pas non plus assurer son élection par la voie pacifique, puisque celle-ci était conditionnée à la mort et tout en même temps à l'assentiment de Luther.

Tandis qu'Atahualpa réfléchissait, une foule affluait dans Wittenberg. La rencontre entre Luther et l'Inca semblait nourrir dans tout le pays un espoir immense au sein du peuple. Certes, ils n'avaient pas oublié la trahison de Luther quand, par le passé, celui-ci avait renié Thomas Müntzer et enjoint aux princes de massacrer les paysans révoltés, mais tous avaient en tête les douze articles de la paysannerie d'Alsace : ils espéraient qu'Atahualpa empereur étendrait ses lois nouvelles à l'Allemagne entière. Leur nombre gonflait sur la place du marché et dans les rues de la petite ville.

Pendant ce temps, Chalco Chimac était retourné boire des bières chez Mélanchthon pour essayer de sauver la rencontre.

Le petit barbu avait convaincu son ami Luther de présenter des excuses, en préalable à la poursuite des débats.

Un point important à discuter était le statut de cette religion du Soleil. Pour des raisons politiques évidentes, il ne pouvait être question de la considérer comme une hérésie, ou comme la religion du faux prophète Mahomet. Les victoires d'Atahualpa attestaient que Dieu était de son côté. En vérité, la défaite des royaumes du Cinquième Quartier était sans aucun doute le châtiment que Dieu leur infligeait pour leur corruption, et prouvait une fois de plus la vérité des thèses luthériennes. C'est pourquoi Luther, dans sa sagesse, considérait Atahualpa comme un envoyé de Dieu, non du diable, et, après réflexion, accepterait de voir dans la religion de l'Inca une métaphore, ou une version des Évangiles taillée pour le monde d'outre-mer, au même titre que l'Ancien Testament était, d'après les adeptes du dieu cloué, une collection de récits qui annonçaient et préfiguraient le Nouveau.

« Comme une esquisse ? demanda le général.

— Plutôt comme une interprétation d'un même thème », lui répondit son hôte.

Chalco Chimac lui demanda alors ce qu'ils devaient penser du discours de Luther sur les juifs.

Mélanchthon balaya la question d'un revers de la main : « L'âge venant, ce thème est devenu chez lui une obsession, une marotte, qui ne doit pas interférer dans les débats. Il suffit de le laisser parler. »

On décida que la prochaine séance aurait lieu dans l'église même du château. Chalco Chimac revint rassuré de sa visite, et même légèrement enthousiaste, mais il faut dire qu'il avait beaucoup bu. Il rapporta fidèlement à son maître le conseil que lui avait donné Mélanchthon : « Laissez-le parler, acquiescez à tout, dans la mesure du possible. Ainsi, vous aurez votre accord. »

57. L'église du château

La rumeur disait que le grand amauta Érasme en personne avait fait le déplacement, bien que la nouvelle de sa mort, à Bâle où il s'était naguère réfugié pour fuir les persécutions religieuses, ait été connue depuis déjà plusieurs récoltes. C'était assez dire l'importance historique qu'on prêtait à cette rencontre entre les deux grands réformateurs de ce siècle. Mais quelle en serait l'issue, cela, personne ne pouvait le prévoir, et dans toute l'Allemagne et dans tout le Cinquième Quartier, jusqu'à Rome, on retenait son souffle.

En attendant, l'agitation grandissait en ville. Des brochures et des feuilles imprimées circulaient. Les douze articles passaient de main en main, agrémentés de gravures et de portraits d'Atahualpa, de Müntzer, du Petit Johan. Les dessins de chaussures à lacets fleurissaient sur les murs. Des pamphlets visant Luther dénonçaient « la viande douillette de Wittenberg ». Des masses de paysans continuaient d'affluer, qui campaient désormais aux portes de la ville, si bien que l'électeur Jean-Frédéric fit venir des régiments de lansquenets en renfort, pour prévenir tout débordement. Les bannières arc-en-ciel côtoyaient celles de Saxe.

Dans l'église du château, pourtant, les bonnes volontés ne ménageaient pas leur peine. Luther s'était excusé publiquement auprès d'Higuénamota. Il disait qu'on pouvait tolérer la religion du Soleil en tant que métaphore des Évangiles. Certes, il vilipendait durement les sectaires et les exaltés qui, dehors, souhaitaient renverser l'ordre de Dieu, et exigeait de tous les participants une condamnation ferme de ces appels à la violence. Sans les nommer, cependant, il faisait des allusions claires aux douze articles. Il était prêt à reconnaître la légitimité de certaines revendications. (« Enfin ! » pensaient les uns. « Un peu tard », disaient les autres.) Il demandait aux princes de faire leur examen de conscience, et de céder ce qu'ils pouvaient. Il maudissait moins les juifs.

Atahualpa, de son côté, avait accepté d'inverser les rôles : il avait pris place au premier rang des fidèles, sur un banc de bois, aux côtés d'une Higuénamota qui avait gracieusement accepté les excuses de Luther, tandis qu'ils avaient laissé le moine monter en chaire, c'est-à-dire qu'il s'adressait à eux dans une position de surplomb qu'Atahualpa, en temps normal, n'aurait jamais admise. L'Empire valait bien une messe, avait-il dit en riant à l'électeur. Chalco Chimac et Mélanchthon se jetaient des regards inquiets quand Luther recommençait à s'emporter contre les juifs, mais cela ne constituait dans l'ensemble de son discours que des scories au fond sans importance.

L'essentiel était que le principe d'un accord calqué sur l'édit de Séville semblait acquis. À l'issue de la séance, on se félicita. Les deux électeurs Jean-Frédéric de Saxe et Joachim II Hector de Brandebourg négociaient déjà conjointement le prix de leur vote auprès d'Atahualpa. (On parlait de cent mille florins, que l'Inca n'avait pas, et pour cause.) Mélanchthon et Chalco Chimac s'entretenaient en aparté. À cet instant, il semblait raisonnable d'espérer qu'un texte pourrait être rédigé et signé rapidement.

On sait aujourd'hui qu'il n'en a pas été ainsi.

58. Les portes de l'église

Au matin du cinquième jour, les corbeaux volaient au-dessus de la tour. Devant l'entrée du temple, où les parties devaient à nouveau se réunir en vue de l'accord final, un attroupement s'était formé. Les curieux se bousculaient car on avait, pour la seconde fois en vingt-cinq récoltes, placardé un texte sur les portes de bois, qu'on se lisait à voix haute de proche en proche, si bien qu'un écho diffus se répandait dans toute la ville. (Le texte était en allemand.)

Puis l'homme parut, précédé par un murmure, et tous s'écartèrent sur son passage. C'était un moine bedonnant vêtu de noir, coiffé d'un béret noir ; son visage, un peu gras, était sévère mais las, son regard n'était pas aussi perçant qu'il avait pu l'être, son pas était moins vif, mais il en imposait toujours. En sa présence, on se sentait rapetisser.

Comme la rumeur enflait, il s'approcha des portes que, depuis longtemps, et non sans raison, il tenait pour siennes. Et chacun put observer le visage du moine virer au cramoisi.

59. Les 95 thèses du Soleil

1. Le Soleil n'est pas une allégorie du dieu créateur.

2. Il est le dieu créateur et la source de toute vie.

3. Viracocha est son père ou son fils et père ou fils de la Lune.

4. L'Inca est le représentant du Soleil sur terre.

5. L'Inca descend de Manco Capac, le père fondateur, et de sa sœur Mama Ocllo, tous deux enfants du Soleil.

6. L'Inca appartient à cette lignée, c'est pourquoi on le considère comme fils du Soleil.

7. L'Inca appartient à la branche cadette du Soleil, car Manco Capac était le frère cadet ou le petit-fils de Viracocha.

8. En conséquence de quoi, l'autorité du pape, représentant de la vieille religion, ne peut s'appliquer à l'Inca, ni à ses vassaux, ni aux tenants de la religion du Soleil.

9. L'an 1531 de l'ancienne ère est l'an 1 de la nouvelle ère, puisqu'il marque la venue de l'Inca, par la mer Océane.

10. La terre a tremblé et Lisbonne a ouvert au fils du Soleil une porte que personne ici-bas ne pourra refermer.

11. La Sainte Trinité imaginée par Tertullien au commencement de l'ancienne ère est la représentation

allégorique imparfaite du Soleil, de la Lune et du Tonnerre.

12. Cette représentation est imparfaite car c'est la Vierge Marie qui aurait dû prendre place dans cette trinité, en tant qu'allégorie de la Lune, et non le Saint-Esprit. Ou bien, si l'on avait voulu adjoindre le Tonnerre aux trois divinités principales, il aurait fallu parler de Quaternité.

13. Il est vrai que le dieu du Tonnerre peut foudroyer la terre avec son marteau, mais tant s'en faut que sa puissance égale celle du Soleil, auquel il doit allégeance.

14. La Sainte Famille n'est pas davantage acceptable en tant qu'allégorie du dieu Soleil véritable, de la Lune et de leur fils-père Viracocha, car dans la vieille religion, Joseph n'est pas considéré comme un dieu mais comme un homme qui n'est que le père adoptif du faux messie Jésus.

15. La conception virginale du faux messie Jésus est une fable sans doute inventée pour justifier la grossesse intempestive de Marie, car Joseph, son mari, était un vieillard impotent.

16. Le Soleil a bel et bien fécondé la Lune pour engendrer Viracocha, son frère Manco Capac, et la Terre Pachamama.

17. Ceux qui prétendent que c'est la Lune qui est une allégorie de Marie et non l'inverse ne doivent pas persister dans cette erreur, car si tel était le cas, le Dieu des chrétiens n'aurait pas permis la venue ni les victoires de l'Inca, mais au contraire, on voit bien qu'Atahualpa a conquis cette partie du monde avec la bénédiction du dieu Soleil et de la déesse Lune, ses

ancêtres, et que nous étions dans l'erreur avec nos fausses idoles et notre faux messie.

18. La vraie Jérusalem n'est plus à Jérusalem mais à Cuzco, au-delà de la mer Océane, où se trouve le nombril du monde.

19. Le pape ni ses représentants ne peuvent exiger d'argent en échange du rachat des péchés car ils n'en ont pas le pouvoir.

20. Les mourants s'acquittent de tout par la mort.

21. Ils errent donc, les prédicateurs des indulgences, qui disent que par les indulgences du pape, l'homme est quitte de toute peine et qu'il est sauvé.

22. Il faut apprendre aux chrétiens que celui qui donne aux pauvres ou prête aux nécessiteux fait mieux que s'il achetait des indulgences.

23. Il faut apprendre aux chrétiens que celui qui voit un pauvre et, sans lui prêter attention, donne pour les indulgences, appelle sur lui-même, non les indulgences du pape, mais la colère de Viracocha.

24. Il faut apprendre aux chrétiens que s'ils ne sont pas comblés de biens superflus, ils sont tenus de conserver chez eux le nécessaire et de ne le dissiper d'aucune manière en indulgences.

25. Ils en rendront raison, les évêques, curés et théologiens qui laissent circuler de tels propos dans le peuple.

26. Quand on insiste auprès des chrétiens pour savoir pourquoi leur dieu a chassé le premier homme et la première femme du paradis, ils disent mille extravagances et voyant qu'ils ne peuvent s'en tirer, ils inventent des allégories à partir de cette fable du serpent tentateur et de la pomme interdite et de la femme corrompue.

27. Quand on demande aux vieux chrétiens qui mangent le corps et boivent le sang de leur propre dieu comment ils peuvent s'adonner à cette pratique barbare et cet acte anthropophage, ils sont étonnés et ne savent que répondre, sauf certains luthériens qui admettent que leur dieu n'est présent qu'en symbole dans leur cérémonie.

28. Quant aux adeptes de Luther qui pensent que le salut de certains hommes est déjà décidé, tout comme la perte de certains autres, le reste étant voué à errer après la mort dans une antichambre de l'enfer, sans tenir compte de leurs œuvres ni de leurs actions, ceux-ci devraient s'étonner de la cruauté et de la tyrannie de ce dieu qui sauve certains hommes et d'autres non, selon son bon plaisir, comme le dieu des juifs, qu'ils sont pourtant prompts à vilipender.

29. Toutefois, Luther a raison sur un point, lorsqu'il affirme que si une vierge se croit supérieure, voire simplement égale aux autres, « elle est la vierge de Satan », même si Satan n'est que le fruit d'une superstition chrétienne, voulant dire par là que la virginité n'a en soi aucune valeur, et qu'elle ne doit pas être exigée en vue du mariage.

30. Pourquoi est-il si important aux adeptes du dieu cloué que leur dieu soit reconnu à l'exception de tous les autres ? C'est un mystère que nous ne nous expliquons pas.

31. Le dieu cloué peut toutefois servir d'exemple comme font Moïse ou d'autres saints. Mais sa vie reste sa propriété et ne secourt les hommes, chrétiens ou autres, en aucune façon.

32. Le Soleil n'exige pas la mort des autres dieux. Il n'en a pas besoin pour conserver sa primauté ni sa puissance, car aucun d'eux ne peut l'atteindre.

33. Le Soleil n'est pas jaloux, il ne choisit pas son peuple, il ne sauve pas une minorité d'hommes pour laisser les autres dans les ténèbres, il étend sa lumière bienfaisante sur tous les hommes de la terre.

34. De la même façon, l'Inca, fils du Soleil, étend sa bonté magnanime à tous les hommes de la terre, sans en excepter aucun.

35. Le nombre n'est pas petit de ceux qui n'enseignent le Christ que pour remuer le sentiment, s'attendrir sur le Christ, s'emporter contre les juifs et autres divagations efféminées et puériles.

36. De même, il est puéril de croire que le père du dieu cloué a créé le monde puis, un jour, a envoyé son fils pour sauver les hommes. Où était ce dieu pendant la guerre de Troie ? Est-ce qu'il dormait ? Pourquoi a-t-il laissé les Grecs dans l'ignorance de son existence ?

37. Pourquoi n'a-t-il pas averti Platon et Aristote, hommes si sages, de son existence ? Pourquoi avoir attendu si longtemps ? N'y avait-il aucun pécheur qui méritait d'être sauvé, alors ?

38. En vérité, les âges se succèdent comme la destruction succède à la création, et la création succède à la destruction.

39. Le premier âge fut celui des premiers hommes qui portaient des habits de feuilles.

40. Le deuxième âge fut celui de la deuxième race humaine qui vivait en paix. Le déluge mit fin à cette race.

41. Le troisième âge fut celui des hommes sauvages qui révéraient Pachacamac. Ils étaient en guerre perpétuelle. C'est à cette époque que la fille du Tonnerre leur apporta le fer.

42. Le quatrième âge fut celui des guerriers. C'est alors que le monde fut divisé en quatre parties.

43. Le cinquième âge est celui du Soleil. Il coïncide avec le règne des Incas sur terre. Le monde s'est agrandi d'une cinquième partie qui est la nôtre.

44. Autant la vieille religion était cruelle et frappait l'esprit par son iniquité, ses châtiments arbitraires et ses décrets injustes, autant la religion du Soleil est juste et bonne et équilibrée.

45. Car enfin, quel père digne de ce nom sacrifierait son fils ?

46. Pourquoi avoir donné le libre arbitre aux hommes, si c'est pour leur permettre de faire le mal ?

47. Pourquoi faire des pécheurs, pour les punir ensuite ?

48. Le dieu cloué est inconnu des enfants jusqu'à ce qu'un chrétien leur prêche son histoire, tandis qu'ils rencontrent le Soleil dès les premiers jours de leur venue au monde. C'est pourquoi les adorateurs du Soleil n'ont pas besoin de se faire baptiser, ni enfants ni adultes.

49. Paul s'inquiétait que certains hommes puissent ignorer jusqu'à l'existence de son dieu cloué : « Et comment croiront-ils en lui, s'ils n'en ont point entendu parler ? » Le Soleil n'a nul besoin de prédicateurs car il brille dans le ciel, et tous les soirs se couche dans la mer et tous les matins s'élève au-dessus des montagnes.

50. Paul encore : « La foi vient de ce que l'on a entendu. » Mais la foi dans le Soleil ne s'enseigne pas. Il suffit de lever la tête.

51. Toutefois, Paul a eu le pressentiment de la vérité, lorsqu'il dit : « La nuit est déjà fort avancée, et le jour s'approche : quittons donc les œuvres des

ténèbres, et revêtons-nous des armes de lumière »
(Épître aux Romains, 13, 12).

52. « Recevez avec charité celui qui est encore
faible dans la foi, sans vous amuser à contester avec
lui » (Romains, 14, 1).

53. « Car l'un croit qu'il lui est permis de manger
de toutes choses ; et l'autre, au contraire, qui est faible
dans la foi, ne mange que des légumes » (Romains,
14, 2).

54. « Que celui qui mange de tout, ne méprise
point celui qui n'ose pas manger de tout ; et que celui
qui ne mange pas de tout, ne condamne point celui
qui mange de tout, puisque Dieu l'a pris à son service » (Romains, 14, 3).

55. Car le royaume de Viracocha ne consiste pas
dans le boire ni dans le manger, mais dans la justice, dans la paix et dans la joie que donne le Soleil,
conformément à Romains, 14, 17.

56. Qu'ils s'en aillent donc, ces prophètes qui
disent au peuple du dieu cloué : « Guerre à l'Antéchrist », là où selon eux l'Antéchrist est partout où ils
ne sont pas !

57. Le Soleil soutient le droit des pauvres.

58. Il a enfanté la terre pour que tous en goûtent
le sel.

59. Le Soleil ni la terre n'exigent de quiconque le
paiement de la dîme, grande ou petite.

60. La terre ne s'achète ni ne se loue ni ne se prête
à intérêt.

61. La terre ne s'accapare pas. Elle est attribuée
en fonction des besoins de chacun.

62. Les eaux font partie de la terre et sont libres.

63. Le poisson est à la rivière.

64. Le gibier est à la forêt.

65. Les forêts appartiennent à la terre qui appartient au Soleil.

66. Le Soleil ne connaît pas de serfs. Ils ne connaît que des hommes.

67. L'Inca est le descendant du Soleil sur terre, mais le Soleil nous considère tous comme ses enfants.

68. Sous le Soleil, Caïn ne tue pas Abel.

69. Si jamais une telle chose advient, Caïn sera jugé par les hommes, ses autres frères.

70. Les vivants ne doivent pas payer pour leurs morts, ni ceux des autres.

71. Ils sont hypocrites, ces princes qui ont des épouses secondaires qu'ils nomment favorites.

72. Le pape n'est pas moins hypocrite, qui place ses bâtards aux meilleures places.

73. La Terre tourne autour de son père le Soleil.

74. Le Soleil est au centre de l'univers, comme de juste.

75. Notre Seigneur Jésus-Christ est fils du Soleil qui a créé les hommes.

76. Il est frère cadet ou petit-fils de Viracocha.

77. Notre Seigneur Jésus-Christ est au Cinquième Quartier ce que Manco Capac est au royaume des Quatre Quartiers.

78. Néanmoins, entre Jésus-Christ et Manco Capac, la préséance va au second, car les fils de Manco Capac sont venus dans nos pays accomplir la bonne nouvelle que Notre Seigneur Jésus-Christ avait annoncée, et non l'inverse.

79. Dieu n'a pas voulu que nous allions enseigner la bonne nouvelle au royaume d'outre-mer.

80. Le pape ne représente personne que lui-même, il n'est pas le fils de saint Pierre.

81. Luther a eu raison de dénoncer l'avarice et la cupidité du pape.

82. Luther a eu tort de dénoncer les paysans qui réclamaient plus de justice.

83. Luther a eu raison de condamner la paresse et la corruption des princes.

84. Luther a eu tort de condamner la prétendue perversité du peuple.

85. Luther a eu raison de voir dans le château Saint-Ange le siège de la putain babylonienne.

86. Luther a eu raison de voir l'Antéchrist en la personne du pape mais il a eu tort de voir l'Antéchrist en la personne de Thomas Müntzer, dont le seul tort était de vouloir le bien des pauvres gens.

87. Luther est un prophète de la fin des temps.

88. Mais Luther n'a pas vu la venue des temps nouveaux.

89. L'Inca incarne la Loi nouvelle et l'Esprit nouveau.

90. Les princes ne sont pas les représentants du Soleil sur terre.

91. L'Inca est le seul représentant légitime du Soleil.

92. Les princes sont les curacas de l'Inca, c'est-à-dire qu'ils sont ses représentants en son absence.

93. Les princes tiennent leur autorité de l'Inca.

94. Les lois de l'Inca sont les lois de l'Empire.

95. Dieu est l'autre nom du Soleil.

60. La fin de Luther

Nul n'a jamais su qui était l'auteur du texte, bien qu'on soupçonnât un grand nombre de gens, parmi lesquels Christoph Schappeler, prêcheur de Souabe, Ulrich Schmid, l'auteur des douze articles, qu'on disait encore vivant, les frères Hans Sebald et Barthel Beham, deux peintres jadis accusés d'athéisme, Pilgram Marpeck l'anabaptiste, des imprimeurs, des étudiants dont certains étaient les propres étudiants de Luther, et même Mélanchthon en personne. Atahualpa en avait-il été le commanditaire ? Rien, aucune preuve n'a pu l'attester jusqu'à aujourd'hui.

Naturellement, Luther était fou furieux. Il prenait ce manifeste pour ce qu'il était indubitablement, au moins en partie : une attaque personnelle. En ce qui le concernait, il n'était plus question d'accord. Ses éclats de voix tonnaient dans toute l'université, où il s'était retranché. Le scandale était énorme.

Mais il ne s'agissait pas que de cela. Jean-Frédéric l'avait bien compris, qui avait aussitôt décrété un couvre-feu, et faisait patrouiller ses lansquenets dans la ville.

Peine perdue. Les premières émeutes éclatèrent le lendemain du placardage. Les troupes de l'électeur se frottèrent aux émeutiers. Des maisons flambèrent. Des corps gisaient dans les rues. Les appels au calme des professeurs les plus éminents n'eurent aucun effet. Les étudiants eux-mêmes se divisaient en deux camps. Un incendie se déclara dans l'université, et gagna la maison de Luther qui lui était contiguë. Luther voulut chercher refuge chez Mélanchthon, mais on raconte qu'il trouva porte close.

Durant ces événements, Atahualpa se garda bien d'intervenir. Son armée, restée à l'extérieur de la ville, reçut l'ordre de ne bouger sous aucun prétexte. Il resta sourd aux appels à l'aide de l'électeur. Les hommes de sa garde personnelle ne quittèrent pas le château où ils étaient en garnison.

En tentant de fuir, dissimulé dans une carriole, sous une brassée de foin, Luther fut capturé par un groupe de paysans qui arboraient la bannière du *Bundschuh*, la chaussure à lacet.

Il fut battu, torturé, énucléé, écartelé, démembré, et brûlé.

Sa mort, toutefois, ne fut pas suffisante pour apaiser la colère des paysans. Le duché de Saxe s'embrasa, et toute l'Allemagne.

Jean-Frédéric, Joachim-Hector de Brandebourg et les autres négocièrent la paix civile avec Atahualpa, seul en mesure de l'obtenir. Mélanchthon ratifia le traité de Wittenberg, en lieu et place de Luther, qui accordait la liberté religieuse selon un principe dûment négocié : à chaque région, sa religion. En d'autres termes, chaque prince décidait pour ses sujets, indépendamment de la tutelle de Rome. Cela n'était pas aussi libéral que l'édit de Séville, mais là n'était plus l'essentiel. Les princes cédèrent sur la quasi-totalité des douze articles, après avoir arraché la promesse de conserver certains privilèges. Jean-Frédéric et Joachim-Hector, qui de fait abandonnaient à l'Inca la plus grande part de leur souveraineté, n'oublièrent pas de demander des compensations financières en retour. Luther mort, l'argent arriva d'Augsbourg, comme promis : cent mille florins pour chacun. Du pays d'où il venait,

Atahualpa n'avait pas appris à refréner ses largesses, surtout quand des considérations politiques étaient en jeu. Il paya sans marchander, car sa libéralité faisait partie de sa stratégie. En vérité, elle était consubstantielle à sa dignité impériale, ici ou là-bas.

61. Le sacre

« Sire, puisque Dieu vous a conféré cette grâce immense de vous élever, par-dessus tous les rois et les princes de la Chrétienté, à une puissance que jusqu'ici n'a possédée que votre prédécesseur Charles Quint, et avant lui seulement Charlemagne, vous êtes sur la voie de la monarchie universelle, vous allez réunir toute la… Chrétienté sous une même houlette. »

C'est en ces mots que l'archevêque de Mayence Albert de Brandebourg, oncle de Joachim-Hector, lui-même margrave et électeur de Brandebourg, accueillit Atahualpa dans le temple d'Aix-la-Chapelle, sous un immense lustre en cuivre doré, au pied des statues de saint Paul à la croix et de saint Pierre à la clé (deux idoles populaires dans ces pays), pour lui remettre solennellement les attributs de la dignité impériale.

Atahualpa écouta sans sourciller le discours de ce prêtre adipeux aux lèvres de femme, aux chairs molles et au regard torve, qui le présentait comme le sauveur de la foi catholique. Ce qui, en toute bonne foi, semblait quelque peu exagéré : non seulement l'Inca avait conquis la plus grande partie du Cinquième Quartier, ne laissant que la France, l'Angleterre et le Portugal hors du champ de ses ambitions territoriales, mais il avait privé Ferdinand de son Empire, et repoussé le roi catholique jusque dans son fief d'Autriche, seul et sans appui face à Soliman.

Depuis lors, les temples du Soleil avaient essaimé sur toute la surface du Nouveau Monde, et même les princes allemands, catholiques comme luthériens, commençaient à se convertir. D'ailleurs, l'électeur de Brandebourg était de ceux-là.

Il paraissait donc difficile de soutenir qu'Atahualpa avait œuvré pour la gloire de Jésus-Christ, leur divinité locale.

Le grand prêtre de Rome, d'ailleurs, avait fait savoir qu'il excommunierait l'Inca si celui-ci prenait la place dévolue à Ferdinand, héritier légitime de son frère. (L'excommunication était une sorte de bannissement symbolique de la communauté catholique, dont les rois, au fond, faisaient peu de cas.)

Cela n'importait guère à l'archevêque, qui avait été l'un des acteurs principaux dans la comédie des indulgences, avait également compté parmi les adversaires de Luther les plus résolus, et avait chèrement vendu son vote lors de l'élection de Charles Quint (« J'ai honte de sa honte », avait dit alors l'envoyé du roi d'Espagne). Toute sa carrière politique avait démontré que les scrupules ni la parole donnée ne l'avaient jamais excessivement embarrassé, et quand bien même, le sort des armes et l'occupation militaire de la Rhénanie par l'armée de l'Inca avaient ôté au prêtre toute alternative, et par là même tout cas de conscience. Sa soumission au nouveau maître de l'Allemagne était allée de soi, et contrairement à Charles,

Atahualpa n'avait pas eu besoin de payer : parfois, l'or remplaçait le fer ; parfois, c'était l'inverse. Pour couronner l'Inca, le prêtre avait revêtu sa plus belle robe rouge, et ses doigts étaient garnis d'une foison de bagues serties de pierres précieuses multicolores.

Les autres électeurs, sauf Ferdinand, étaient venus saluer leur nouvel empereur. Tous éprouvaient le même sentiment de frustration pour avoir dû renoncer à certaines de leurs prérogatives, mais cette frustration se mêlait au soulagement d'avoir évité le pire. Luther était mort et pourrissait en enfer avec le duc de Lorraine et son frère le duc de Guise, tandis qu'eux étaient vivants.

Mélanchthon assistait également à la cérémonie d'Aix-la-Chapelle : c'est assez dire le travail extraordinaire d'unification, sinon de réconciliation, accompli par l'aventurier de Quito.

Depuis longtemps, le Saint Empire n'était plus qu'une entité morcelée, dont on confiait en général la charge symbolique à la plus grande famille allemande du moment. Ce temps était doublement révolu : Atahualpa n'était ni un prince allemand ni une abstraction. Il était le Réformateur et le Protecteur des pauvres, et ces titres octroyés par les peuples n'avaient rien de symbolique, il les avait mérités : tandis qu'il recevait la couronne, le sceptre et le globe de Charlemagne des mains du prêtre aux joues flasques, ses lois avaient déjà commencé à s'appliquer dans la plus grande partie de l'Empire, et même au-delà, dans certaines régions de l'est de la France et du nord de la Suisse, où les autorités locales avaient dû se résoudre à appliquer ses réformes pour éviter d'autres soulèvements.

Le roi de France avait envoyé sa sœur Marguerite pour le représenter, aux côtés de son gendre Manco.

Le roi du Portugal avait délégué son frère, l'infant Luis, duc de Beja, qui avait, tout comme François, participé à la campagne des Barbaresques.

C'est la seconde épouse du roi d'Angleterre, Anne Boleyn, qui avait fait le déplacement (car la première étant la tante de Charles Quint, il n'eût pas été convenable qu'elle vînt saluer son successeur, eu égard aux événements qui avaient entraîné sa mort).

Le vizir Hassan al-Wazzan avait fait le voyage d'Alger.

Lorenzino était venu avec Quispe Sisa, habillée à la mode italienne, et la beauté de la jeune femme suscitait des murmures d'admiration sur son passage.

Assis sur le trône de pierre de Charlemagne, devant cette prestigieuse assistance, tandis que les flûtes géantes dont l'église était appareillée résonnaient en ces murs huit fois centenaires, sans doute Atahualpa pensa-t-il à son frère Huascar. Il était désormais son égal en titre, et avait accompli des choses dont aucun de ses ancêtres, y compris le grand Pachacutec, n'avait jamais osé rêver.

62. Les dix lois de l'Empire

La première et la principale spécifie qu'on n'oblige à payer le tribut ceux qui en sont exemptés, en aucun moment ni pour aucune raison. Tels sont les Incas de sang royal, les capitaines généraux et les subalternes, même les centurions et leurs enfants et petits-enfants, tous les curacas et leur parenté. Les officiers royaux employés à des tâches inférieures ne payent pas de tribut pendant la durée de leur charge, ni les soldats retenus par la guerre et les conquêtes, ni les jeunes gens en dessous de vingt-cinq ans, parce que jusqu'à cet âge ils sont tenus de servir leurs parents. Les vieillards en sont exempts aussi, à partir de cinquante ans, ainsi que toutes les femmes, filles, veuves ou mariées ; les malades jusqu'à ce qu'ils aient recouvré la santé ; les infirmes, tels qu'aveugles, boiteux, manchots et autres impotents ; toutefois les muets et les sourds sont employés à des choses que l'on peut faire sans parler ou entendre.

La deuxième veut que tous les autres Levantins qui ne sont pas du nombre de ceux que nous venons de nommer soient obligés à ce tribut, hormis toutefois les prêtres et les serviteurs des temples du Soleil ou des vierges choisies.

La troisième, que pour quelque sujet que ce soit aucun Levantin n'ait à payer de son bien aucune chose qui tient lieu de tribut, mais qu'il s'en acquitte seulement ou par son travail ou par le devoir de sa charge ou par le temps qu'il emploie au service du roi ou de son État.

D'après la quatrième loi, on ne peut contraindre personne à travailler dans un métier qui ne soit pas le sien, hormis le labourage et l'armée, auxquels tout le monde est astreint.

D'après la cinquième loi, chacun doit payer son tribut avec ce que sa province peut fournir, sans aller dans les autres chercher les choses qu'il n'y a pas dans son propre pays, car l'Inca juge fort offensant de demander à ses sujets les produits que leur terre ne donne pas.

La sixième ordonne que tous les ouvriers qu'on emploie au service de l'Inca ou de ses curacas soient pourvus de toutes les choses qui leur sont nécessaires pour l'exercice de leur métier ; c'est-à-dire, que l'on donne à l'orfèvre de l'or, de l'argent ou du cuivre afin de le travailler ; au tisserand, de la laine ou du coton ; au peintre, des couleurs et ainsi du reste. Et l'on procède de telle sorte que l'ouvrier n'apporte que son travail, pendant le temps où il est obligé de s'en acquitter, c'est-à-dire deux mois, trois tout au plus ; ce délai expiré, il n'est pas obligé à travailler davantage.

La septième veut que tous les ouvriers soient pourvus de tout ce qui leur est nécessaire en fait de nourriture et de vêtements, et même de choses délicates et de médicaments s'ils tombent malades.

La huitième loi concerne le recouvrement des tributs. En une certaine époque s'assemblent dans la capitale de chaque province les juges-receveurs et les maîtres des comptes ou greffiers qui tiennent comptabilité des tributs sur leurs cordelettes nouées. D'après les nœuds, on sait le travail qu'a fourni chaque Levantin, les emplois qu'il a exercés, les voyages qu'il a faits sur l'ordre du prince ou des supérieurs, et toute autre activité qu'il a eue ; tout cela vient en déduction du tribut qu'il doit fournir. Ils rendent compte également de tout ce qu'il y a dans les magasins de chaque ville.

La neuvième loi porte que tout ce qui reste de ces tributs après la dépense du roi sera réservé au bien commun des sujets et mis dans des magasins publics pour les temps de disette.

La dixième loi contient une déclaration des occupations auxquelles les Levantins doivent s'adonner, tant pour le service de leur roi que pour le bien de leurs villes et de leurs états ; ces travaux leur sont imposés en guise de tribut, et ils doivent les exécuter de concert et en commun ; comme par exemple aplanir les chemins et les pavés ; rebâtir ou réparer les temples du Soleil et les autres sanctuaires de leur idolâtrie ; et pourvoir à toute autre chose concernant les temples. On les oblige à construire des maisons publiques, comme les magasins, les demeures des juges et des gouverneurs ; à réparer les ponts, à faire l'office des courriers ou chaskis ; à labourer les terres, serrer les fruits, mener paître les troupeaux, garder les propriétés, cultures, et autres biens publics ; à faire des hôtelleries pour y loger les voyageurs, et à s'y tenir en personne pour leur fournir sur les biens du roi tout ce qui leur sera nécessaire.

63. L'âge de la papa

Ainsi le Cinquième Quartier connut-il une période de paix et de prospérité sans précédent. Et, bien que celle-ci ne durât pas, il est bon de s'en souvenir comme d'un moment heureux dans l'histoire du Nouveau Monde. Qui sait, d'ailleurs, combien de temps cette harmonie aurait pu se prolonger, si des circonstances extraordinaires n'étaient survenues pour y mettre un terme.

Atahualpa avait entrepris d'autres déplacements de populations : les paysans pauvres de Souabe, d'Alsace ou des Pays-Bas furent installés dans les régions d'Espagne les plus stériles, où il leur fit entreprendre de vastes travaux d'irrigation.

Ceux d'Espagne vinrent cultiver la papa et le quinoa dans les froides campagnes allemandes. Bientôt, papa et quinoa se répandirent dans toutes les régions de l'Empire et d'ailleurs.

Des colonies de Chancas furent implantées en pays de Saxe pour surveiller les foyers protestants qui subsistaient autour de Wittenberg.

L'Inca organisa des échanges de denrées en fonction des besoins de chacun : il fit acheminer des avocats et des tomates en Allemagne, et fournit en retour de la bière allemande et belge aux Espagnols. Le breuvage noir de Castille s'échangea contre du breuvage jaune d'Alsace.

Un accord fut trouvé avec le Portugal qui lui céda sa terre du Brésil. En contrepartie, l'Empire s'engageait à ne pas lui disputer le commerce des épices ni entraver la route des Indes par la péninsule africaine.

Des envoyés de Huascar venaient régulièrement prendre des nouvelles et saluer l'empereur au nom de son frère.

Séville était l'axe du monde. Lisbonne rayonnait. Les ports du Nord, Hambourg, Amsterdam, Anvers, croissaient avec la fortune des Fugger.

Les temples du Soleil se multipliaient au détriment des idolâtries locales, bien que celles-ci fussent tolérées, puisque leur existence était garantie par le traité de Séville en Espagne, et par la paix de Wittenberg dans le reste de l'Empire.

La théorie d'un astronome venu d'au-delà des confins orientaux de l'Allemagne, qui faisait du Soleil, au lieu de la Terre, le centre de l'univers, se répandit dans tout le Cinquième Quartier. Elle était imprimée et diffusée en langue savante, sous le titre

De Revolutionibus Orbium Coelestium, ce qui signifie « Des Révolutions des sphères célestes ». Son succès accéléra encore les conversions. (L'astronome fut invité à Séville et reçut la charge de grand astrologue du roi.)

Cependant, des espions envoyés de Rome parcouraient les campagnes espagnoles pour inciter le peuple à se révolter au nom de son ancienne foi catholique. C'était une véritable armée secrète qui avait pour général le prêtre Iñigo López de Loyola, qu'Atahualpa avait jadis rencontré à Grenade. L'Inca prenait cette menace au sérieux, et avait chargé Chalco Chimac de traquer sans relâche les membres de cette société, qui se faisaient appeler *Jésuites*, d'après le nom du dieu cloué qu'ils révéraient, et pour lequel ils avaient fait serment de mourir.

Cette résistance préoccupait Atahualpa, mais pas outre mesure, ce en quoi l'avenir allait lui donner raison, en l'exposant à de plus graves périls.

64. Le silence de Cuba

Brusquement, les bateaux cessèrent d'arriver à Séville.

Tout d'abord, ce fut un changement imperceptible : l'agitation sur les quais faiblit à peine, car on continuait à charger les navires en partance pour Cuba. On crut à des retards que l'on mit sur le compte du mauvais temps, de quelques tempêtes. Après tout, c'était un long voyage. Mais aucun de ceux qui partaient ne revenait.

Alors le silence de l'océan frappa les Sévillans. Tous sentirent croître dans leur cœur une inquiétude vague. Un temps, ils feignirent le détachement. Mais bientôt, la question fut sur toutes les lèvres : « Où est l'or ? » Pourquoi la route de l'or s'était-elle coupée, soudainement ? Chaque navire qui partait pour le découvrir et qui ne rentrait pas augmentait l'angoisse de ceux qui restaient. Peu à peu, les marins refusèrent d'embarquer pour un voyage sans retour. Les quais furent désertés. Les hommes cessèrent de pousser les caisses d'or, d'argent, de poudre, de laine, de vin, de coca et de cohiba. La ville entière s'attrista de ce silence.

Or, une rumeur arriva de Lisbonne. Il y avait au milieu de la mer Océane un archipel qui appartenait au Portugal. On disait qu'une flotte de bateaux, avec à leur bord des hommes vêtus de plumes et de peaux de jaguar, y avait débarqué. Plus tard, des courriers en provenance de la Navarre indiquèrent que la flotte avait été vue le long des côtes de France. Il semblait que des incursions et des pillages avaient eu lieu.

Une lettre officielle de François Ier, adressée à Atahualpa, s'étonnait de cette flotte dans les eaux françaises, et rappelait le traité d'amitié qui liait leur deux pays.

Atahualpa reçut également une lettre d'Henry VIII : la flotte mystérieuse s'était engagée dans le bras de mer qui séparait la France de l'Angleterre. L'artillerie anglaise l'avait, jusqu'à présent, dissuadée de débarquer, mais le roi s'interrogeait, lui aussi, sur cette présence menaçante.

L'Inca réunit son conseil, où dominait la plus grande perplexité. À quoi jouait Huascar ? Pourquoi avait-il coupé la liaison avec Cuba ? Pourquoi vouloir mettre fin à des échanges aussi profitables pour toutes les parties ? Que signifiait l'envoi de cette flotte ? Quelles étaient ses intentions ?

Higuénamota ne comprenait pas pourquoi ses compatriotes taïnos les laissaient dans l'ignorance et n'avaient pas cherché à les informer de la situation.

Ruminahui voyait là tous les signes d'une invasion militaire.

Coya Asarpay était certaine que la vieille haine entre ses deux frères n'avait jamais été autrement que mise en sommeil, et venait de se réveiller.

Chalco Chimac partageait cet avis : tout laissait croire que cet arrangement commercial ne suffisait plus à Huascar, et que celui-ci voulait mettre la main sur les richesses du Cinquième Quartier.

Mais le général pointait un problème plus urgent : sans l'approvisionnement de Tahuantinsuyu, les caisses de l'Empire se vidaient.

Atahualpa ne le savait que trop, qui avait déjà reçu cette lettre de rappel en provenance d'Augsbourg, dont l'insolence n'avait pu lui laisser ignorer la fragilité de sa position :

« *Votre Majesté est assurément bien consciente du dévouement dont notre maison a toujours fait preuve au service de la maison d'Espagne. Il Lui est également connu que, sans notre aide, Elle n'aurait jamais accédé au trône impérial, comme peuvent l'attester nombre de ses fidèles. Dans toute cette affaire, nous n'avons aucunement hésité à prendre des risques considérables. En effet, il eût été autrement moins risqué de préférer à Votre Illustre Maison la maison d'Autriche, qui nous eût permis également de réaliser de très importants profits. Considérant notre dévouement, je prie donc Votre Majesté de bien vouloir reconnaître l'humble et fidèle service que nous Lui avons rendu et ordonner que soient payées sans délai, avec les intérêts dus, les sommes que nous Lui avons avancées. »*

Dans tous les cas, il fallait rétablir le contact avec Cuba, et surtout négocier au plus vite avec Huascar.

Il fut décidé qu'Higuénamota se rendrait à Fontainebleau, où était la cour du roi François, et qu'elle partirait sans attendre, en passant par la Navarre, où elle verrait Manco et sa belle-mère Marguerite.

65. Lettre d'Higuénamota à Atahualpa

Fils du Soleil, salut à toi,

Avant toute chose, tu seras bien aise de savoir que ton frère Manco, que j'ai eu le plaisir de visiter à la cour du roi de Navarre, se porte à merveille, et se trouve tout à fait comblé par sa jeune femme Jeanne, fille de Marguerite, que ta sagesse lui a fait épouser. Ces deux-là ne se quittent du matin au soir, où l'on peut les croiser, gloussant comme des enfants, dans les jardins du palais, et moins encore, dit-on, du soir au matin, où l'écho de leurs joutes retentit dans toute la ville de Pau. Personne ici ne peut douter que Jeanne sera bientôt grosse.

Toutefois, sa mère Marguerite est inquiète des nouvelles qui lui parviennent de France car elle craint qu'une trahison mette en péril le royaume de son frère. Elle m'a suppliée de t'enjoindre, pour preuve de ta fidélité, de rappeler ces navires qui flottent en eaux françaises, n'étant pas décidée à me croire quand je lui assurais que tu ignorais tout de leur provenance comme de leur destination. Aucune parole de réconfort n'y a rien pu faire et je l'ai quittée en pleurs et grand émoi, lui jurant que le roi d'Espagne son ami ne lui ferait défaut, ni à son frère.

La France regorge de merveilles, et je n'ai cessé de m'extasier devant les paysages que j'ai traversés pendant toute la durée de mon voyage, comme si je découvrais ce pays pour la première fois. De surcroît, leur vin est excellent, quoique passablement différent en goût de celui d'Espagne.

Le roi François m'a accueillie en son château de Fontainebleau avec tous les honneurs que mon rang, sa galanterie et le souvenir de notre amitié passée lui dictaient. Tandis qu'il m'attendait en haut d'un escalier formant comme les deux bras d'une rivière de pierre s'écoulant aux pieds du visiteur, il a fait jouer pour moi un orchestre de fifres, trompettes, hautbois, flûtes et violes, et donné un bal en mon honneur, dans une splendide galerie aux murs de bois qu'il a aménagée en sa demeure royale.

Je dois dire que les gens de sa cour sont toujours aussi charmants, et c'est un bonheur de se promener dans les jardins de ce château, peuplés de femmes aux robes extravagantes, de savants qui scrutent le ciel, de peintres et d'architectes italiens, de poètes qui chantent la beauté des roses et la fragilité de la vie.

Au contraire de sa sœur, Sa Majesté, comme il se fait appeler, n'a paru guère alarmée par la nouvelle de ces navires croisant au large de ses côtes, se montrant enjouée et de la même amabilité que je lui ai toujours connue. Cependant, il s'en faut de beaucoup qu'il portât aussi beau que naguère, étant désormais diminué et boiteux, s'excusant de ne pouvoir m'inviter à danser, lui que j'avais connu jadis danseur infatigable. Ton ambassadeur sur place m'a informée que le roi de France a une veine rompue et pourrie dessous les parties basses, par où les médecins désespèrent de sa longue vie. Il semblerait que le roi souffre de ce qu'ils appellent ici le « mal espagnol » et que nous, en Espagne, nommons le mal de Lisbonne.

Cependant, outre quand son visage trahit parfois la gêne de son corps et sa grande fatigue, il est décidé à n'en rien laisser paraître et conduit les affaires de son pays avec toujours aussi grande conviction.

Pour ce qui concerne l'affaire qui nous occupe, il semblerait que la flotte de ton frère ait finalement abordé les côtes d'Angleterre avec laquelle, comme tu sais, la France est en guerre, ce qui ne nous a pas permis d'en savoir davantage. Sans me répandre en détails superflus, j'ai informé François sur la probable origine de ces visiteurs, tout en restant évasive sur ton contentieux passé avec Huascar. Néanmoins, je lui ai assuré qu'il s'agissait sans doute de navires égarés, qui reprendraient la route de Séville sitôt qu'ordre leur en serait donné en ton nom. Pour l'heure, cette explication l'a semblé contenter.

Que le Soleil veille sur ton ombre, et protège ton empire.

De Fontainebleau, le 30 avril 1544 de l'ère ancienne,
quatorzième récolte du Cinquième Quartier,

Ta fidèle princesse, Higuénamota

P-S : Je porte ton manteau en poils de chauve-souris.

66. Lettre d'Atahualpa à Higuénamota

Princesse radieuse, salut à toi,

Je ne peux assez te remercier pour les nouvelles que tu m'as fait parvenir de France, et aussi d'avoir entrepris ce long voyage pour l'amour de moi et de l'Empire.

J'en ai moi-même un certain nombre à te confier, qui sont de la plus grande importance, et te concernent au premier chef.

Ici, un navire est enfin arrivé de Cuba, avec à son bord, le croiras-tu, ton cousin Hatuey, qui nous a fait le récit des événements ayant conduit à couper la route de Tahuantinsuyu.

Il est arrivé à Cuba une tribu de l'Ouest se faisant appeler Mexicains.

Ce sont des guerriers féroces, et leurs intentions étaient hostiles. Ils ont défait les troupes de mon frère qui étaient dans l'île, ainsi que celles de ton cousin. Celui-ci est parvenu à fuir et s'est réfugié, avec tous les Taïnos en mesure de le suivre, sur l'île d'Haïti, qui est, je le sais, votre premier foyer et la terre où vous avez vu le jour. Mais les Mexicains les y ont poursuivis, et Hatuey a dû se réfugier dans la montagne, où il a vécu comme une bête sauvage avec ses compagnons d'infortune, jusqu'au jour où ils parvinrent à se procurer un bateau, et c'est ainsi qu'il est arrivé à Séville.

D'après ce qu'il croit savoir, les Mexicains ont chassé les Incas jusqu'à l'isthme de Panama, où la guerre fait rage et où les troupes de Huascar se battent pied à pied, car si ces hordes barbares franchissaient le goulet, alors plus rien ne les empêcherait de déferler sur Tahuantinsuyu, et c'en serait fait des Quatre Quartiers.

Tu dois informer François de ces derniers développements, et lui dire que la flotte qui a longé ses côtes n'a rien à voir avec nous.

Surtout, répète-lui ceci : l'amitié est telle entre nous que j'estime les affaires de mon frère François avec les miennes n'être qu'une même chose et que le tort qu'on voudrait faire à cet endroit, je l'estimerais être fait à moi-même. Enfin, dis-lui bien qu'il doit agir tout comme s'il se préparait à l'invasion la plus sauvage.

De Séville, le 9 mai 1544 de l'ère ancienne,
quatorzième récolte du Cinquième Quartier,

Ton dévoué souverain, Atahualpa

67. Lettre d'Higuénamota à Atahualpa

Sapa Inca, soleil de Quito, salut,

Hier, les Mexicains ont débarqué en Normandie, la nouvelle nous est parvenue dans la soirée. Quelques paysans les ont d'abord aperçus foulant des plages inhabitées, puis ils sont entrés dans un port nommé Havre de Grâce, et remontent maintenant un fleuve qui les mène vers Paris.

François a levé une armée pour aller à leur rencontre. Cette nouvelle semble l'avoir ragaillardi. Malgré ses problèmes de fondement, il a voulu monter à cheval et souhaite mener son armée à la rencontre des visiteurs, et au combat s'il le faut. Son vieux corps est excité par ce qu'il considère comme une aventure qui, répète-t-il à l'envi, lui rappelle sa fougueuse jeunesse. Son chef des armées Anne de Montmorency, que j'avais jadis bien connu et qui était tout-puissant à la cour du roi, n'est plus à ses côtés. Un homme à la barbe rouge, François de Guise, semble avoir pris sa place. Le dauphin Henri chevauche à ses côtés.

L'effervescence règne à la cour et l'on procède aux préparatifs de la campagne dans une douce ivresse et une franche gaieté.

À ce propos, il circule au château un livre qui fait les délices de tous, d'un sieur Rabelais, qui conte les aventures d'un géant nommé Gargantua, et dont il faudra que je te lise quelque passage à mon retour, tant il est drolatique, et d'une joliesse dont tu sauras, je l'espère, apprécier comme moi l'irrévérence. N'avons-nous pas aussi, nous autres qui avons charge de royaumes, le droit de nous délasser l'esprit ?

En attendant, et d'ici là, je t'enjoins de prier le Soleil ton père de nous soutenir dans la tâche qui nous attend, et de nous prêter assistance si d'aventure les visiteurs venaient à nous faire la guerre. Quant à moi, je baise les mains de l'empereur, mon ami cher, ainsi que celles de ses enfants, que j'aime comme les miens.

De Fontainebleau, le 7 juin 1544,
quatorzième récolte du Cinquième Quartier,

Ta princesse nue, Higuénamota

68. Lettre d'Atahualpa à Higuénamota

Soleil des îles, princesse très gracieuse, salut,

Des nouvelles alarmantes sont arrivées de Tahuantinsuyu. Les Mexicains ont franchi l'isthme de Panama et avancent vers le sud. L'armée de mon frère Huascar se bat vaillamment mais cède du terrain. Quito s'attend à subir un siège d'ici la prochaine lune.

C'est mon frère, Tupac Hualpa, qui est venu en personne m'informer de la situation. Lui et ses hommes sont parvenus à descendre le fleuve qui naît dans les Andes et rejoint la mer Océane par la forêt, puis ont longé la côte jusqu'à la terre du Brésil jadis occupée par les Portugais, d'où ils ont pu radouber leur navire et rallier Séville au prix d'un long périple. Ainsi il existe désormais une seconde voie qui relie Tahuantinsuyu au Nouveau Monde, quoique celle-ci ne puisse pas être pratiquée à rebours. Je ne doute pas que mon frère y acheminera d'autres navires pour me tenir informé de la guerre et de ses évolutions.

Dis à François que les Mexicains sont un peuple féroce et sanguinaire dont il convient de se défier comme du fléau le plus sanglant. Mon conseil est d'exterminer jusqu'au dernier ceux qui ont déjà foulé le sol de France, avant qu'ils n'organisent la tête de pont d'une invasion qui deviendrait alors inévitable.

Que le Soleil vous protège, toi et tous les Français.

De Séville, le 18 juin 1544 de l'ancienne ère,
quatorzième récolte du Cinquième Quartier,

Ton empereur qui te baise les mains, Atahualpa

69. Lettre d'Higuénamota à Atahualpa

Soleil du Nouveau Monde, salut à toi,

Qu'il est doux d'être celle qui apporte de plaisantes nouvelles, et qu'il est bon d'imaginer la joie de celui qui les recevra, en sachant qu'elle en est, sinon la cause, du moins la messagère !

En effet, nos craintes étaient peut-être sans fondement.

Une rencontre a eu lieu entre Français et Mexicains, aux abords d'une ville du nom de Rouen.

Pour impressionner les visiteurs, le roi François a fait dresser un camp d'une magnificence telle que je n'en avais jamais vu. Cinq cents tentes ont couvert la plaine, avec en leur centre un chapiteau gigantesque destiné à abriter la rencontre. Ce chapiteau et ces tentes étaient drapés en toile d'or de Florence. Des chasseurs ont couru la campagne pour fournir des quantités de gibier inimaginables, aux fins d'offrir à ses hôtes un banquet d'un faste inouï. François avait revêtu pour l'occasion une armure bleue éclatante barrée d'un écusson doré représentant une fleur de lys. Il était accompagné de son fils Henri, à qui il avait confié le titre et la charge de gouverneur de Normandie. Pour l'occasion, la reine Éléonore et leur fils cadet Charles, duc d'Orléans, les ont rejoints.

Les Mexicains sont gens de belle allure, bien bâtis, et n'ont pas ce teint pâle et maladif des Français. Les mâles, tout comme ceux de mon pays et du tien, ne portent pas de barbe. Leur chef est un homme robuste, de plaisante apparence, dans la force de l'âge et de belle taille, sans être toutefois aussi grand que le roi de France qui est un géant. Il se nomme Cuauhtémoc, et sert un empereur qu'il appelle Moctezuma. Sous une coiffe de plumes, il a des cheveux longs qu'il porte attachés. Ses vêtements sont d'assez piètre qualité mais il arbore des bijoux délicatement travaillés.

Il dit servir un dieu qu'il appelle Quetzalcóatl, mot qui signifie « serpent à plumes » dans sa langue. Mais j'ai remarqué aussi qu'ils invoquaient parfois leur dieu de la pluie, qu'ils nomment Tlaloc, qui est armé d'un marteau comme notre dieu du tonnerre Thor Illapa.

Ses guerriers sont armés de lances et de boucliers ronds, et certains sont affublés d'une tête de jaguar qu'ils portent comme un casque, comme si la tête du guerrier sortait de la gueule de l'animal, ce qui leur donne un aspect effrayant.

Cuauhtémoc, toutefois, ne semble pas animé d'intentions hostiles. Il affirme être venu en paix, attiré par la renommée d'un royaume qui a franchi les mers. Il a demandé la permission au roi de France d'installer un comptoir dans ce port du Havre de Grâce, qu'on appelle aussi Franciscopolis, afin de permettre les allées et venues de navires de marchandises entre son pays Mexico et la France. Au moment où j'écris ces lignes, un projet de traité commercial est sur le point de voir le jour, et devrait être signé sans délai.

Cuauhtémoc s'est d'ailleurs montré d'une grande courtoisie envers la reine Éléonore, que vous connaissez pour être la sœur de feu l'empereur Charles. Il m'a également présenté ses hommages avec une simplicité tout à fait gracieuse, et m'a assuré que son peuple, de l'autre côté de la mer, ne demanderait pas davantage

aux Taïnos qu'un simple comptoir et droit de passage,
et que sitôt ces accords conclus, il enverrait l'ordre à ses
troupes d'évacuer Cuba, à l'exception d'une faible gar-
nison, et renoncerait à l'invasion d'Haïti.

Tout laisse donc supposer que la guerre n'aura pas
lieu. Il est heureux pour nous tous que ces Mexicains
présentent d'aussi paisibles dispositions. Ton empire
est jeune, il a besoin désormais d'être consolidé par la
paix, non par la guerre. C'est pourquoi je ne doute pas
que tu recevras cette nouvelle avec la même satisfaction
que j'ai à te l'envoyer.

Je te quitte avec des baisers et ces vers d'un poète d'ici,
qui vont bien, je trouve, à notre histoire commune, telle
qu'elle s'est écrite pour nous mener jusqu'à aujourd'hui :

Comment le monde rit au monde,
Aussi est-il en sa jeunesse.

De Rouen, le 7 juillet 1544,
quatorzième récolte du Cinquième Quartier,

Ta vieille amie cubaine, Higuénamota

70. Quipu de Huascar à Atahualpa

Quito prise.
Retraite armée Incas : 38 000 hommes.
Pertes : 12 000 hommes.
Prisonniers civils et militaires : 15 000.
Armée ennemie en route vers Tumipampa :
80 000 hommes.
Sacrifices humains : 2 000.

71. Lettre d'Atahualpa à Higuénamota

Ma très chère Higuénamota,

Je te conjure de transmettre ce message à François, avant de rentrer en Espagne sans délai, ou au moins en Navarre où tu seras en sécurité : les Mexicains ne sont pas venus en paix ! En vérité, si je n'en avais déjà l'absolue certitude, mes craintes seraient confirmées par les dernières nouvelles qui me sont parvenues de Tahuantinsuyu. En effet, mon frère Huascar m'a transmis un message retranscrit par ses quipucamayocs. Les Mexicains sont un peuple hautement belliqueux qui exécute sans pitié ses prisonniers de guerre. Loin de cesser, la guerre se poursuit dans les terres de mes ancêtres, Quito est tombée et les Mexicains avancent toujours plus au sud.

Je fais partir à l'instant une dépêche pour monsieur de Saint-Mauris mais je ne sais si son ambassade parviendra à toucher le roi avant toi. Dites-lui bien que les Mexicains lui tendent un piège. Les Français doivent engager le combat au plus tôt pour avoir l'initiative.

Quant à toi, ma douce princesse, je te conjure de fuir dès que l'occasion se présentera. J'ai écrit à Manco de se mettre en route avec l'armée de Navarre : il devrait être à Paris d'ici une dizaine de jours, en renfort de l'armée française.

Fuis et sauve ta vie, mon amie ! Puisse cette lettre te parvenir sans délai. Je sais que les routes françaises ne sont pas aussi bonnes que les nôtres, mais je confie la missive à mes meilleurs chaskis, et ne désespère pas qu'elle soit en ta possession avant sept jours.

Séville, 14 juillet 1544,

Ton serviteur et ami, Atahualpa

72. Lettre d'Higuénamota à Atahualpa

Mon prince,

Je ne sais si une lettre de toi est déjà partie d'Espagne ou si tu attendais d'avoir plus de matière pour me répondre. Sans nouvelles de toi, et ne sachant quelle conduite adopter, je suis restée auprès du roi de France, pour assister à la conclusion de l'accord de paix.

Mal m'en a pris.

Hier, 19 juillet de l'ère ancienne, quoique très inférieurs en nombre, les Mexicains ont traîtreusement attaqué le camp français, semant la panique et la mort, massacrant par surprise tout ce qu'ils pouvaient.

Dans le même temps, nous avons appris que les Anglais de Calais avaient pris d'assaut la ville de Boulogne.

Le roi François, qui a réchappé de justesse à l'assaut des Mexicains, s'est retranché à quelques jets de flèches de Rouen, mais doit maintenant faire face à un double front. Il ne fait aucun doute à ses yeux qu'Anglais et Mexicains se sont entendus pour attaquer de concert. Il a ordonné une retraite en ordre de bataille vers Paris.

Je n'ai moi-même dû qu'à un miracle d'avoir pu m'échapper du piège tendu par les Mexicains, profitant de la confusion des corps à corps, et du hâle de ma peau qui m'a fait prendre pour l'une des leurs. J'ai couru au milieu des combats, comme au travers d'une forêt de lances, évitant les haches et les épées qui fendaient l'air, jusqu'à enfourcher un cheval qui avait perdu son cavalier. C'est ainsi que j'ai pu m'extraire du camp, laissant derrière moi les Français livrés à la folie meurtrière de ces Mexicains. Si j'avais été moins bonne cavalière, j'étais morte. Aujourd'hui, je suis sauve et à l'abri, ayant rejoint le camp des rescapés de l'armée française, mais je ne sais pour combien de temps.

Mantes, 20 juillet 1544

Ta princesse infortunée, Higuénamota

73. Lettre de Manco à Atahualpa

Empereur souverain du Cinquième Quartier, mon frère, salut à toi,

Parti au secours du roi de France, à la tête d'une armée de quinze mille hommes, j'ai traversé un pays en proie à l'agitation.

Les troupes françaises, désorganisées par l'attaque-surprise des Mexicains, se sont retranchées aux abords de Paris. Le roi de France doit également se battre contre les Anglais qui se sont joints aux Mexicains. D'après les rapports les plus récents, Boulogne va bientôt tomber.

L'armée française est en grande difficulté face à cette double menace, toutefois la situation est loin d'être compromise. Il suffirait que tu envoies Quizquiz, à la tête d'une armée de trente ou quarante mille hommes, et je peux te garantir qu'avec ce renfort, nous repousserions les Mexicains et les Anglais jusqu'à la mer.

En comptant que tu auras cette lettre dans cinq jours au plus, j'estime à quinze jours le délai pour que ton armée nous rejoigne. D'ici là, Paris tiendra, j'en réponds.

De Poissy, le 24 juillet 1544 de l'ère ancienne,
an 13 du Cinquième Quartier,

À mon souverain et frère,
Général Manco, prince de Navarre

P-S : La reine Éléonore a disparu, et l'on ne sait si elle est morte ou prisonnière de l'ennemi.

74. Quipu de Huascar à Atahualpa

Tumipampa assiégée.
Résistance acharnée.
Pertes incas : 20 000.
Pertes ennemies : 10 à 15 000.
Contre-offensive : 60 000 hommes (dont 20 000 Chancas, 10 000 Charas, 8 000 Canaris, 5 000 Chachapoyas).
Artillerie : 120 canons.
Cavalerie : 6 000 chevaux.
Bataille de Quito : 30 000 morts dans chaque camp.

Pourparlers en cours. (Généraux Atoc, Tupac Atao et ?[1])

Trêve possible.

75. Lettre d'Higuénamota à Atahualpa

Mon roi,

Que n'avais-je reçu ta lettre à temps ? Peut-être aurais-je pu convaincre François de la duplicité des Mexicains et ainsi éviter cette catastrophe qui nous a jetés sur les routes avec son armée en déroute.

Sache donc qu'ici la situation s'est encore considérablement dégradée. Les Français reculent devant les Mexicains qui reçoivent presque quotidiennement des renforts débarqués du Havre de Grâce. De leur côté, les Anglais ont pris Boulogne et marchent sur Paris, menaçant de nous prendre en étau.

On raconte que la reine Éléonore est devenue l'amie de Cuauhtémoc et renseigne les Mexicains sur une foule de sujets dont ils peuvent tirer avantage, tels que les coutumes des habitants, le relief et la faune de France, l'armement et la tactique des troupes de son mari le roi. François ne peut l'imaginer, mais après tout, Habsbourg elle est, Habsbourg elle reste, et si tu veux m'en croire, cela n'a rien d'inconcevable.

Manco est arrivé avec quinze mille hommes et ces renforts seuls nous ont offert un répit sans lequel l'armée française aurait été balayée, et nous avec. Cela, néanmoins, ne suffira pas pour faire face aux

---

1. Mot non déchiffré (*note du chroniqueur*).

Mexicains et Anglais attaquant de concert. Toi seul disposes encore des moyens de nous sauver. Je te supplie d'envoyer une armée séance tenante pour nous secourir et nous dégager de la mâchoire mexicaine avant que celle-ci nous broie pour de bon.

De Saint-Germain en Laye, le 6 août 1544.

Ta toujours fidèle Higuénamota

76. Quipu de Huascar à Atahualpa

Trêve négociée.
Demande arrêt des combats au Cinquième Quartier.

77. Lettre d'Higuénamota à Atahualpa

Mon ami, tout est perdu !
Manco a été tué en combattant, bravant la furie des Mexicains jusqu'à son dernier souffle. Il s'est sacrifié pour défendre Paris assiégée, et ses hommes ont péri avec lui jusqu'au dernier.

Nous sommes réfugiés avec le roi en son palais du Louvre mais celui-ci souffre tant de sa fistule au fondement qu'il ne peut monter à cheval ni presque se tenir debout, et reste alité le plus clair du jour. C'est le duc de Guise qui a en charge la défense de la ville, et s'en acquitte en déployant un zèle de tous les instants, mais la situation est si mauvaise qu'eût-il cent fois plus de ressources, celles-ci n'y suffiraient pas.

Nous n'espérons plus qu'en toi, mon prince, et guettons l'arrivée d'une armée à la tête de laquelle je reconnaîtrai Quizquiz, ou Ruminahui, ou peut-être même le fier visage de mon empereur en personne. C'est le rêve que je fais chaque fois que l'angoisse en mon cœur et le bruit des armes au-dehors m'accordent une trêve et laissent droit à ma fatigue d'un peu de sommeil.

À toi, fils du Soleil, et si tu ne me revois pas, souviens-toi de ta princesse cubaine.

Paris, 10 août 1544,

Ton Higuénamota

78. Quipu de Huascar à Atahualpa

Paix conditionnée à l'arrêt des combats sur tous les terrains.
Reprise liaison Cuba négociée.
10 navires de marchandises prêts à partir.
Ressources quasi épuisées. Empire à bout de souffle.
Chinchansuyu et Antinsuyu au bord de la guerre civile.
Demande arrêt des combats immédiat.

79. Lettre d'Atahualpa à Jean de Saint-Mauris, ambassadeur impérial en France

Moi, Atahualpa, empereur du Cinquième Quartier, t'ordonne par la présente de transmettre sans délai au général Cuauhtémoc l'expression de mon amitié, ainsi que l'assurance de ma volonté souveraine et inconditionnelle en vue d'une entente et d'une paix durable avec le glorieux peuple de Mexico.

Fais-lui savoir que l'empereur du Cinquième Quartier, roi des Espagnes, n'a pas d'autre désir qu'un traité de paix avec lui et son maître Moctezuma, que ce désir est si puissant que j'entends renoncer pour lui à mon alliance avec la France et me dégager ainsi de toute obligation d'assistance militaire ou d'aucune autre sorte d'assistance que ce soit, envers les Français aussi bien qu'envers leur roi.

Dis-lui aussi qu'il veille, si jamais elle tombait entre ses mains, à ce que la princesse Higuénamota soit sauve et bien traitée.

Je ne crois pas avoir besoin de te préciser l'importance de cette ambassade et compte que tu t'en acquitteras avec la diligence et l'industrie pour lesquelles Charles t'avait choisi et dont lui et moi, son successeur, avons toujours eu à nous louer. Il en va de la paix de l'Empire. Que mon père, le Soleil, soit avec toi.

De Séville, le 15 août 1544 de l'ancienne ère, quatorzième récolte du Cinquième Quartier,

Atahualpa Ier, roi d'Espagne, prince des Belges et des Pays-Bas, roi de Tunis et d'Alger, roi de Naples et de Sicile, empereur du Cinquième Quartier

80. Lettre d'Atahualpa à Higuénamota

Ma princesse aimée, mon âme, compagne providentielle de toutes mes entreprises, qui m'as tiré cent fois des embarras les plus funestes,

Je souhaite de tout mon cœur que cette lettre saura te trouver.

Écoute-moi bien : il n'y aura pas de renforts. La France est perdue. Échappe-toi si tu le peux. Quitte Paris. Rentre en Espagne. Ceci est un ordre.

Séville, le 15 août 1544

Ton souverain, Atahualpa

81. Lettre d'Higuénamota à Atahualpa

Mon prince, mon ami,

Je ne sais si cette lettre te parviendra. Les Mexicains sont massés autour du palais et donneront l'assaut ce soir, ou demain.

Pardonne-moi, je n'ai pas voulu abandonner François. Tu sais que je te suis entièrement dévouée, et c'est d'ailleurs la raison pour laquelle, lorsque tu m'as jadis envoyée à Paris pour négocier notre alliance avec la France contre Charles et Ferdinand, je me suis donnée à lui sans réserve, ni d'ailleurs sans déplaisir. Au crépuscule de sa vie et de son règne, je n'ai pas le cœur de le laisser seul. Je ressens encore trop de tendresse et d'amitié pour cet homme brisé dont le royaume se désagrège sous ses yeux. Si tu le voyais pleurer dans son lit de douleur, invoquant son dieu et suppliant la mort de le délivrer, je ne doute pas que tu serais, comme moi, pris de pitié devant ce spectacle lamentable.

J'entends au-dehors les tambours des Mexicains. Leurs chants de guerre sont comme des cris de bête qui me glacent le sang. Un grand massacre se prépare. Cette fois, je doute d'en réchapper.

Pense à moi. Adieu.

Paris, le 1ᵉʳ septembre 1544,

Ton H

82. Lettre de l'ambassadeur
Jean de Saint-Mauris à Atahualpa

À mon souverain Atahualpa, fils du Soleil,
empereur du Cinquième Quartier

Sire,
Je ferai réponse par cette lettre à la lettre qu'il a plu à Votre Majesté de m'écrire, le quinzième jour du mois passé.

Et en premier lieu, sire, je ne manquerai de donner suite à ce que Votre Majesté m'a commandé quant au salut de la princesse Higuénamota et quant à l'offre d'entente à délivrer au général Cuauhtémoc.

Mais avant cela, sire, permettez-moi d'informer Votre Majesté sur les derniers événements d'ici, qui ne manqueront pas, j'en suis sûr, de retenir votre attention.

Au terme d'une semaine de combats sanglants, les Mexicains se sont finalement emparés du Louvre. Par suite de quoi, les combats ont cessé dans Paris, à l'exception de quelques poches et bastions de résistance dans les faubourgs de l'Est.

Nonobstant, le duc de Guise s'est rendu au général Cuauhtémoc, en lui remettant les clés de la ville. Le duc, qui s'est battu avec la dernière vaillance, a été affreusement blessé au visage par un coup de lance, et portait une balafre encore dégoulinante pendant l'acte de reddition. Il est, en ce moment même, aux mains d'un jeune chirurgien qui, dit-on, fait merveille pour recoudre les chairs et remettre les os.

Le roi est aujourd'hui détenu dans ses appartements, de même que ses deux fils.

La santé d'icelui était si mauvaise que les médecins désespéraient de sa longue vie. Mais après que le roi a eu trois excès de fièvre tierce, ses médecins disent maintenant que cette fièvre sera cause de sa meilleure santé et disposition.

Conformément aux vœux de Votre Majesté, la vie de la princesse Higuénamota a été épargnée, au milieu de toutes les autres âmes trépassées durant ce grand carnage, et je me suis personnellement assuré qu'elle bénéficie d'un traitement de faveur, ce qui, je l'espère, comblera Votre Majesté.

Je me dois d'ajouter, sire, que les rumeurs concernant la reine Éléonore ont trouvé pleine confirmation, et même au-delà. C'est ainsi qu'il m'a été donné d'assister à ce spectacle étonnant de la reine de France entrant dans Paris au bras du général Cuauhtémoc, à qui j'ai bien vu depuis qu'elle dispense ses conseils et offre sa grande connaissance des lieux. Il ne fait guère de doute, sire, sur la nature de leur relation.

Pour ce qui concerne le dernier point et le plus difficile, son accomplissement a exigé de moi beaucoup de peine, et m'a offert autant de frayeur, car il n'était pas aisé, comme Votre Majesté peut le concevoir, dans la confusion qui régnait alors, de me faire reconnaître auprès des nouvelles autorités. Mais, suivant votre commandement, la proposition de paix de Votre Majesté a été remise par mes soins au général Cuauhtémoc, qui me charge de vous transmettre ses salutations et hommages, et vous assure de ses dispositions les plus favorables. Il se dit confiant qu'un terrain d'entente, avantageux « aussi bien pour les Incas que pour les Mexicains » (ce sont là ses propres mots, traduits par les bons soins d'un truchement et de la reine Éléonore elle-même), puisse être trouvé par les deux parties.

Sire, je supplie le Soleil qu'il donne à Votre Majesté l'entier accomplissement de ses hauts, nobles et vertueux désirs.

De Paris, le 18 septembre 1544 de l'ère ancienne,
an 13 du Cinquième Quartier

Votre très humble et très obéissant serviteur,
Jean de Saint-Mauris

83. Lettre d'Higuénamota à Atahualpa

Fils du Soleil, gloire de Quito, allié fidèle,

Aujourd'hui, François est mort, dans des circonstances qu'il me plaît de te faire savoir.

Tes nouveaux amis mexicains avaient fait construire une pyramide dans la cour du Louvre. C'est un édifice de pierre assez imposant et, ma foi, plutôt harmonieux, *composé de stations qui ne sont pas sans rappeler les terrasses que, vous, Incas, sculptez dans les montagnes.*

Je ne doutais pas qu'il s'agissait d'une construction destinée à quelque rituel. Je ne pouvais soupçonner, toutefois, à quelle besogne elle était destinée.

Tu seras heureux d'apprendre que les Mexicains ont leur dieu du Soleil, qu'ils vénèrent avec une ferveur toute particulière, et qui se trouve aussi être le dieu de la guerre. N'est-ce pas que c'est amusant ? Ne trouves-tu pas cela approprié ?

C'est à lui qu'ils ont sacrifié le roi de France, ses deux fils, le duc de Guise, et cent autres membres de la noblesse française, dont plusieurs jeunes filles qu'ils jugeaient, je crois, du goût de leurs dieux.

Veux-tu savoir comment s'est déroulée l'exécution ?

Le roi, qui n'avait pas la force de gravir les marches, a été porté plus mort que vif au sommet de la pyramide. Après lui avoir déchiré sa chemise, on l'a couché sur une pierre. Quatre hommes lui tenaient les bras et les jambes, un cinquième lui tenait la tête, quand une espèce de prêtre lui a ouvert la poitrine avec une lame pointue, y a plongé les mains et lui a arraché le cœur, qu'il a brandi en l'air, sous les cris interdits de la foule. Puis il a déposé le cœur dans une urne et, comme si toute cette horreur ne suffisait pas, il a poussé le corps qui a dévalé les marches ensanglantées jusqu'au pied de la pyramide. Là, d'autres Mexicains étaient chargés d'emmener les cadavres pour qu'ils soient, paraît-il, découpés en morceaux afin que leurs os servent de parures ou d'instruments de musique.

En fin de compte, Soleil, quels crimes n'aura-t-on pas commis en ton nom !

Au moins François, en montant le premier au supplice, s'est-il épargné le chagrin d'assister à l'exécution de ses deux fils, Henri et Charles, qui se sont atrocement débattus sur la pierre de sacrifice.

Je sais par Saint-Mauris que ma vie faisait partie des conditions que tu avais mises dans le plateau de la balance pour signer la paix avec les Mexicains, et je t'en sais gré, quoique mon âge eût sans doute suffi à me préserver de l'intérêt des dieux et par là à m'épargner l'ascension de leur pyramide.

Mais tu comprendras sans doute que je ne souhaite plus servir à ton conseil et, pour te dire l'entière vérité, après les tragiques événements qui ont secoué la France, auxquels mon infortune m'a fait assister et dont tu n'es pas entièrement innocent, que je n'aie pas davantage le désir de revoir l'Espagne. Il n'est pas question, naturellement, d'agir comme la reine Éléonore, quoique je ne veuille juger des raisons qui l'ont poussée à trahir son époux et sa patrie d'adoption. Fille de reine, je n'ai jamais servi qu'un roi et n'en servirai pas d'autre. Mais je sollicite aujourd'hui de ta générosité très fameuse qu'elle me laisse te témoigner ma loyauté autrement. Accepte, s'il te plaît, de me nommer régente des Pays-Bas, en lieu et place de ta femme Marie, que ta mansuétude a maintenue à son poste après notre campagne des Pays-Bas mais qui, auparavant, n'avait pas exactement mérité ta confiance.

Au souverain du Saint Empire, au prince de Quito, adieu.

Paris, le 9 octobre 1544.

H

84. Le partage de Bordeaux

C'est peu dire que l'irruption des Mexicains sur la scène du Nouveau Monde fit trembler l'édifice politique qu'Atahualpa avait patiemment bâti.

Le choix d'abandonner le roi de France avait été difficile mais en vérité inévitable, et n'avait fait l'objet d'aucun débat : le Cinquième Quartier ne pouvait pas se passer des quatre autres. Si Tahuantinsuyu était tombé, l'empire d'Atahualpa l'aurait suivi, comme un enfant soudain privé du sein de sa mère. Higuénamota, aveuglée par son attachement pour le roi François, n'avait pas voulu l'admettre, de même qu'elle n'avait pas voulu prendre en considération ce qu'impliquait pour sa terre d'origine une paix avec Mexico. Cuba allait recouvrer son rôle au carrefour des deux mondes. Haïti serait épargnée. L'huile, le vin, le blé, l'or et l'argent allaient recommencer à circuler. Les Taïnos allaient de nouveau prospérer. On fumerait bientôt la cohiba dans tous les pays.

Parmi les nombreuses conséquences de l'invasion mexicaine, l'une d'elles fut le développement d'une ville côtière nommée Bordeaux, qui devint capitale de la France. C'est là que fut signée la paix, et décidé le partage du Nouveau Monde.

Atahualpa s'était déplacé pour rencontrer Cuauhtémoc. Le général mexicain, afin de se parer aux yeux des Français d'une légitimité qui lui permettrait de régner sans entraves, avait épousé la fille de François, Marguerite de France. Comme il avait ouvert la poitrine des deux fils, il n'avait plus rien à redouter de la famille royale, à laquelle, désormais, il appartenait.

Cuauhtémoc n'était pas qu'un guerrier féroce. C'était aussi un stratège et un politique habile, qui acquit promptement une bonne compréhension des usages locaux. Il vit le bénéfice de se convertir à la religion du dieu cloué et décida que le fils qu'il aurait de son épouse Marguerite serait baptisé d'un nom mexicain pour ancrer sa lignée dans l'histoire locale, puis élevé selon les coutumes et les rites des Levantins. La coutume de ce pays voulait que les rois aient aussi des épouses secondaires en nombre variable, qu'ils appelaient des « maîtresses », souvent préférées à l'épouse principale et dont la place était parfois plus avantageuse. Cuauhtémoc conserva comme maîtresse la veuve de François, Éléonore.

Les vaudois, qui étaient une secte luthérienne du sud de la France persécutée par l'ancien roi, furent les premiers à se rallier au nouveau pouvoir. Le reste du pays suivit sans enthousiasme, mais sans rébellions majeures, en dépit de quelques troubles sévèrement réprimés.

Le roi du Portugal et celui d'Angleterre s'étaient également déplacés, pour ce qu'ils étaient les alliés respectivement de l'Inca et du Mexicain.

Henry VIII, en remerciement de son aide militaire pendant l'invasion de la France, se voyait officiellement reconnaître par les Mexicains la possession des côtes du Nord autour de Calais et Boulogne, mais non ses autres revendications territoriales.

La Navarre était coupée en deux et partagée entre l'Espagne et la France.

Le Portugal se voyait garantir sa souveraineté inviolable et accorder par la France la même licence que l'Espagne lui avait octroyée pour commercer avec les Indes orientales en contournant l'Afrique.

Cuba et Haïti étaient déclarées zones franches et îles libres sur la mer Océane, avec obligation d'accueillir les navires autorisés à emprunter les trois routes maritimes reliant Cuba à Cadix, Lisbonne et Bordeaux.

Les archipels des Açores, de Madère et des Canaries, ayant vocation à servir d'escales en raison de leur situation géographique sur la mer Océane, étaient soumis aux mêmes obligations. Toutefois, l'archipel des Açores était cédé à la France. Madère et les îles Canaries restaient respectivement possessions portugaise et espagnole.

L'Angleterre se voyait autorisée à explorer d'autres routes maritimes passant entre l'archipel des Açores et l'Islande (une île de glace située au nord de la mer Océane), le traité lui garantissant la possession des îles et terres qu'elle pourrait rencontrer sur cette bande de mer.

Il était dit et consenti qu'au cas où un navire égaré, appartenant à l'une des quatre nations susdites, empruntât une voie maritime qui ne soit pas la sienne sans accord préalable, sa sécurité serait assurée jusqu'à bon port, moyennant le paiement d'un cinquième de sa marchandise.

Le traité fut scellé autour d'un verre de breuvage noir, qui jouissait ici d'une grande réputation, dont chacun s'est accordé à dire qu'elle était méritée.

Ailleurs, les derniers Levantins qui résistaient encore aux conquérants venus de la mer s'étaient réunis dans une ville d'Italie nommée Trente, où ils organisaient de nombreux débats afin de comprendre les raisons de leur défaite, et pourquoi leur dieu cloué n'avait pas su les protéger. (Au moment où cette chronique est écrite, ils continuent à en débattre.)

Ferdinand s'était retiré dans ses royaumes de l'Est, Autriche, Hongrie, Bohême, qui lui laissaient encore le gouvernement d'un vaste territoire, il est vrai perpétuellement menacé par les Turcs, quand bien même Soliman était accaparé par ses guerres avec les Perses.

Les Républiques de Gênes et de Venise étaient respectivement alliées d'Atahualpa et de Ferdinand mais conservaient leur indépendance.

Au passage, l'Espagne récupérait le duché de Milan.

Le Saint Empire signa des traités avec les pays luthériens du nord de l'Allemagne : le Danemark, la Suède.

Hatuey fut nommé grand amiral de la mer Océane.

Marie de Hongrie fut déchargée de la régence des Pays-Bas, qui fut confiée à Higuénamota.

Atahualpa ne revit jamais la princesse cubaine.

85. La mort de l'Inca

La paix régna sur le Cinquième Quartier, qui connut une ère de concorde et de prospérité.

Il arriva qu'Atahualpa voulut voir les beautés de l'Italie, qu'on lui avait tant vantées, et qui avaient engendré tant d'artistes merveilleux. Peut-être la mélancolie s'était-elle emparée de l'empereur depuis que sa princesse cubaine s'était retirée à Bruxelles, refusant de le revoir, refusant même de répondre à ses lettres, hors celles dédiées à l'administration des Pays-Bas. Peut-être était-il à la recherche d'un divertissement qui lui fît oublier son amie.

De Florence, Lorenzino avait réitéré ses invitations, sans succès jusqu'alors, car les affaires de l'Empire ne laissaient guère de répit à l'homme qui en avait la charge.

Cependant, Atahualpa fit savoir au duc qu'il viendrait le visiter en sa très fameuse cité, à l'occasion de la quatrième fête du Soleil, en la dix-huitième récolte de l'époque nouvelle.

Cette fête est devenue très populaire ici parce qu'elle a vocation à éloigner les maladies ; or, les villes du Cinquième Quartier étaient souvent frappées par la peste, une maladie mortelle qui décimait les peuples du Nouveau Monde.

Le jeûne y débute le premier jour de la lune qu'ils appellent de *septembre*.

Ici, le pain, qu'ils préparent dans des fours, n'est pas mêlé au sang de jeunes garçons, mais de jeunes filles n'ayant jamais été avec des hommes, car on a dit qu'ils attachaient beaucoup de prix à cette inexpérience (exclusivement chez les femmes, tandis qu'ils ne s'intéressent guère à celle des mâles). Cela étant, ils tirent le sang des jeunes filles en les piquant entre les deux sourcils, comme nous le faisons chez nous avec les jeunes garçons.

L'empereur, jusque-là, n'avait guère été sujet à la nostalgie, et d'aucuns auraient pensé que sa complexion naturelle l'avait préservé d'un sentiment aussi peu propice à la conquête d'un monde nouveau. Mais peut-être, après tout, l'enchaînement d'événements extraordinaires qui avaient jalonné sa vie ne lui en avait jamais donné l'occasion. Atahualpa, en découvrant Florence, crut pousser les portes d'un rêve qui le ramenait dans son pays natal.

La ville pavoisée aux couleurs de l'arc-en-ciel célébrait sa venue et, pendant que, juché sur un char, il écoutait sans les entendre les compliments que, debout à ses côtés, Lorenzino lui débitait, il découvrait, stupéfait, des palais dont la pierre, quoique plus grossièrement taillée, évoquait irrésistiblement les constructions incas.

De l'autre côté du fleuve, sur les hauteurs, s'élevait une forteresse qu'il croyait être Sacsayhuaman.

À flanc de colline, des jardins en terrasses, au sommet desquels éclataient des feux d'artifice, lui rappelaient les paysages de Tahuantinsuyu.

Mais c'est le palais de la Seigneurie, où siégeaient le duc et son gouvernement, qui lui fit la plus forte impression. Sans doute s'était-il lassé des jardins délicats de l'Alcazar aux senteurs d'orange, et retrouvait-il dans cet édifice de pierre grise, surmonté d'une tour crénelée, l'expression brute d'un pouvoir tel que ses ancêtres l'avaient toujours conçu. Et tandis que Lorenzino lui commentait orgueilleusement les statues d'un petit roi nommé David, qu'il avait disposées dans la grande salle du Conseil, l'esprit d'Atahualpa voguait d'un empire à l'autre. À la fin, il fit mine de rire sans raison et demanda qu'on lui présente l'architecte de tant de merveilles, car il était prêt, disait-il, à lui faire un pont d'or pour le ramener à Séville. Lorenzino rit aussi, parce que l'étiquette l'exigeait, mais il n'avait pas oublié comment lui-même, pour complaire à son maître, avait dépossédé Florence de son plus grand sculpteur, jadis, pour l'amener en Andalousie. (En fait, celui-ci était déjà parti à Rome, mais de cela, il ne voulut pas se souvenir.)

Le vieux Michelangelo, d'ailleurs, vivait encore ; il dessinait des plans dans son atelier de Séville, qu'Atahualpa aimait visiter, à la tombée du soir. Mais le Lorenzino que celui-ci avait connu n'était plus. Désormais, le duc de Florence se faisait appeler Lorenzo. C'était un homme dans la force de l'âge qui gouvernait avec sagesse et fermeté. Sa femme, la duchesse Quispe Sisa, passait pour la plus grande merveille de toute la Toscane, et lui avait donné deux beaux enfants qu'il adorait. Sa cité était bien le joyau dont tout le Cinquième Quartier louait l'éclat. Il avait fait la paix avec Rome et Gênes. Il en imposait jusqu'à Vienne, capitale du royaume de Ferdinand. Les plus grands artistes de l'Empire se pressaient à sa cour.

En un mot, Lorenzo de Médicis régnait. Or, l'ambition du pouvoir ne souffre pas d'égal, ni même de second. Atahualpa fut-il jaloux ? Voulut-il rasseoir une autorité qu'il estimait contestée par les splendeurs de Florence ? Voulut-il humilier son vassal pour lui faire payer les fastes dont celui-ci faisait étalage ? Si tel était le cas, alors sa conduite fut à blâmer. Ou bien fit-il simplement valoir ses prérogatives ancestrales ? Mais les mœurs du Cinquième Quartier différaient de celles de Tahuantinsuyu, et l'empereur, plus qu'aucun autre, aurait dû en tenir compte.

À son tour, il fut frappé par la beauté de sa sœur. Celle-ci avait les hanches larges, la poitrine souple, le teint hâlé, la peau jeune. L'ovale de son visage était souligné par sa chevelure noire qu'elle laissait tomber sur ses épaules nues, imitée en cela par les nobles italiennes, et jusqu'aux femmes du peuple, qui voulaient toutes copier ses façons. Elle enflamma les sens de son frère comme on raconte qu'ils ne l'avaient été depuis que, sur leur navire de fortune en route pour Lisbonne, il avait connu la princesse Higuénamota. Il alla réclamer sa sœur auprès du duc. Mais celui-ci n'était guère enclin à céder sa femme, fût-ce à l'empereur. Toutefois, Lorenzo savait qu'on ne refusait rien à l'Inca. Sans doute Quispe Sisa elle-même y eût-elle été disposée, et aurait considéré la demande de son frère comme un honneur.

Lorenzo, alors, eut recours à la ruse et la dissimulation. Il feignit d'accepter de bonne grâce la requête d'Atahualpa, allant jusqu'à prétendre en être flatté. Mais il trouva des prétextes pour en ajourner l'accomplissement : sa femme était indisposée, ou bien elle souhaitait se préparer du mieux possible pour recevoir son seigneur et frère. Elle devait jeûner davantage. Elle attendait du Portugal des essences rares venues des Indes dont elle voulait se parfumer. Les meilleurs tisserands de la ville assemblaient pour elle une parure qui soit digne d'une telle occasion, et qui nécessitait d'être cousue avec le fil d'or le plus fin.

Pendant ce temps, Lorenzo s'entretenait en secret avec l'une des plus riches familles de Florence, vieille rivale des Médicis, les Strozzi, qui aspiraient au retour à la République. (J'ai déjà mentionné cette forme de gouvernement original où un groupe de nobles se partagent le pouvoir et choisissent leur souverain, comme c'est le cas avec le doge de Venise ou celui de Gênes.)

Que promit-il aux Strozzi ? Quel serment insensé scella cet accord ? De quel appui pouvaient-ils se prévaloir ? Venise ? Peut-être. Ferdinand ? C'est peu probable. Qu'auraient-ils attendu de l'oppresseur d'hier, sinon la promesse d'une nouvelle tyrannie ? Le jeune Lorenzino s'était tourné vers l'Inca précisément pour chasser son cousin Alexandre, créature des Habsbourg. Le pape, alors ? Cela était plus vraisemblable. Le chef des adorateurs du dieu cloué avait avalisé à contrecœur le couronnement d'Atahualpa, et s'inquiétait des conversions croissantes qu'enregistrait la religion du Soleil. De plus, il était coutumier de machinations semblables : n'avait-il pas tenté, depuis Rome, de faire assassiner Doria, à Gênes, peu auparavant ?

Lorenzo tenait ce discours aux Strozzi, aux Ricci, aux Rucellai, aux Valori, aux Acciaiuoli, aux Guicciardini, et même aux Pazzi et aux Albizzi, qui avaient toutes les raisons de haïr sa famille : « Le temps qui passe, nul n'ignore qu'il n'a jamais suffi à effacer le regret de la liberté ; maintes fois l'on apprend qu'elle vient de ressusciter en telle ou telle cité, par l'œuvre de citoyens qui n'y avaient jamais goûté, ou qui ne l'aimaient que par la souvenance de leurs pères, et qui, l'ayant ainsi recouvrée, la défendent obstinément envers et contre tout ; et quand ce ne sont pas leurs pères qui la leur remémorent, ce sont les palais publics, ce sont les sièges des magistratures, ce sont les emblèmes des libres institutions, toutes choses que les bons citoyens doivent observer avec le soin le plus constant. »

En vérité, les intentions politiques de Lorenzo étaient peu claires, car l'homme semblait mû davantage par des motifs personnels. Sa détermination, cependant, n'était pas moins sans faille. À ceux qui hésitaient, il disait que c'était pusillanimité de se détourner d'une glorieuse entreprise parce que l'issue était douteuse.

Bientôt, l'effervescence provoquée par les projets du duc rebelle fut cause que ceux-ci s'ébruitèrent.

Des rumeurs de complot parvinrent aux espions de Ruminahui, qui tenta d'avertir son maître, mais celui-ci n'en voulut tenir aucun compte. Peut-être, si Chalco Chimac avait été présent, l'eût-il persuadé du danger, car l'intrigue et les complots étaient son domaine, non celui du vieux général à l'œil de pierre. Mais peut-être Atahualpa était-il simplement las, d'une lassitude qui vous fait abdiquer la prudence, l'attention aux signes, l'instinct de vivre des animaux. Peut-être l'Inca, conquérant du Nouveau Monde, empereur du Cinquième Quartier, avait-il senti que sa mission sur terre était achevée, et qu'il convenait d'y mettre un terme, d'une manière ou d'une autre. Sans doute l'homme qui avait eu un destin plus grand que le grand Pachacutec aspirait-il au repos. Songeait-il à une retraite ensoleillée dans un endroit paisible, entouré d'orangers, de peintures, de feuilles qui parlent et de femmes choisies, où il aurait fumé la cohiba en consignant ses souvenirs ? Nous ne le saurons jamais.

Pendant neuf jours, les festivités se poursuivirent.

Des joutes avaient lieu sur la place Santa Croce,

puis on sacrifiait quantité de petits lamas blancs qu'on faisait rôtir à la broche, et le peuple banquetait avec les grands, au milieu des danses et des chansons.

La nuit, des messagers du Soleil couraient les rues en faisant tournoyer leurs torches comme des frondes, puis devaient les jeter dans le fleuve Arno, afin que le courant emportât jusqu'à la mer les maux qu'ils avaient chassés de leurs maisons et de leur cité.

Au matin, les habitants se retrouvaient à la messe après quelques heures de sommeil. La religion du dieu cloué était encore très pratiquée à Florence, qui possédait le temple le plus formidable de tout le Cinquième Quartier. C'était un édifice de marbre blanc qui s'élevait jusqu'au ciel et qui semblait avoir été taillé comme un bijou gigantesque par les meilleurs orfèvres de Lambayeque. Atahualpa avait assisté à la messe au lendemain de son arrivée mais s'en dispensait depuis, laissant Ruminahui le représenter dans ces cérémonies solennelles, dont on sait quelle importance elles revêtaient aux yeux des Levantins, spécialement en Italie. Le vieux général s'acquittait de sa tâche avec application, sinon avec entrain.

La duchesse Quispe Sisa, quant à elle, avait l'habitude de s'y montrer, pour le plus grand plaisir des Florentins qui venaient l'y admirer, mais la succession des fêtes organisées pour la venue de l'empereur la rendit moins assidue, les fatigues de la nuit lui faisant préférer les chimères du sommeil aux contes du dieu cloué.

Comme il était de petite taille et malingre, le duc ne se voyait pas tout seul venir à bout d'Atahualpa, auquel il rendait une tête, et qui était remarquablement proportionné. Or, il avait à son service un yana très dévoué, connu sous le nom de Scoronconcolo, qui remplissait pour lui les missions les plus délicates. Le duc lui demanda s'il était prêt à le venger d'un grand ennemi, sans lui dévoiler la nature de son projet, et l'on raconte que l'homme répondit : « Oui, monsieur, fût-ce contre l'empereur lui-même. » Alors Lorenzo échafauda la machination suivante : il attirerait Atahualpa dans sa chambre, le matin, pendant la messe, en lui assurant que sa sœur l'y attendrait, où ce serait en réalité son homme de main qu'il trouverait caché derrière la porte, ceci afin de l'occire. Au même moment, ses acolytes poignarderaient Ruminahui dans le grand temple, comptant sur la foule et l'agitation pour s'enfuir. (En saluant le vieux général, Lorenzo lui avait passé la main sur la poitrine, feignant des effusions de joie, pour s'assurer qu'il ne portait pas de cuirasse ou de cotte de mailles sous sa mante.) Puis on se retrouverait à la Seigneurie, qui était le château de pierre où siégeait le gouvernement, d'où l'on appellerait les habitants à se soulever contre la tyrannie impériale, et Lorenzo proclamerait le retour à la République.

Ainsi fut fait : pendant le banquet du soir qui succédait aux joutes de Santa Croce, Lorenzo chuchota à Atahualpa le lieu et l'heure où il pourrait rejoindre la duchesse. Il n'aurait qu'à se présenter au palais des Médicis, à l'heure de la messe, et le duc le conduirait lui-même dans la chambre où Quispe Sisa les attendrait. L'empereur, qui désirait cette nouvelle, la crut facilement. Il passa le reste de la soirée à badiner avec sa sœur, mais sans que jamais aucun des deux évoquât leur rendez-vous à venir – Quispe Sisa parce qu'elle en ignorait tout, Atahualpa par galanterie.

Ce soir-là, le banquet avait lieu dans un palais immense que les Médicis venaient d'acquérir, sur les hauteurs de l'Oltrarno, qui est un quartier de Florence où ils avaient élu résidence. Lorsque la duchesse prit congé, elle alla se coucher dans ses nouveaux appartements, plutôt que de retraverser la ville pour regagner le vieux palais des Médicis où elle avait encore sa chambre. De cela, le duc se garda bien d'informer Atahualpa, afin que celui-ci, le lendemain, ne trouvât personne derrière la porte de la chambre, sinon la mort.

La fête s'éteignait. Les derniers témoins virent l'empereur remonter les jardins du palais jusqu'à la forteresse du Belvédère qui dominait la campagne toscane. Il resta un moment sur les remparts, seul, à admirer le lever du soleil. La silhouette des pins se mêlait aux tours crénelées qui découpaient le ciel à la crête des collines.

Les matins qui succédaient à des festivités aussi considérables rendaient à la ville un goût de vase. Atahualpa regagnait le palais de la Seigneurie où il était logé, en vue de s'apprêter pour son rendez-vous. Il avait souhaité rentrer à pied, avec une escorte réduite, pour goûter aux fraîcheurs de l'aube. Il franchit le Vieux Pont qui commençait à s'animer, enjamba des corps d'habitants ivres affalés dans les ruisseaux, évita, par réflexe davantage que par superstition, les flambeaux éteints qui avaient servi à bannir les maux de la cité et qui, n'ayant pas trouvé le chemin du fleuve, jonchaient encore les rues.

À l'heure dite, il se présenta, vêtu d'une mante d'alpaga serrée au corps, à la porte du palais des Médicis, qu'il reconnut à son emblème particulier :

cinq boules rouges surmontées d'une boule bleue. Le duc vint lui ouvrir en personne. Atahualpa congédia ses gens. Ils franchirent un jardin d'orangers peuplé de statues antiques, puis une cour intérieure aux arcades finement ouvragées, montèrent ensemble l'escalier de pierre qui menait aux appartements privés, traversèrent une petite chapelle entièrement tapissée de scènes de chasse – Lorenzo raconta par la suite que l'empereur s'était attardé devant l'un des panneaux, et lui avait demandé le nom de certains animaux qui y étaient représentés. Puis ils passèrent plusieurs salles en enfilade jusqu'à la chambre du duc. Celui-ci frappa trois coups discrets, et s'effaça pour laisser passer l'empereur.

Les rideaux étaient tirés, si bien que la chambre était plongée dans le noir. On y distinguait à peine le lit, et peut-être une forme sous les draps, arrangée avec des coussins : c'était là suffisant pour aiguillonner le désir d'Atahualpa, qui s'avança. Le lit était vide tandis que, derrière la porte, attendait l'homme du duc, une dague à la main.

Il voulut frapper à la gorge, mais il faisait si sombre qu'il dut viser au jugé, et la lame ne fit qu'entrer dans l'épaule. Atahualpa poussa un cri et, faisant volte-face, sauta sur son assaillant. Scoronconcolo lui larda les flancs de coups de couteau mais l'empereur était d'une constitution remarquable et l'aurait étranglé de ses mains si Lorenzo n'était intervenu. Le duc, qui n'y voyait rien, dut d'abord tirer les rideaux. Le soleil entra dans la pièce, découvrant la lutte furieuse des deux hommes qui avaient roulé par terre. Atahualpa était en passe de prendre le dessus, quand le duc, qui s'était armé d'un poignard, le lui planta dans le dos jusqu'à la garde. L'empereur eut la force de se retourner pour voir son assassin. « C'est toi, Laurent ? » furent ses dernières paroles, mais son corps, quoique percé de toutes parts, répondait encore. Il rugit en se jetant sur le duc, le mordit au pouce, et s'effondra sur lui.

Ainsi mourut l'empereur Atahualpa.

Au même instant débutait la messe dans le grand temple de marbre, mais Ruminahui n'y était pas. Les conjurés qui étaient venus le poignarder en furent désemparés. Pendant que le prêtre parlait à la foule en son langage savant, ils délibéraient sur la conduite à tenir. Lorsque les chants de leurs coreligionnaires s'élevèrent sous le dôme, ils décidèrent de se rendre à la Seigneurie. Ils furent payés de cette inspiration car le général s'y trouvait pour examiner quelque affaire. (On lui avait signalé des mouvements de troupes suspects autour de Pise et d'Arezzo, qui étaient des villes des environs.) Ils demandèrent à être reçus d'urgence, et Ruminahui leur accorda audience dans la vaste salle des Cinq Cents, où se réunissait naguère le Conseil au grand complet, au milieu des statues qui, presque toutes, hormis celle du petit roi David, représentaient des scènes de corps à corps bestial. Étaient présents les sénateurs Baccio Valori, Niccolò Acciaiuoli, Francesco Guicciardini, Filipo Strozzi, ainsi qu'un membre de la famille Pazzi. Ils entouraient le général, mais n'osaient passer à l'acte à cause des gardes qui se tenaient aux portes de la salle, et qui n'avaient pas été mis dans la confidence, ce qui rendait leur réaction imprévisible. Ne sachant que faire, les sénateurs s'employaient à ne pas éveiller les soupçons du général, en faisant mine de l'avertir qu'une rébellion militaire se fomentait dans la Toscane, avec l'appui de Rome, ce qui était d'ailleurs la vérité. (Ils omettaient seulement de dire qu'ils en étaient les instigateurs.)

Ils tournaient autour du général comme des oiseaux de proie irrésolus, lorsque Quispe Sisa fit son apparition dans une robe de soie blanche. Elle s'était étonnée, à son réveil, de ne trouver ni son mari ni son frère au palais Pitti. Elle s'était alors rendue au Dôme, puis, ne les y voyant pas, à la Seigneurie.

Où était Lorenzo ? Où était l'empereur ? À ces deux questions, les sénateurs ne pouvaient bien évidemment pas répondre, alors ils affectaient un air étonné, comme s'ils découvraient leur absence. Ruminahui ne connaissait pas ces hommes, et ne parlait pas l'italien, mais la duchesse les connaissait bien. Elle décela dans leur comportement quelque chose d'étrange, d'équivoque, qui n'était pas qu'un embarras protocolaire. Elle les observait qui bredouillaient, voyait qu'ils hésitaient, et reconnut derrière leur trouble les signes de la peur.

Du dehors leur parvint une rumeur. Les cinq sénateurs, la duchesse, le général écoutèrent cette rumeur qui grossissait, contrastant avec le silence de mort qui régnait maintenant dans la salle du Conseil.

Quispe Sisa dit quelque chose en quechua au général.

On entendit des émeutiers réclamer la République au nom des Médicis.

La nouvelle de la mort d'Atahualpa commençait à se répandre. Elle atteignit la salle des Cinq Cents. La duchesse pâlit. Encouragés par la réussite de Lorenzo, les sénateurs s'enhardirent et voulurent sortir leurs poignards, mais Ruminahui était sur ses gardes. Le géant inca tira de sa ceinture sa hache et son marteau. Il fendit le crâne du premier assaillant, éborgna le deuxième, estourbit les trois autres et les fit arrêter par les gardes.

Dehors, les émeutiers, guidés par les Rucellai et les Albizzi, tambourinaient aux portes du château. Ruminahui ordonna qu'on les fît barricader. L'un des meneurs, peut-être Léon Strozzi, le fils du sénateur, car sa voix était jeune et emportée, prit la parole. Il ordonnait aux Incas de se rendre, au nom de la liberté. L'empereur était mort. Ses troupes étaient inférieures en nombre. La République était proclamée.

Les coups de boutoir redoublaient sur les portes.

Lorenzo ne s'était pas montré mais la foule l'acclamait. « Vive le duc ! Vive la République ! » pouvait-on entendre. Quispe Sisa connaissait les mœurs des Florentins, et des Médicis les premiers. Elle ne doutait pas que Lorenzo et ses complices avaient fomenté le soulèvement. Sans doute la plupart des émeutiers qui criaient dehors avaient-ils été subornés. Le fils Strozzi exigeait qu'on leur livre Ruminahui. Les conjurés avaient pensé que, Atahualpa tué, il ne leur restait qu'à arrêter son général pour se rendre maîtres de la situation.

L'erreur de Lorenzo fut de ne pas venir en personne place de la Seigneurie. Se fût-il montré au peuple, à cet instant, qu'il aurait rallié tout Florence, la Toscane et l'Italie jusqu'à Naples. Mais peut-être s'étonna-t-il d'abord de n'entendre nulle clameur venir du temple où Ruminahui aurait dû se faire poignarder. Il voulut attendre, sans doute, d'être informé de la tournure que prenaient les événements, et qu'on sonde pour lui les réactions des Florentins afin de savoir s'il avait le soutien du peuple. Il lui manqua l'audace dont il avait fait preuve en tuant l'empereur pour retirer les bénéfices de son meurtre.

Pourtant, une foule formidable s'était massée devant la Seigneurie.

Ruminahui réfléchissait. Il connaissait l'existence du passage qui reliait le château à l'autre rive du fleuve, et proposa à la duchesse de l'emprunter sans attendre. De là, ils fuiraient la ville, qui était perdue de toute façon, et galoperaient jusqu'à Milan, où ils pourraient préparer une riposte. Ou bien, si elle le souhaitait, elle pouvait rester auprès de son mari. Il comprenait le conflit de loyauté auquel la duchesse était soumise. Mais quelle que soit sa décision, elle devait la prendre sans attendre.

Quispe Sisa désigna les cinq sénateurs qui gisaient sur le sol, dont deux étaient déjà morts, et dit au général, en castillan, pour que tous la comprennent : « Pends-les aux remparts. » Les trois blessés lui jetèrent un regard incrédule. « Maintenant. »

Les factieux furent jetés du haut de la tour au bout d'une corde. La foule poussa un cri de stupeur. Puis Quispe Sisa fit son apparition au balcon, dans sa robe blanche. Le silence s'était abattu sur la place. Tous les yeux étaient braqués sur elle.

« Florence ! » cria-t-elle, et le souffle rauque de sa voix surprit ceux qui étaient présents, venant d'une silhouette aussi gracieuse.

« Florence ! Voici ceux qui veulent ta perte ! dit-elle en montrant les corps qui se balançaient. Regarde leur visage : c'est celui de la trahison.

Regarde leurs beaux vêtements : c'est le prix de ta sueur et de ton sang. Que voulaient-ils, ces traîtres ? Quitter l'Empire. Pourquoi ? Pour exercer librement leur tyrannie sur le peuple. Songe bien, Florence, que renoncer à l'Empire, c'est renoncer à ses lois. Veux-tu revenir aux temps anciens, quand une poignée de familles suçaient ta moelle ? Veux-tu le retour de ces ennemis du peuple ? Veux-tu la fin des magasins publics ? Où prendras-tu ton pain à la prochaine disette ? Où étaient-ils, ces traîtres, au temps de la peste ? Où étaient leurs hospices pour tes malades ? Qu'ont-ils jamais fait pour tes vieillards et tes enfants ? Prends garde, Florence, à ne pas te laisser griser par les mots creux de ces mangeurs de chair humaine. J'apprends que l'empereur est mort, assassiné par le duc ? Si c'est vrai, alors je compte le duc parmi les traîtres, et j'offre quatre mille florins à quiconque me le rapportera vivant, afin qu'il soit jugé. Et j'en offre mille à qui me rapportera la tête de ses complices ! » Et ce disant, elle désigna le fils Strozzi et les Rucellai qu'elle avait repérés dans la foule. Un brouhaha confus parcourut la place. La duchesse continua sa harangue : « Car si mon frère est mort, que personne, ici, ne s'y trompe ! C'est Florence qu'on tue. Florence, vis ! Lève-toi ! Joyau de l'Empire, ne permets pas le retour de ces tyrans cupides ! Vive la loi ! Vive la Toscane ! Vive Florence ! » À ces mots, un rayon de soleil perça les nuages. Alors la duchesse, levant les bras au ciel, lança son ultime exhortation : « Vive l'Empire du Soleil ! Vive le peuple, et mort aux traîtres ! »

La foule, ainsi galvanisée, rugit et se souleva comme une vague. Les Rucellai et les Albizzi furent mis en pièces, et seul le fils Strozzi parvint à en réchapper, en se frayant un chemin vers l'Arno à coups d'épée.

Voyant qu'elle avait renversé la balance, Quispe Sisa rentra, satisfaite, et dit à Ruminahui : « Va chercher les secours à Milan. »

La nouvelle du meurtre d'Atahualpa leur fut confirmée vers midi. Quispe Sisa écrivit une lettre à Coya Asarpay, qu'elle confia à son meilleur chaski, pour l'informer sans délai de la situation, afin que la Coya puisse préparer la succession à venir pour son fils, le futur Sapa Inca Charles Capac.

Lorenzo prit la fuite. On dit que sa femme lui fournit elle-même un cheval et donna l'ordre secrètement qu'on lui ouvre les portes de la ville. Il partit se réfugier à Venise, où il fut assassiné par des espions de Chalco Chimac, qui jetèrent son corps dans la lagune. (Il existe un tableau représentant cette scène, du fameux peintre Véronèse.)

Quizquiz fut envoyé en Italie à la tête d'une grande armée pour pacifier la Toscane, et se prémunir contre les attaques de Rome. Il s'empara de la ville de Bologne, qui appartenait au pape, et s'y installa. Il en devint le gouverneur, puis le duc d'Émilie et de Romagne, qui étaient deux régions d'Italie, d'où il exerça un grand pouvoir sur ce pays, et put ainsi protéger Florence de toute nouvelle agression. Il épousa Catherine de Médicis, qui était la veuve d'Henri, fils de François Ier, laquelle lui donna neuf enfants.

Le corps d'Atahualpa fut embaumé et ramené en Andalousie. Ses funérailles durèrent un an, selon la coutume des Incas. Sa momie trône désormais dans la cathédrale de Séville, aux côtés de son vieux rival Charles, et de leur femme Isabelle.

QUATRIÈME PARTIE

Les aventures de Cervantès

1. Des circonstances dans lesquelles le jeune Miguel de Cervantès sortit d'Espagne

En un quartier de Madrid du nom duquel je ne veux me souvenir demeurait, il n'y a pas longtemps, un maçon, de ceux qui sont fils de laboureur, dotés d'une jeune épouse tant belle que gaillarde, et si bien enrichis qu'ils ont l'alguazil, le sergent et l'alcade dans la poche.

Or, il advint que ce maçon eut maille à partir avec un jeune homme de son voisinage, qui répondait au beau nom de Miguel de Cervantès Saavedra. Le garçon, qui n'avait pas vingt-cinq ans, était de belle apparence, de bonne éducation, épris de poésie, la tête un peu trop farcie des pièces de Lope de Rueda et cependant, de l'avis de tous ceux qui l'ont connu, quoiqu'il fût un peu bègue, il enchantait immanquablement quiconque l'approchait.

On raconte que le maçon trouva un jour le jeune homme en compagnie de sa femme, dans quelque étable ou écurie des environs. Jusqu'à quel point leurs jeux inoffensifs étaient parvenus, l'histoire ne le dit pas, encore que par conjectures vraisemblables, on pense qu'ils étaient assez avancés ; mais cela importe peu à notre conte : il suffit qu'en la narration d'icelui on ne sorte un seul point de la vérité.

Il faut donc savoir que le jeune homme blessa le maçon, lors d'un duel qui eut lieu sans doute sous les arcades de la Plaza Major.

Le jeune Miguel, qui savait l'entregent du maçon, quitta la ville pour ne pas s'exposer aux foudres d'une justice dont il connaissait la propension à balancer du côté du plus riche. Aussi alla-t-il trouver refuge dans une hôtellerie de la Manche, où il logea en une soupente qui montrait de clairs indices d'avoir autrefois servi de grenier à paille pendant plusieurs années. Bien lui en prit, car peu après lui parvinrent de Madrid les nouvelles de sa sentence : il avait été jugé par défaut à avoir la main droite publiquement tranchée, et en outre à être banni pour dix ans de l'Empire.

Ainsi Miguel n'eut plus d'autre dessein que de sortir d'Espagne au plus vite, ce afin d'échapper au châtiment cruel qu'on lui promettait. Il demeura encore quelques jours caché dans son grenier, où une servante obligeante venait le ravitailler à la nuit tombée, puis s'en alla avec un groupe de six pèlerins qui se rendaient à Wittenberg, désireux de voir les portes de l'église où l'on avait naguère cloué les fameuses thèses du Soleil. Ceux-ci l'accueillirent volontiers dans leur compagnie, avisant sa bonne figure et ne doutant pas qu'il saurait en tirer pour le moins un réal d'argent d'aumône à chaque petit bourg qu'ils traverseraient. Sitôt qu'il se fut confectionné un bourdon à double pommeau et une besace en croûte de porc, dans laquelle la servante qui l'aimait bien lui fourra un pain, un fromage et des olives, avec une bouteille de vin pour la soif, ils partirent vers le nord, en direction de Saragosse.

Les nombreux livres qu'il avait, il les réduisit à un livre d'heures de Notre-Dame et à un Garcilaso sans commentaires qu'il portait dans ses deux poches.

Les pèlerins avaient projeté de traverser la France pour gagner l'Allemagne mais, dans une auberge où ils avaient fait halte, en chemin pour Saragosse, on leur assura que c'était grande folie, en raison des troubles qui agitaient la Navarre et une partie de l'Occitanie, où l'on se rebellait contre la couronne mexicaine.

Sans plus chercher à passer par Saragosse, ils se déroutèrent alors vers Barcelone, où ils se mirent en quête d'un bateau leur permettant de contourner la voie de terre qui leur était barrée. Finalement, ils trouvèrent un knörr qui se rendait à Florence, avec sa cargaison de vin, et la conséquence en fut qu'autant que dura la traversée, celle-ci fut joyeuse, car ils levèrent le coude tout du long, et c'est d'un pied mal assuré et chancelant qu'ils débarquèrent sur le sol d'Italie. Le jeune Miguel ignorait alors qu'il reprendrait la mer sous peu, et dans quelles circonstances.

2. De la rencontre du jeune Cervantès avec le Grec Domenikos Theotokopoulos qui le mena à Venise

Florence était alors gouvernée par le grand-duc Cosimo Hualpa de Médicis, fils aîné de la sans pareille Quispe Sispa et du régicide Lorenzaccio. Or, si le grand-duc jouissait d'une relative liberté pour son gouvernement, la ville et toute la Toscane dont il avait la charge n'en étaient pas moins partie du Cinquième Quartier, d'où Miguel était désormais banni pour dix années, et sous la menace constante de se voir privé de sa main droite. Il songea se rendre à Rome pour y chercher refuge, mais la rumeur de mouvements de troupes vers la ville sainte dont on disait qu'elle était en état de siège le dissuada de s'engager dans une telle entreprise. Il préféra suivre ses amis pèlerins jusqu'à Bologne, où régnait également un Médicis, le duc Enrico Yupanqui, conseillé par sa mère Catherine, veuve du grand général Quizquiz, puis à Milan, qui était encore terre impériale. De là, il gagnerait la Suisse avec eux, où il espérait enfin se mettre à l'abri des sévérités de la justice, pour couler des jours plus tranquilles à Genève, Bâle ou Zurich.

La fortune, cependant, en décida autrement. Il arriva en effet qu'ils rencontrèrent, aux abords de Côme, une patrouille de Quiténiens, venus peupler le nord de l'Italie, ceci afin de contrôler qui entrait et qui sortait du Cinquième Quartier. Quoique la concorde régnât sous le règne de l'empereur Charles Capac, ils étaient nombreux parmi les vieux chrétiens à refuser de cohabiter avec les fils du Soleil, et encore moins étaient-ils disposés à vivre sous leur domination, si bien que certains parmi eux cherchaient à gagner qui Rome, qui Venise, qui Vienne (et même, pour quelques-uns, Constantinople, arguant qu'ils préféraient encore la loi de Mahomet à celle des païens du Ponant, car le Turc, au moins, ne reconnaissait qu'un seul dieu).

Ses amis les pèlerins étaient de longue date convertis à l'intisme, et portaient autour du cou le petit soleil en or qui attestait leur religion, si bien qu'ils n'eurent aucune peine à justifier leur destination. Mais la fatale destinée, laquelle guide, assaisonne, et compose tout à sa fantaisie, ne voulut pas qu'il en fût ainsi pour le jeune Miguel, sur qui l'on s'étonna de ne pas trouver de petit soleil accroché autour du cou, et encore plus de découvrir dans ses poches un livre d'heures de Notre-Dame qui s'accordait mal, il fallut bien en convenir, avec son prétendu projet de pèlerinage au temple du Soleil de Wittenberg. Comme par ailleurs il ne pouvait fournir aucune attestation ou recommandation concernant le motif de son voyage ou même seulement son identité, on le prit pour un vieux chrétien réfractaire qui cherchait à rejoindre Vienne par la Suisse, et on le renvoya à Milan, les fers aux pieds.

De Milan, il prit la route de Gênes, enchaîné à d'autres forçats qui devaient être envoyés aux galères, et lui devait être ramené en Espagne par le premier bateau pour que la justice puisse y éclaircir son cas.

Ils étaient ainsi douze hommes à pied, enfilés comme des graines de patenôtre en une grande chaîne autour du cou, et qui avaient tous des menottes aux mains. Il venait aussi avec eux deux hommes à cheval et deux à pied. Ceux qui étaient à cheval avaient des escopettes à rouet, et ceux qui étaient à pied étaient armés de piques et d'épées.

Le jeune Miguel, dont les chairs étaient cruellement blessées par les fers, l'était encore plus dans son âme et se désespérait de son mauvais sort, quand la petite troupe croisa un homme qui venait à leur rencontre. Il était jeune et assez bien mis, quoique de simple apparence, portant fraise et barbe bien taillée, tête nue, tout vêtu de noir, avec gourde et coutelas qui pendaient à sa ceinture. Arrivé à la hauteur de la troupe, il voulut savoir quels étaient les crimes des malheureux qu'il voyait ainsi enferrés et interrogea, de manière fort courtoise, ceux qui en avaient la garde. L'un de ceux qui étaient à cheval lui répondit que c'étaient des forçats de Sa Majesté l'empereur et qu'il n'avait rien que cela à dire, et lui n'avait que faire d'en savoir davantage. Cependant, comme l'homme à la fraise insistait, en faisant preuve de toute la courtoisie possible, avec un accent qui fit savoir à Miguel qu'il n'était pas italien, l'autre garde lui dit qu'il ferait aussi bien de leur demander à eux-mêmes, car ils le lui diraient s'ils voulaient.

Ils confessèrent des crimes horribles, ou bien firent pitié en laissant croire à leur innocence, ou encore firent rire tant ils s'y étaient mal pris pour leur affaire ; un seul, qui avait plus de chaînes, suscita l'admiration générale, en plus de la crainte, par le récit de ses exploits terrifiants, que je vous conterai peut-être quelque autre jour. Mais quand vint le tour de Miguel, celui-ci, abattu par sa mauvaise fortune, ne sut que bégayer, si bien que personne ne comprit goutte à son histoire, mais tous, suspendus à ses lèvres, se sentirent émus par le pauvre jeune homme, autant pour sa mine lamentable que parce que l'on supposait qu'il fallait que son cas soit bien triste pour ne pouvoir ainsi sortir de sa bouche qu'en saccades et bredouillages.

Alors, profitant que l'attention générale s'était portée sur le jeune Miguel en larmes, l'homme à la fraise s'écria : « N'importent leurs crimes, ce sont des enfants de Dieu ! » Et dans le même temps, il attrapa la botte du premier cavalier, qu'il renversa et fit s'affaler face contre terre, puis, avec une célérité qui stupéfia tous les témoins de la scène, il tira son coutelas de sa ceinture et le lui planta dans la poitrine. Les autres gardes demeurèrent étonnés, indécis, de cette action inopinée ; mais reprenant leurs esprits, celui qui était à cheval mit la main à son escopette, et ceux de pied à leurs piques, et assaillirent l'homme à la fraise ; cependant que celui-ci avait déjà ramassé l'escopette du premier cavalier, il déchargea sur celui qui le visait avec la sienne, le couchant sur le sol, où il s'effondra en râlant. Il restait encore les deux gardes à pied, armés de leurs piques, face auxquels l'homme à la fraise n'avait plus que son couteau. Les forçats, voyant l'occasion qui se présentait de se mettre en liberté, tâchèrent de rompre la chaîne en laquelle ils étaient enfilés. Mais voyant qu'ils n'y parvenaient pas, celui qui était doublement enferré, nonobstant ses entraves, se jeta sur le garde le plus proche et l'étrangla avec ses chaînes. Le dernier garde fut promptement assommé, et c'est ainsi que tous recouvrèrent la liberté, une fois débarrassés de leurs liens.

L'homme à qui ils devaient cette providentielle amélioration de leur état se nommait Domenikos Theotokopoulos, il était grec, et se présentait comme un soldat du Christ. Il leur offrit de l'accompagner en terre chrétienne pour défendre la vraie foi, combattre l'usurpateur, et ainsi racheter leurs péchés pour le salut de leur âme. Celui qui était leur chef lui répondit : « Sois remercié, étranger, pour la faveur que tu nous fais de nous rendre à notre liberté, mais nous avons trop souffert de la servitude des fers pour nous abandonner volontairement à aucune autre, fût-ce le service du Ciel. Quant au rachat de notre âme, j'ai bien peur que trois vies n'y suffisent pas, tant longue est la liste de nos forfaits, que tu as entendue. Brigands nous sommes, et brigands nous mourrons. Notre seul honneur est de ne jamais nous soumettre à aucune loi ni autorité, si ce n'est celle des *bandoleros*, et, comme le dit l'adage de notre profession : il y a autant de lettres à un non qu'à un oui. » Sur ces paroles, le bandit s'inclina, ramassa l'escopette encore chargée, passa deux épées dans le ceinturon de l'un des gardes auquel il prit aussi sa veste et ses bottes, enfourcha le meilleur des deux chevaux qu'il éperonna aussitôt, et partit au galop. Les autres forçats s'éparpillèrent dans les collines sans demander leur reste. Il ne resta que le jeune Cervantès qui, seul, sans appui, fugitif et désormais recherché dans un pays étranger où il laissait un mort et deux blessés graves derrière lui, choisit de suivre son sauveur.

Le Grec semblait connaître le pays comme sa poche. Il savait comment déjouer les patrouilles, en évitant les routes les plus fréquentées, les bourgs les plus peuplés. Il refusa absolument de repasser par Bologne, préférant couper par les forêts, dormir sous les étoiles. Ils rallièrent ainsi Ancône, et s'embarquèrent pour Venise, cité qui, si le monde n'avait donné naissance à un Atahualpa, n'aurait jamais trouvé sa pareille : sans doute les voies impénétrables du Ciel donnèrent la grande Mexico, afin qu'à la grande Venise on pût opposer une sorte de rivale ! Ces deux fameuses cités se ressemblent par leurs rues, qui sont toutes d'eau : celle de l'Europe fait l'admiration du monde ancien, celle d'outre-mer, l'étonnement du nouveau.

3. De l'affaire la plus glorieuse que virent les siècles passés, le siècle présent et les siècles à venir, qui fut aussi la plus grande infortune du malheureux Cervantès

« Église ou mer, ou maison royale. » Le fameux capitaine Diego de Urbina, que les guerres et la destinée avaient mené de Guadalajara jusqu'à cette taverne vénitienne, où il vidait présentement quelques chopines en compagnie de son ami le Grec, s'adressait en ces termes au jeune Cervantès, attablé avec eux : « Il y a en notre Espagne un proverbe à mon avis fort véritable, comme tous le sont, parce que ce sont sentences brèves, tirées de la longue et discrète expérience ; et celui que je dis porte : *Iglesia o mar o casa real.* » Il s'interrompit pour boire une rasade de bière, et aussi pour que le jeune homme puisse se pénétrer de cette vérité profonde, mais comme celui-ci semblait ne pas comprendre, il prit sur lui d'expliquer : « Qui voudra valoir quelque chose et être riche, ou qu'il suive l'Église, ou qu'il navigue en exerçant le trafic des marchandises, ou bien qu'il entre dans la maison des rois pour les servir, car, comme l'on dit : "Mieux vaut miette de roi que faveur de seigneur." »

Miguel objecta que Maximilien n'était pas roi mais archiduc, ce qui lui valut la réprimande du Grec : « Ne blasphème pas ! Outre que Sa Majesté est roi de Hongrie, de Croatie et de Bohême, son oncle Charles Quint fut roi d'Espagne et saint empereur. Si Dieu le veut, son petit-fils le redeviendra. » Ce disant, il se signa et commanda une autre chopine.

Comme Miguel s'étonnait d'une telle ferveur catholique chez un Grec, dont on eût attendu davantage qu'il soit adepte des cultes byzantins ou mahométisants, Domenikos lui raconta comment il avait quitté son pays très jeune pour rejoindre l'Italie, Venise d'abord où il avait étudié la peinture, puis Rome où il était entré au service du cardinal Alexandre Farnèse, avant de rejoindre la Compagnie de Jésus, et, devenu un soldat du Christ, comment il allait espionner et recruter en territoire ennemi pour le compte du Seigneur.

Le capitaine, soit qu'il eût déjà entendu cette histoire à de trop nombreuses reprises, soit qu'il la jugeât hors de propos, s'impatienta et, après avoir fait apporter trois chopines supplémentaires, voulut revenir au motif de leur entrevue, qui était l'avenir du jeune Miguel : « Tu es jeune, il sera toujours temps pour toi de rejoindre l'Église plus tard. Puis ta situation ne se prête guère à faire le marchand : banni d'Espagne et du Cinquième Quartier, la route du Ponant t'est désormais fermée, et tu ne pourrais commercer ni avec Mexico ni avec Tahuantinsuyu. Il te reste donc la carrière la plus glorieuse, celle des armes. » Ce à quoi le Grec ajouta, pour finir de le convaincre : « Sans oublier la gloire de servir ton Dieu en combattant pour les derniers défenseurs de la Chrétienté, car je n'ai nul besoin d'attestation pour voir que tu es vieux chrétien, et que ton sang est pur. » Entendant ces belles paroles, le capitaine vida sa bière et tapa dans le dos de Domenikos Theotokopoulos en s'esclaffant. Et sur cet éclat de rire, sans plus songer aux paroles du forçat, Miguel dit oui.

Voilà donc comment Miguel de Cervantès Saavedra s'enrôla dans l'armée de l'archiduc Maximilien d'Autriche.

Tout d'abord, il connut l'aventure, et n'eut pas à le regretter.

Son régiment le porta en Pologne, en Suède, aux marches de l'Allemagne, partout où l'on se battait, où le nouvel empereur et l'ancien, ou plutôt leurs fils et petits-fils, se disputaient l'hégémonie de l'Europe. Il connut la vie de garnison, il s'aguerrit au combat. Mais c'est en Méditerranée qu'il allait prendre part aux événements qui décidèrent du sort du Vieux Monde.

Charles Capac, comme son père, avait toujours pris soin de ménager les catholiques, considérant qu'ils étaient les plus nombreux dans l'Empire, du moins en Espagne et en Italie, et par conséquent qu'il était préférable d'éviter, autant que possible, de les fâcher inutilement. Son père, d'ailleurs, n'avait pas manqué de le baptiser à sa naissance, et lui-même était donc officiellement membre de l'Église romaine, sans pouvoir naturellement prétendre au rang de vieux chrétien, ni à la pureté du sang que l'Inquisition, repliée à Rome, continuait à exiger des fidèles que, jadis, les rois catholiques lui avaient demandé d'encadrer, de vérifier et, le cas échéant, de châtier, par le feu, si nécessaire.

L'empereur n'était pas sans savoir que Rome complotait contre lui, et que Pie V était en contact régulier avec l'Autriche. Il tenait le vieillard, sous ses airs débonnaires, pour une vipère dont il devait se méfier. Cependant, la nouvelle d'une alliance de la ville sainte avec les Turcs le prit au dépourvu, tant il avait cru une telle chose impossible. Les rapports de ses espions, qu'il avait à Rome, comme ceux de la Sublime Porte qui rendaient compte à Gênes (et ceux-ci étaient les meilleurs de l'Empire) étaient pourtant formels : ils lui confirmaient la naissance de la Ligue du Livre (que certains historiens chrétiens nomment aussi Ligue de l'Écriture) qui représentait une menace terrible pour le Cinquième Quartier.

C'est la raison pour laquelle Charles Capac avait envoyé des troupes à Rome, afin que le pape renonce à cette alliance fort peu chrétienne.

Pie V, toutefois, ne l'entendit pas de cette oreille, et plutôt que de tomber aux mains de son impérial voisin, prit la fuite à bord d'un brigantin qui le conduisit en Grèce, où Sélim II lui assura asile et protection.

Furieux, Charles Capac décida que cette fuite de Rome valait abandon de charge et fit décréter la destitution du Saint-Père. Un conclave fut convoqué, à l'issue duquel Alexandre Octave de Médicis fut élu, qui prit le nom de Léon XI. Ce nouveau pape, est-il besoin de le dire, allait se montrer beaucoup plus conciliant avec l'empereur.

Pie V, cependant, n'ayant nulle intention de renoncer à son titre ni à sa charge, décréta, en accord avec Sélim, le transfert du Saint-Siège à Athènes, qui devint *de facto* la nouvelle Rome.

La Chrétienté se retrouvait donc, chose extraordinaire mais non inédite, avec deux saint-pères. C'était assurément un de trop, et Charles Capac prit prétexte de ce nouveau schisme pour engager une croisade à sa façon, dont le but avoué était de ramener Pie V dans une cage de fer, et dont les véritables motifs, à vrai dire à peine voilés, étaient d'étendre le Cinquième Quartier jusqu'en Grèce, de se rendre maître de la Méditerranée, bouter les Turcs hors d'Europe, et prendre Maximilien en tenaille.

Six mois plus tard, les deux armées les plus formidables que le monde ait jamais connues se faisaient face au beau milieu de la Méditerranée, dans le golfe de Lépante.

D'un côté, l'armada turque du *kapitan pacha*, la flotte vénitienne du vieux Sebastiano Venier, les forces austro-croates, auxquelles s'étaient adjoints les contingents d'Espagnols et de Romains en exil, emmenés respectivement par le fougueux marquis de Santa Cruz Álvaro de Bazán et Marc-Antoine Colonna.

De l'autre, l'armada hispano-inca dirigée par Inca Juan Maldonado, appuyée par la flotte franco-mexicaine de l'amiral Coligny, renforcée par la flotte portugaise, par les galères génoises de l'ingénieux Jean-André Doria, neveu du grand amiral, par celles toscanes de Philippe Strozzi, et surtout par les redoutables corsaires barbaresques du terrible Uchali Fartax, le Renégat teigneux.

En tout, près de cinq cents bâtiments, dont six galéasses vénitiennes, forteresses flottantes à la puissance de feu sans égal.

La bataille des quatre empires allait avoir lieu, et Miguel de Cervantès, sous les ordres du capitaine Diego de Urbina, en était. Le contingent des Espagnols réfractaires avait dû se mettre sous l'autorité du commandement vénitien, ce qui n'allait pas sans heurt. Mais le désir de se battre n'était chez nul autre plus fort que chez ceux-là.

Miguel eut la surprise de retrouver, sur la galère où il était embarqué, son ami le Grec, qu'il avait laissé à Venise il y a près d'un an. Qu'avait-il fait pendant tout ce temps ? En tout cas, il semblait impatient de se battre.

La nuit précédant la bataille, Miguel fut pris de fièvre, si bien qu'au matin, alors qu'il était encore brûlant, le capitaine Urbino vint lui dire qu'il resterait couché pendant l'assaut. Mais le jeune Cervantès, ayant pris goût à la camaraderie soldatesque, n'aurait manqué pour rien au monde au code d'honneur qu'il avait fait sien. Il se leva, ramassa ses armes, boucla son ceinturon, et monta sur le pont avec les autres, se frayant un passage jusqu'au poste le plus exposé.

Tous les chroniqueurs ont raconté cette bataille : le grand choc des vaisseaux s'éperonnant dans les flammes, le bois qui grince et craque et se brise comme les os, la bravoure des combattants, le fracas des armes, les assauts féroces, les hommes à la mer qu'on achève comme des thons, l'eau rougie par les flots de sang et l'odeur de la mort. Jean-André Doria n'était pas son oncle, et sans doute son caractère timoré, au moment de lancer l'assaut décisif, coûta la victoire à la coalition inca. Les galéasses vénitiennes, plantées dans la mer spacieuse, délivraient par milliers leurs flèches fatales dont la moindre pesait vingt livres de fonte. Coligny vit la tête du jeune Bourbon-Condé emportée par l'un de ces boulets. Toutes les galères portugaises furent prises ou envoyées par le fond. Maldonado dut battre en retraite. Mais l'Uchali, hardi et heureux corsaire, causait encore des pertes effroyables dans les rangs islamo-chrétiens.

La *Marquesa*, qui était la galère où était Cervantès, avait survécu aux assauts franco-mexicains mais, passant de Charybde à Scylla, se retrouvait maintenant sur la route de l'Uchali, lors que celui-ci serpentait, avec une habileté de démon, pour se sortir de l'étau dans lequel les chrétiens et les Turcs l'avaient enfermé.

Le roi d'Alger (car tel était son titre) venait de couler la galère capitane de Malte quand la *Marquesa* se jeta en travers pour lui barrer le passage ; le choc était inévitable, et la galère de Cervantès allait se faire couper en deux, s'offrant en sacrifice pour qu'on puisse prendre l'Uchali. Mais l'habileté du renégat dépassait les contes les plus merveilleux. Par un prodige de pilotage qu'aucun témoin n'est jusqu'ici parvenu à expliquer, il réussit à glisser sa galère le long du flanc de la *Marquesa*. Les coques frottèrent, un long craquement se fit entendre.

Alors, tandis que les deux bâtiments se croisaient bord à bord, le Grec sauta sur la galère ennemie, l'épée dans une main et le pistolet dans l'autre.

Il fut suivi par une douzaine d'hommes, aux cris de « Santiago ! » qu'ils poussèrent d'un cœur assuré, et Cervantès était de ceux-là. Mais, pour le malheur de ces braves, la galère barbaresque s'écarta de celle qui l'avait assaillie et empêcha que les autres ne les suivissent, si bien qu'ils se trouvaient seuls entre les ennemis, auxquels ne pouvant résister pour être en si grand nombre, ils furent contraints de se rendre tout couverts de blessures.

Le jeune Cervantès s'était fait la cible de tant d'arquebusades pendant le combat qu'il baignait dans son sang, touché à la poitrine et à la main.

Et comme vous avez entendu dire que l'Uchali se sauva avec toute son escadre, les survivants de cet assaut malheureux demeurèrent captifs en sa puissance.

Toutes les galères rescapées de la coalition inca se retrouvèrent à Messine, chargées de leurs blessés et en piteux état. Il n'y eut plus alors qu'à venir les cueillir et les couler au port, pour en finir une bonne fois. « Tous les Incas et leurs alliés qui y étaient tenaient déjà qu'on devait les investir dans le port, et avaient leurs hardes toutes prêtes, et leurs souliers, pour s'enfuir promptement par terre, sans attendre le combat, tant la peur qu'ils avaient conçue de notre flotte était grande ; mais le ciel en ordonna d'autre façon, non par la faute ou la négligence du général qui gouvernait les nôtres », rapporta le Grec, « mais pour les péchés de la Chrétienté et parce que Dieu veut et permet que nous ayons toujours des bourreaux qui nous châtient. »

Le mauvais temps, les pertes et les dégâts causés dans les rangs des chrétiens, le peu de volonté du Turc à poursuivre une guerre à l'ouest quand il avait à mater une révolte des Tartares de Crimée qui s'agitaient dans son dos furent cause de l'occasion que l'on perdit alors.

Ainsi le sort de l'Europe manqua basculer.

Lorsque Cervantès revint à lui, après plusieurs semaines de fièvre, il était pansé au torse d'une compresse de charpie, estropié de la main gauche sans espoir d'en recouvrer l'usage un jour, et captif au bagne d'Alger où l'Uchali l'avait emmené avec les autres prisonniers, Turcs et chrétiens mélangés.

4. *Suite des infortunes du jeune Cervantès*

Le roi d'Alger n'avait pas souhaité se séparer de ses prisonniers car il avait l'habitude de les monnayer contre rançon, ce qui avait sans doute sauvé la vie de Cervantès, qu'il avait épargné quand celui-ci était à moitié mort, mais ne lui offrait guère d'espoir de recouvrer la liberté, le jeune homme ne disposant d'aucune fortune, et, sa famille n'en disposant pas davantage, il n'avait personne vers qui se tourner pour payer le prix de sa libération.

Ses compagnons d'infortune et lui-même avaient voyagé à fond de cale, mais le Grec leur apprit qu'il y avait aussi un prisonnier qui avait passé tout le temps de la traversée dans les appartements de l'Uchali, de sorte que personne ne l'avait vu ni ne savait qui il était : on l'avait débarqué à part, et il n'était pas logé avec eux dans le bagne mais dans la maison d'un Maure dont les fenêtres ouvraient sur la cour de leur prison, lesquelles étaient, comme ordinairement sont celles des Maures, des trous plutôt que des fenêtres, et même on les couvrait avec des jalousies fort épaisses et serrées. Or, il advint que Cervantès et le Grec, étant un jour sur une terrasse de leur prison, dessinant sur le sol avec des craies qu'ils s'étaient procurées pour passer le temps, levèrent les yeux, et virent quelqu'un qui les observait derrière l'une de ces petites fenêtres.

Ils revinrent dessiner les jours suivants, et sentirent chaque fois une présence derrière la jalousie.

Puis, un matin, des gardes vinrent chercher le Grec, qu'ils ne ramenèrent qu'à la tombée du jour. À son retour, très agité, il raconta ceci à Cervantès : « La Providence, mon ami, nous offre peut-être le moyen de sortir de ce bagne ! Figure-toi que j'ai été emmené dans la maison voisine, où l'on m'a présenté l'homme de la fenêtre, qui est aussi le prisonnier de marque dont nous ignorions l'identité. Et pour cause ! Le croiras-tu, Miguel : c'est le Saint-Père en personne qui est détenu en cette demeure. »

Les hommes de l'Uchali s'étaient en effet rendus à Athènes, pendant qu'on se préparait à la bataille, et dans le plus grand secret, avaient enlevé Pie V, qu'ils avaient embarqué dans la galère du renégat.

L'Inca aurait payé cher pour mettre la main sur le pape qu'il avait destitué, mais l'Uchali, considérant que Vienne paierait encore davantage, n'avait pas cru bon d'informer ses alliés de sa prise.

« Sa Sainteté, poursuivit le Grec, m'a demandé s'il était vrai que j'avais été l'élève du Titien à Venise, et comme je répondais que c'était en effet la vérité, et que le maître n'avait pas eu lieu d'être mécontent de moi, elle m'a accordé la grâce et l'honneur de lui peindre son portrait. Écoute, Miguel, car le plus merveilleux est à venir ! Elle m'a promis qu'en échange de mes bons services, elle ferait payer ma rançon et m'emmènerait à Vienne avec elle, sitôt que l'or arriverait. Mais comme il n'est pas question que je t'abandonne, seul et sans ressources, dans cet enfer, ce qui serait peu chrétien, j'ai si bien abreuvé Sa Sainteté de supplices, jurant que je ne partirais pas sans mon camarade, de qui je me sentais une dette (car c'est moi, n'est-ce pas, qui t'ai entraîné dans cette aventure, toi que je considère désormais comme mon frère), que celle-ci a consenti à faire aussi payer ta rançon pour t'emmener avec nous. »

À ces mots, le jeune Miguel ne se sentit plus de joie, et les semaines qui suivirent se passèrent à attendre chaque après-midi le retour du Grec de la

maison du Maure, pour lui demander l'état d'avance-
ment du portrait.

Quand celui-ci fut achevé, au grand contentement du Saint-Père qui en fut très satisfait, car il le
représentait sous un air débonnaire qui dissimulait la
sévérité de ses manières et la sécheresse de son cœur,
il fallut encore attendre, parce que la somme exigée
pour le pape était à la hauteur de sa dignité, et atteignait un montant extraordinaire.

Néanmoins, Vienne paya, et l'or arriva enfin.

Une galère fut affrétée pour conduire le Saint-Père
à Venise, lequel embarqua avec son portrait, mais
sans le Grec ni Miguel.

S'était-il joué du peintre ? Les avait-il oubliés ?
Vienne avait-elle finalement refusé d'ajouter le prix
de leur rançon au montant extravagant qu'elle avait
dû rassembler pour celle du pape ? L'Uchali man-
qua-t-il à sa parole ? Toujours est-il que Sa Sainteté
les abandonna à leur sort, sans un adieu pour le Grec
dont elle emportait le tableau, sur lequel sa main
levée paraissait d'un coup comme un signe d'adieu.

Ainsi, grâce ou à cause de la cupidité barbaresque,
la Chrétienté eut encore deux papes, l'un à Rome,
l'autre à Venise. Mais cela ne changeait rien au sort
des infortunés Miguel et Domenikos.

Pour ajouter à leur désespoir, on leur fit savoir
que, personne n'ayant payé leur rançon ni ne sem-
blant disposé à le faire, ils avaient été vendus à l'Espagne.

Lorsqu'ils racontèrent leur infortune à leurs compagnons de captivité, ceux d'entre eux qui venaient
de Séville ou de Cadix les avertirent : Tahuantinsuyu
réclamait de la main-d'œuvre pour exploiter ses

mines d'argent, dont la plus formidable et inépuisable se nommait Potosí, où les conditions étaient telles et les esclaves si maltraités qu'ils mouraient d'épuisement en quelques années, ou quelques mois. On raconte que certains préféraient mettre fin à leurs jours. Quoi qu'il en fût, Potosí, c'était la mort certaine.

Si on les envoyait à Séville, peut-être avaient-ils une chance de rester sur le sol espagnol, où ils pourraient servir d'esclaves à la noblesse ibéro-inca. En revanche, s'ils embarquaient pour Cadix, ce serait l'ultime étape vers leur dernier voyage.

On les mit à la rame dans une galère qui partait pour Cadix.

5. Des péripéties maritimes extraordinaires et inouïes, telles qu'il n'en fut jamais mises à fin avec moins de péril par aucun marin ni navigateur du monde comme celles-ci le furent par le valeureux Cervantès et son ami le Grec

Cependant, le sort était alors si capricieux, en ces temps troubles où les empires s'entrechoquaient dans le fracas des rames et s'engloutissaient dans les tempêtes, qu'il réservait encore bien des surprises à nos deux amis.

La galère qui emportait sa cargaison d'épices et de prisonniers voguait vers Cadix. Miguel et le Grec ramaient, silencieux, indifférents aux coups de fouet, résignés au destin funeste qui les attendait.

Mais à l'approche de la côte espagnole, tout l'équipage fut frappé par des bruits de tonnerre qu'ils entendaient au loin, alors même que le ciel était entièrement dégagé, et que le soleil brillait au-dessus de leurs têtes.

Et tandis que la galère barbaresque entrait dans le golfe de Cadix, un murmure commença à s'élever chez les rameurs. « Drake ! Drake ! » Les gardes soudain avaient pâli et redoublaient leurs coups de fouet. « Bâbord ! Bâbord ! Cap au nord ! » criait le capitaine, qui était un fils de ce fameux corsaire Barberousse.

Mais la chiourme grondait. Miguel et le Grec partageaient leur banc avec un capitaine espagnol qui avait été fait prisonnier longtemps avant eux, et qui se nommait Hieronimo de Mendoza. Il était d'une maigreur familière, portait une longue barbe blanchie, et sa peau avait brûlé sous le soleil. Son œil, toutefois, était encore vif, et brillait même en cet instant d'un éclat inhabituel. Comme ses deux compagnons l'interrogeaient, il leur dit qu'ils étaient tombés au beau milieu d'un raid du fameux corsaire Francis Drake. « La mer est comme une immense forêt, disait-il, commune à tout le monde, où les Anglais cherchent fortune. » Depuis que l'Angleterre avait subi l'invasion coordonnée des Mexicains, par le sud, et des Écossais, par le nord, la reine Élisabeth avait fui avec tous les hommes qui avaient pu trouver de quoi embarquer, galères, galiotes, goélettes, frégates, flûtes, brigantins, bricks, bateaux ronds, jusqu'à la moindre barque de pêcheur ou coque de noix. Elle s'était d'abord réfugiée en Irlande, puis en Islande. De là, le très fameux corsaire Drake avait reconstitué une flotte pour écumer la mer Atlantique, multipliant les prises et les raids sur les côtes françaises, portugaises, espagnoles. Ce jour-là, encore une fois, il avait attaqué par surprise une ville de la côte, ayant poussé plus au sud que jamais. Or, si la galère algéroise ne voulait pas se retrouver aux prises avec les assaillants, elle devait immédiatement regagner le large. Selon Hieronimo de Mendoza, qui connaissait la façon de penser des marchands, ils allaient sûrement tenter de rallier Lisbonne, plutôt que de retourner à Alger, cela afin d'y vendre leur cargaison, pour ne pas avoir fait le voyage en vain. La perspective de Lisbonne, quoique incertaine, leur sembla meilleure que celle de Cadix, car elle n'impliquait pas Potosí.

Mais le destin ne voulut pas Lisbonne davantage que Cadix. Lorsque le capitaine, fils de Barberousse, vit qu'une galère anglaise les avait repérés et se détournait du port pour les prendre en chasse, il redoubla ses exhortations ; et les coups de fouet de pleuvoir, à mesure que la panique gagnait les gardes algérois.

Mais quand ceux qui étaient à la rame virent que la galère anglaise allait les investir, et qu'elle les atteignait, ils lâchèrent tous en même temps les rames et se saisirent du capitaine, qui était sur le gaillard d'arrière à leur crier de voguer à la hâte, et, le faisant passer de banc en banc, depuis la poupe jusqu'à la proue, lui donnèrent de tels coups de dents que, devant qu'il fût passé outre le mât, son âme devait déjà passer en enfer : tant était grande la cruauté dont il les traitait et la haine qu'ils lui portaient.

Ainsi les rameurs accueillirent les marins anglais qui prirent possession de la galère aux cris de « Vive l'Angleterre ! Vive Drake ! » car cette prise était synonyme de liberté pour eux. Le drapeau anglais fut hissé au mât de la grande vergue, et la galère, après quelques jours à ravitailler en eau et en biscuits, vogua vers l'Islande, portée par les joyeux coups de rame et les chants des prisonniers libérés de leurs chaînes.

Toutefois, il arriva qu'en chemin, et ce fut un grand malheur, la galère rencontra un bâtiment écossais. La vigie ayant alerté l'équipage aux cris de « Jambes rouges ! » (car c'est ainsi qu'on nomme les Écossais, parce qu'ils portent leurs jupes à carreaux), les rameurs redoublèrent d'efforts – le pauvre Miguel ramait mal à cause de sa main gauche hors d'usage –, mais ils ne purent empêcher que le navire écossais les atteignît et, suite à un nouvel abordage sanglant, où le jeune Cervantès, tout empêché qu'il était par sa main inerte, se distingua de nouveau par une bravoure remarquable, les fît prisonniers.

Ils crurent alors qu'on les emmenait au royaume d'Écosse, où régnait la reine Marie, ce qui leur semblait encore un moindre mal, mais ils déchantèrent bien vite, lorsqu'ils virent qu'on les faisait ramer en direction de la côte française, et que la galère s'engouffrait dans l'embouchure d'un fleuve très large, qui ne pouvait mener qu'à Bordeaux.

Une fois encore, la fortune se jouait d'eux. Les Écossais allaient les livrer aux Mexicains, et cette perspective, selon leur voisin de banc Mendoza, était pire que Potosí.

Les Mexicains, en effet, ne recherchaient pas tant de main-d'œuvre que de chair humaine à sacrifier pour leurs rites barbares.

Miguel n'allait donc pas mourir dans une mine d'argent à l'autre bout du monde, mais au sommet d'une pyramide, en France, et sa dernière vision serait celle de son cœur arraché qui palpiterait encore.

6. Où l'on rapporte comment la Providence permit que Cervantès et le Grec échappent à la mort et comment ils trouvèrent refuge dans une tour

Le port de Bordeaux se nichait dans un pli de la Garonne, dessinant comme une demi-lune. Les captifs débarquèrent sous la surveillance de Gascons, gens rustiques et déréglés, qui se moquaient d'eux et les traitaient de sacs d'asticots, ce qui n'augurait rien de bon pour la suite. Cervantès descendit la passerelle sous les quolibets, gardant le silence stoïquement, mais le Grec, incapable d'une telle patience, traitait en retour les gardes de boucs à foutre, maudissant tous les chrétiens qui frayaient avec les païens, à commencer par les Français. L'un d'eux entendit son propos, et soudain leva la crosse de son arquebuse, dont il lui eût sans doute ouvert la tête, si un capitaine mexicain ne lui eût crié de s'arrêter. Mendoza, qui descendait avec eux, ne crut pas y voir matière à rassurer ses camarades de banc. « Ils veulent des sacrifiés qui tiennent sur leurs deux jambes », leur glissa-t-il.

Les quais de Bordeaux étaient aussi animés que ceux de Séville ; le roulement des tonneaux de vin berçait la cité portuaire du matin au soir, ponctué par les cris des portefaix, que les Gascons qui menaient leurs prisonniers en une longue file écartaient à coups de pique afin de s'ouvrir le passage.

Ils franchirent les remparts par la porte du Caillou, hérissée de ses tourelles de guet, qui débouchait sur la place où les Mexicains avaient bâti leur pyramide. Les captifs ne pouvaient ignorer la traînée de sang séché qui avait coulé jusqu'au pied des escaliers ; alors, un soupir de lamentation s'éleva de leurs rangs. Ils furent menés à la prison du château de l'Ombrière, pour y attendre leur sort, résignés : les tonneaux de vin qui embarquaient pour le Nouveau Monde avaient plus de chances d'en réchapper. Au moins étaient-ils bien nourris : on leur apportait du pain et de la soupe matin et soir. Le dimanche, on venait prélever une dizaine d'entre eux pour aller au supplice, et le bruit des tambours qui leur parvenait de la place les glaçait d'horreur. Ce jour-là, tous avaient droit à un verre de vin. Le jeune Miguel ne craignait pas la mort, mais il aurait voulu mourir à la guerre. Le Grec s'épuisait en imprécations rageuses.

Un jour, cependant, on vint chercher deux fois la quantité de captifs, et les tambours redoublèrent également. Leurs gardes n'étaient plus les mêmes. Puis, la semaine suivante, personne ne vint, et les tambours se turent. Quelques jours passèrent encore, et les gardes cessèrent de leur apporter à manger. Plus aucun bruit de la ville ne leur parvenait. Ils demeurèrent dans leurs sombres cachots, enveloppés de silence. Comme la soif et la faim commençaient à les torturer, ils se décidèrent à sortir, quoi qu'il puisse leur en coûter, alors ils aiguisèrent leurs cuillères en fer et scièrent le bois des portes.

Lorsque enfin les serrures cédèrent, ils trouvèrent le palais abandonné, les armes des gardes sur leurs râteliers, des rats morts par dizaines ; ils se jetèrent sur les restes des repas qui étaient demeurés sur les tables. Mendoza, que sa longue captivité avait habitué à se placer parmi les autres captifs, mit la main sur une cuisse de poulet. Cervantès et le Grec, moins expérimentés, arrivèrent trop tard, pressés qu'ils étaient de regagner l'air libre. Ils piétinèrent les rats morts qui jonchaient le sol de pierre.

Une fois dehors, l'appétit leur manqua : des colonnes de fumée montaient au ciel, une odeur pestilentielle empoissait la ville, des corbeaux se disputaient les chairs de charognes humaines qui pavaient les rues. Des silhouettes fantomatiques transportaient dans des brouettes des mourants gémissants, ou bien entassaient des cadavres sur des charrettes à bras. Et partout, des rats crevés. Cervantès se crut d'abord dans une gigantesque tannerie de l'enfer. Mais, en vérité, sans aucun doute possible, c'était la peste. Il fallait quitter la ville sans attendre, sous peine de mort. Ils se rendirent sur les quais où régnait la plus extrême confusion : des gardes tentaient d'empêcher ceux qui souhaitaient s'enfuir par la mer. Mendoza, qui les avait rejoints, les décida à gagner la campagne.

Ils traversèrent la ville agonisante. Ceux qui n'avaient pas été frappés jetaient en hâte leurs biens sur des charrettes ou partaient à dos de mule. Les plus chanceux disposaient d'un cheval pour s'enfuir au galop. La situation était telle que les sergents de ville ni les soldats ne prêtaient attention à nos évadés. Mais la voie de l'ouest était fermée : le fort du Hâ, où les soldats étaient en garnison, veillait encore, et nul ne pouvait ni entrer ni sortir de ce côté-là.

Alors on revint se faufiler sur les quais. Le Grec assomma deux gardes, ou peut-être les tua-t-il, l'histoire ne le dit pas clairement. À la tombée de la nuit, ils franchirent le fleuve à la nage, laissant derrière eux les plaintes des mourants et l'odeur des morts.

Une longue errance débuta dans les plaines bordelaises. Chaque village qu'ils rencontraient les accueillait à coups de fourche, redoutant de faire entrer la maladie, ou bien par des gémissements, quand celle-ci était déjà là, et alors ils le contournaient prudemment. Pendant plusieurs jours, ils ne vécurent que du raisin des vignes, si bien qu'ils furent tantôt frappés d'accès de colique, qu'ils pratiquèrent avec libéralité, de sorte qu'on eût pu les suivre à la trace.

Enfin, ils arrivèrent au pied d'un château qui leur donna tous les signes d'avoir été déserté par son propriétaire. N'y étaient restés qu'une poignée de serviteurs, qui d'abord voulurent leur refuser l'asile. L'un d'eux, cependant, ayant meilleur cœur, eut assez pitié pour leur offrir le couvert, à condition qu'ils s'en aillent sitôt après. Ils purent ainsi se remplir la panse, et trinquèrent à la santé de leurs hôtes. Mais à la fin du repas, Mendoza fut soudain pris de vomissements, ce qui causa la panique des serviteurs qui s'enfuirent à toutes jambes et quittèrent le château sans demander leur reste, si bien qu'à l'aube, Mendoza était mort, et le château désert pour de bon. Cervantès et le Grec brûlèrent le corps dans la cour, et prirent possession des lieux.

Il y avait deux petites tours aménagées pour y être habitées, reliées entre elles par une courtine, dont l'une offrait toutes les facilités pour vivre comme en un ermitage, car elle comprenait un lit, une petite chapelle, des commodités, quelques malles de vêtements, ainsi que, dans la pièce du haut, une belle librairie contenant moult ouvrages, avec au plafond des poutres sur lesquelles étaient gravées des inscriptions en langues latine et grecque. Comme le château comprenait un grenier bien rempli ainsi qu'une étable, dans laquelle ils trouvèrent une ânesse qui donnait du lait, les deux amis décidèrent qu'ils s'en porteraient mieux qu'ailleurs s'ils restaient là, et s'installèrent dans la tour. Le Grec y déchiffra l'une des inscriptions, qui était dans sa langue, sur les poutres de la librairie : « Mon souhait, vivre de peu mais sans peine. » Cervantès, qui connaissait son latin, en déchiffra une autre : « Partout où le vent m'emporte, je suis hôte de passage. »

7. Comment Cervantès et le Grec firent la connaissance du propriétaire de la tour avec lequel ils vécurent un temps en bonne intelligence

Ils furent heureux en cette retraite, et lurent beaucoup de livres. Quoique le Grec n'aimât guère l'Ecclésiaste d'où elle était tirée, il remarqua cette autre citation gravée sur une poutre : « Profite pleinement du présent, le reste est hors de ta portée. » Et c'est ce qu'ils firent tant qu'on les laissa en paix, c'est-à-dire tout le temps que la peste ravagea la région, tenant éloignés tous les visiteurs, ainsi que les habitants du village voisin, cloîtrés chez eux, quand ils n'avaient pas quitté le pays.

Durant plusieurs semaines, personne n'osa s'aventurer au château ; ils eurent pour seule compagnie l'ânesse de laquelle ils tiraient du lait et quelques poules qui leur donnaient des œufs, jusqu'au jour où un petit homme se présenta dans la librairie. Il y surprit Cervantès qui lisait un volume des *Chroniques d'Atahualpa* et le Grec qui dessinait le portrait de son ami avec un bout de charbon.

Il s'appelait Michel de Montaigne et il rentrait chez lui.

Le Grec avait bondi, prêt à l'occire, mais Cervantès jugea plus sage de lui exposer les raisons de leur présence, et pour cela lui raconta les aventures qui les avaient menés jusqu'en sa demeure, sans omettre aucun détail.

Le sieur de Montaigne était de taille fort médiocre, quasi chauve, portant petite moustache, barbichette et col à fraise, vêtu de riche étoffe mais crotté par un long voyage. Cependant, son regard était clair et ses manières aimables. Il parlait un toscan très convenable, entrelardé d'expressions latines, si bien qu'il n'avait aucune peine à se faire entendre de ses hôtes, et encore moins à les entendre en retour, puisqu'il comprenait aussi le grec et l'espagnol. Il était membre du Parlement et conseiller du roi de France Chimalpopoca. Quand il déclina ses titres, le Grec voulut se saisir d'un coupe-papier pour le lui planter dans la gorge, mais Cervantès retint son bras.

Monsieur de Montaigne, dont l'esprit agile avait déjà apprécié toutes les difficultés de la situation, offrit à ses invités de demeurer secrètement en sa tour, autant qu'ils le souhaiteraient, car quoiqu'il appréciât la solitude, il lui semblait qu'ils lui feraient une compagnie agréable. Ni sa femme qui vivait dans la tour voisine ni ses serviteurs ne seraient tenus informés de leur présence. Il ferait disposer coussins et couvertures dans son cabinet de travail, où ils pourraient s'aménager une couche, et veillerait à ce que sa corbeille de fruits et sa carafe à vin, qu'il tiendrait à leur disposition, soient toujours remplies.

N'ayant guère d'alternative, sinon courir à travers champs comme des lièvres poursuivis par une meute de chiens en terrain hostile, ce qui ne les enchantait guère, ils acceptèrent.

Le cabinet de travail était pourvu d'une cheminée – monsieur de Montaigne avait fait sceller celle de sa librairie, craignant que le feu ne dévorât ses précieux livres –, de sorte qu'il ne manquait rien au confort des deux amis, si l'on veut se souvenir qu'à peine deux mois s'étaient écoulés depuis qu'ils avaient quitté le banc de la galère barbaresque.

Ainsi leurs journées se passèrent à lire, manger, et converser avec leur hôte. Le soir, ils soupaient avant d'aller dormir, sans jamais sortir de la tour, sauf parfois, à la nuit tombée, pour respirer un peu d'air frais et exercer leurs jambes dans les jardins du château, sous le regard des hiboux.

Monsieur de Montaigne était un esprit subtil, curieux et de grand savoir, ce qui rendait sa conversation fort attrayante, et comme notre esprit se fortifie par la communication des esprits vigoureux et réglés, le jeune Cervantès aimait à l'entretenir de poésie, de théâtre, ou de toutes sortes de choses, pour le plaisir de l'entendre citer, toujours fort à propos, des auteurs anciens tels que Virgile, Sophocle, Aristote, Horace, Sextus Empiricus ou Cicéron.

Mais ce qui lui plaisait encore davantage était d'écouter leur hôte disputer avec le Grec, car cela ne manquait pas d'engendrer des conférences dont la vigueur n'avait d'égale que l'invention. Certes, il aimait s'adonner à la lecture des ouvrages qu'il allait cueillir dans la librairie, mais l'étude des livres est un mouvement languissant et faible qui n'échauffe point, là où la conférence apprend et exerce en un coup.

En sa qualité de soldat du Christ, membre de la Compagnie de Jésus, le Grec reprochait avec grande véhémence au sieur de Montaigne, sans considération pour la situation qui le faisait son obligé, de se compromettre avec les païens et de trahir ainsi ses coreligionnaires.

Le jeune Cervantès essayait d'empêcher son ami d'aller plus avant en cette voie, craignant qu'elle n'offensât leur hôte et que celui-ci ne leur retirât sa protection, mais c'était peine perdue ; sans cesse, le Grec revenait à ses récriminations : « Damnés sont les chrétiens qui pactisent avec l'infidèle ! » disait-il.

Pourtant, loin d'en prendre ombrage, monsieur de Montaigne semblait au contraire prêter l'épaule à ces remontrances, et même tirer plaisir de cette familiarité forte et virile avec laquelle le Grec l'apostrophait. « Nulle croyance ne me blesse, quelque contrariété qu'elle ait à la mienne, disait-il pour apaiser les craintes du jeune Cervantès. Tout un jour, je contesterai paisiblement, si la conduite du débat se suit avec ordre. » Et il ajoutait en riant : « Je cherche à la vérité plus la fréquentation de ceux qui me gourment que de ceux qui me craignent. » C'était comme si, en le contrariant, on éveillait son attention, non pas sa colère.

Le Grec, il faut dire, ne se privait pas de lui donner satisfaction, l'accusant un jour de mécréance, le lendemain de barbarie, en cela que servant l'usurpateur qui avait pris la place du très chrétien roi de France, non content de servir des adorateurs du Serpent à plumes, il se rendait complice de cette détestable pratique des sacrifices humains, et nul doute qu'il avait accepté son poste par lâcheté et cupidité, plutôt que de combattre auprès des défenseurs de la vraie foi.

Ce à quoi monsieur de Montaigne commençait par rappeler que le très chrétien François Ier n'avait pas hésité, jadis, à conclure une alliance avec le Turc contre son grand adversaire le roi catholique Charles Quint, et qu'il lui semblait dès lors difficile ou à tout le moins cavalier de lui faire grief à lui, Michel de Montaigne, humble magistrat, de ce que le pape avait toléré d'un aussi grand roi, car, fallait-il le rappeler, si le roi d'Angleterre Henry VIII, si le moine Luther avaient été excommuniés, alors même que ceux-ci n'avaient souhaité que réformer l'Église, voilà une sanction qui n'avait jamais frappé l'ami de Soliman. Tout comme elle avait épargné, ajoutait-il, Atahualpa et Cuauhtémoc, qui avaient reçu le baptême, ainsi que leurs successeurs. Et cela avait été sage, finalement, au regard de la coalition nouvelle qui unissait désormais Maximilien, Pie V et Sélim.

Prenant acte de l'objection, le Grec changeait alors de tactique, et, voyant combien son hôte était passionné des auteurs grecs, invoquait l'amour de la patrie dans lequel puisèrent jadis les Lacédémoniens aux Thermopyles et les Athéniens à Marathon pour résister à l'envahisseur perse.

Montaigne, enchanté, s'adressait à Cervantès : « Tu es de Castille, n'est-ce pas ? Sais-tu que Charles Quint, lorsqu'il s'est emparé du trône d'Espagne, comprenait à peine ta langue ? Et pourquoi en aurait-il été autrement puisqu'il était né à Gand, et était allemand ? En quoi était-il plus espagnol que celui qui lui a succédé, peux-tu me le dire ? » Et comme Cervantès rétorquait que Charles Quint avait eu au moins une mère espagnole, Montaigne ne manqua pas de saisir la balle au bond : « Et quelle mère ! Jeanne la Folle, qu'il déposséda de sa couronne. Quel bon fils ! Quelle bonne mère ! » Puis, se retournant vers le Grec : « Certes, Charles Quint était chrétien, ce qui ne l'empêcha nullement de mettre à sac la ville sainte en l'an de grâce 1527 de l'ère ancienne. En quoi cela importait-il à Clément VII, fuyant comme un lapin au château de Saint-Ange, que les lansquenets qui manquèrent de l'égorger fussent chrétiens ou non ? En quoi cela importe-t-il à Pie V que les hommes et les galères de Sélim ne le soient pas, si celui-ci les met à sa disposition ? Ce qui m'importe, à moi, c'est que ces étrangers d'outre-mer ont apporté la paix religieuse en Espagne et en France. Sache, Domenikos, que j'ai personnellement conseillé Cuauhtémoc, paix à son âme, et activement pris part à la proclamation de l'édit de Bordeaux, qui fut rédigé sur le modèle de celui de Séville, pour que chacun puisse exercer la religion de son choix sans crainte d'être rossé, banni, pendu ou brûlé sur le sol de France. N'est-ce pas là, Domenikos, un acte qui sera mis à mon crédit, au jour du Jugement ? »

Le Grec s'échauffait : « Tu parles de brûler des chrétiens, mais que dis-tu quand tes amis mexicains ouvrent la poitrine de ceux qu'ils immolent sur leurs pyramides ? Ne te sens-tu pas complice de ces crimes hérétiques ? »

Montaigne devait convenir qu'il ne pouvait approuver semblable pratique, mais dit qu'il œuvrait auprès du jeune roi Chimalpopoca pour son abolition.

Le Grec ricanait alors : « Heureusement pour nous, la peste a été plus persuasive que toi. »

Alors Montaigne, pour couper court, remplissait leurs verres avec du vin de son domaine, leur enjoignant joyeusement : « À Rome, fais comme les Romains ! »

Mais Cervantès demandait finement : « Et quand ce sont les Romains qui viennent à toi ? »

Puis chacun retournait lire un livre.

Un jour que monsieur de Montaigne s'était absenté, Cervantès, par l'une des fenêtres de la tour, vit une jeune femme dans la cour du château, qui donnait du grain aux poules. Sans pouvoir tout à fait distinguer ses traits, elle lui fit belle impression, et l'effet d'une grande dame, par son port et sa silhouette. Il trouva dans sa façon de semer le grain une grâce particulière.

Plus tard dans l'après-midi, Montaigne revint avec un présent pour le Grec : un chevalet et du matériel de peinture, car il avait supputé les aptitudes de celui-ci en observant ses dessins.

Ainsi le Grec se mit à peindre des portraits de son hôte et de son ami, et des paysages de la campagne bordelaise qu'il observait par la fenêtre.

Montaigne et Cervantès contemplaient, enchantés autant qu'effrayés, leurs visages comme sortis de terre, malaxés dans l'argile et couchés sur la toile.

Mais le peintre n'en cessait pas moins d'argumenter avec celui qu'il considérait comme un renégat et un complice des nouvelles hérésies. « Il faut avoir le courage de rester au côté des vaincus », lui disait-il.

Alors Montaigne riait : « N'est-ce pas ce que je fais avec vous ? »

Puis, il lui tint ce discours : « Vois-tu, Domenikos, bientôt nous serons tous les descendants des vainqueurs et des vaincus. Les premiers enfants, fruits des deux mondes, sont déjà des hommes et des femmes accomplis, aujourd'hui : notre souverain Chimalpopoca, fils de Cuauhtémoc et de Marguerite de France, est notre Adam. Marguerite Duchicela, fille d'Atahualpa et de Maria d'Autriche, est notre Ève. Le roi de Navarre Tupac Henri Amaru, fils de Jeanne d'Albret et de Manco Inca, le duc de Romagne Enrico Yupanqui et ses huit frères et sœurs, fils et filles de Catherine de Médicis et du général Quizquiz, sont aussi français ou italiens qu'ils sont incas ou mexicains. L'infant Philippe Viracocha, fils de Charles Capac et de Marguerite Duchicela, héritier du trône d'Espagne et roi des Romains, est notre Abel des temps nouveaux. Atahualpa aura été notre Énée : Énée était-il romain ? Peut-être, après tout, sommes-nous les Étrusques des Incas et des Mexicains. »

Pendant qu'il l'écoutait, Cervantès aperçut par la fenêtre qui donnait sur le jardin la dame qu'il avait vue auparavant dans la cour. Cette fois, elle parcourait ses plants de tomates et taillait ses avocatiers. Sans doute l'enfermement et la longue suite de mésaventures qui l'avaient mené dans cette tour avaient échauffé son imagination. Sa jeunesse fit le reste. Il en tomba amoureux.

Un soir qu'il était sorti fumer un cohiba dans la cour, il la vit apparaître à une fenêtre de la seconde tour, à la lumière des bougies qui éclairaient ce qui était, de toute évidence, les appartements de la dame. Comme lui était dans l'obscurité et ne craignait d'être vu, n'était le bout incandescent du cohiba qu'il prenait soin de cacher dans le creux de sa main, il resta si longtemps à guetter les passages de la jeune femme dans l'embrasure, bien longtemps même après que l'obscurité se fut faite aussi dans la tour, alors que tout indiquait que la dame fut couchée, qu'il s'endormit au pied d'un arbre.

Peu avant l'aube, le Grec, inquiet de s'être réveillé seul, sans trace de son camarade de chambre, descendit le chercher pour s'assurer qu'aucun serviteur ou villageois ne l'avait découvert et le trouva au pied de son arbre, les yeux clos, qui dormait à poings fermés. D'abord, il le secoua doucement, mais comme Cervantès ne se réveillait pas, il le tourna et le remua tant qu'enfin celui-ci s'étira, et, jetant les yeux de côté et d'autre comme un homme tout ébahi, lui dit : « Dieu te pardonne, mon ami, car tu m'as arraché à la plus agréable vue que jamais homme puisse imaginer. » Ce à quoi le Grec, lui appliquant de petites claques sur les joues pour le tirer de son ébahissement, crut à propos de le renseigner : « Je suppose que tu parles de madame de Montaigne, l'épouse de notre hôte. Elle s'appelle Françoise. »

Ils regagnèrent le cabinet qui leur servait de chambre et se recouchèrent en attendant le chant du coq, mais Cervantès ne se rendormit point, et passa le reste du temps qui le séparait du lever du soleil à imaginer la dame de ses pensées, couchée dans son lit, seulement vêtue d'une chemise de nuit.

Le lendemain, il rêvait de nouveau, posté derrière la fenêtre de la librairie qui donnait sur la cour, espérant y voir passer la dame de son cœur, accessoirement femme de son hôte, en écoutant monsieur de Montaigne tenter de convaincre le Grec que les croyances des Mexicains n'étaient pas toutes à rejeter : « Ainsi jugent-ils, tout comme nous, que l'univers est proche de sa fin, et en prennent pour signe la désolation que les hommes mettent partout sur leur passage. Qui peut nier qu'il s'agit là d'une grande sagesse et clairvoyance de leur part, Domenikos ? » Selon Montaigne, il n'était pas moins troublant qu'aussi bien les Mexicains et les Incas crussent que l'être du monde se partageait en cinq âges et en la vie de cinq soleils consécutifs, desquels quatre avaient déjà fourni leur temps, et que celui qui les éclairait était le cinquième. Ce qu'ils estiment de la manière dont ce dernier soleil périra, Montaigne n'en avait encore rien appris. « Mais enfin, questionnait-il, qui sommes-nous pour dire que leurs croyances ne valent pas les nôtres ? »

Entendant ces paroles, le Grec, qui fumait son cohiba, s'étouffait et criait au blasphème, et rétorquait à Montaigne que le seul et unique Dieu véritable n'avait pas voulu que les infidèles triomphassent à Lépante, établissant de façon certaine la preuve de sa supériorité sur les faux dieux venus d'outre-mer, et que si la volonté du Dieu unique avait été d'éprouver ses enfants en leur envoyant ce fléau de par-delà l'océan, elle saurait aussi, sans nul doute, récompenser les vrais chrétiens par la victoire finale. « Les chrétiens véritables ne se cachent pas dans l'adversité, ce sont eux qui assurent le triomphe de la vraie foi ! Où étais-tu pendant Lépante, Michel ? Où étais-tu pendant la peste qui s'est abattue sur ta ville ? Si Dieu, dans sa miséricorde, nous accorde la victoire, comme je suis sûr qu'il adviendra, tu n'y auras guère pris ta part. »

Montaigne, sans se départir de sa bonhomie, lui répondait avec non moins de fermeté : « Je trouve mauvais cet usage de chercher à affermir et appuyer notre religion par le bonheur et la prospérité de nos entreprises. Ta croyance, Domenikos, a assez d'autres fondements, sans l'autoriser par les événements. »

Le Grec, qui voyait des blasphèmes partout, ne laissa pas passer celui-ci : « Michel, t'entends-tu ? Tu as dit *ta*.

— Ce que je veux dire, reprit Montaigne, est que votre... que la victoire dont tu parles (et qui vous a coûté si cher, à toi et à Miguel) est assurément une belle bataille navale qui s'est gagnée ces mois passés contre l'Empire inca et la France – sous la conduite du *kapitan pacha*, soit dit en passant –, mais il a bien plu à Dieu d'en faire certaines fois d'autres à vos dépens. Il a plu à Dieu de faire capturer Charles Quint à la bataille de Salamanque. Il lui a encore plu de défaire François Ier face à Cuauhtémoc allié aux Anglais. Il a plu à Dieu de reprendre le Saint Empire des mains de la maison d'Autriche pour le confier au lignage d'Atahualpa. Dieu, nous voulant apprendre que les bons ont autre chose à espérer, et les mauvais autre chose à craindre que les fortunes ou les infortunes de ce monde, les manie et applique selon sa disposition occulte, et nous ôte le moyen d'en faire sottement notre profit. » Puis, trouvant que sa conférence dérivait vers des propos qui, aux oreilles chrétiennes, commençaient à sentir le fagot, il préféra changer de sujet.

Cervantès l'entendit citer Horace, pour mettre en garde le Grec : « Le sage doit recevoir le nom d'insensé, le juste celui d'injuste s'ils vont trop loin, même dans leur effort pour atteindre la vertu. » Il l'entendit condamner l'immodération vers le bien, et l'archer qui manque sa cible en tirant trop loin. Puis il n'écouta plus.

Comme notre jeune homme avait encore aperçu madame de Montaigne traverser la cour, il perdit toute notion du temps, ayant le sentiment que plusieurs jours s'étaient écoulés – et peut-être était-ce la vérité –, quand son esprit revint à la conversation, qui avait dérivé, il ne savait comment, sur le mariage.

Le Grec n'avait pas de mots assez durs pour condamner l'habitude détestable des souverains d'outre-mer d'avoir plusieurs épouses, et Montaigne, cette fois, en était d'accord. Quel souverain, excepté Charles Quint, fut vertueux au point de n'avoir commerce qu'avec sa femme devant Dieu, sans maîtresses ni enfants illégitimes, hormis en sa prime jeunesse ? Les papes eux-mêmes n'avaient-ils pas des concubines et des bâtards qu'ils élevaient jusqu'aux places les plus prestigieuses ? Mais c'était un péché devant Dieu, il en convenait, d'épouser ses maîtresses.

À ce moment, l'attention de Cervantès s'était tout à fait réveillée.

Montaigne expliquait les dangers de l'amour dans la vie maritale, qui devait proscrire, d'après lui, tout débordement de lasciveté, mais nécessitait au contraire modération et tempérance, car, la fin du mariage étant la génération, il prétendait qu'un plaisir excessivement chaud, voluptueux et assidu altérait la semence et empêchait la conception.

Lui-même se vantait de ne visiter la chambre de sa femme qu'une fois par mois, aux fins exclusives de l'engrosser. S'il cédait aux emportements amoureux, il ne doutait pas que la considération qu'ils se portaient mutuellement et la bonne entente qui les liait en seraient immanquablement corrompues. Le mariage étant un contrat sans retour, le jeu du plaisir, disait-il, ne valait pas la chandelle de l'amitié.

Puis il dit ceci à propos des femmes, qui sembla à Cervantès lui être adressé en propre, et ouvrit au jeune homme des horizons dangereux : « Qu'elles apprennent l'impudence au moins d'une autre main. »

La vie continua dans la tour. Montaigne lisait ou dictait des lettres à son secrétaire (Cervantès et le Grec descendaient alors se cacher dans la chapelle), ou bien s'absentait pour aller à Bordeaux s'occuper des affaires publiques dont il avait la charge. Le Grec peignait, et, pour s'occuper, Cervantès, inspiré par ses lectures de la librairie, commença à écrire diverses petites pièces, qu'il leur lisait, le soir, après dîner. La nuit venue, il ne manquait plus d'aller fumer son cohiba sous les fenêtres de dame Françoise. Parfois, il l'entendait fredonner une berceuse, et, comme enchanté par la voix de la jeune femme, il soupirait et s'en languissait davantage. Le Grec, qui craignait qu'il soit découvert par quelque gens du château, condamnait cette folie et le gourmandait de son imprudence.

Un soir, pourtant, n'y tenant plus, il traversa la courtine qui reliait les deux tours.

Le Grec se rongea les sangs à l'attendre toute la nuit. À son retour, il était dans un tel état de transport et d'excitation, débraillé, les cheveux en bataille, tenant des propos désordonnés, qu'il effraya son compagnon. Ici, l'auteur de ce récit doit dire qu'il ne peut certifier la véracité de ce que Cervantès raconta au Grec, mais qu'il s'en tient à rapporter fidèlement ses propos. En effet, le jeune homme prétendit qu'après avoir attendu une heure sur la courtine, ne sachant que faire, il se décida à gratter doucement à la porte de la dame. Celle-ci, croyant que c'était son mari, puisque lui seul, d'ordinaire, usait de cet accès, lui ouvrit. En découvrant le jeune homme, elle laissa échapper un petit cri de surprise, mais quelque chose fit dire à Cervantès qu'il ne lui était peut-être pas inconnu, et que depuis longtemps elle l'avait aperçu dans la cour ou bien quand il l'observait à la fenêtre. Quoi qu'il en soit, elle le supplia de ne pas faire de bruit pour ne pas réveiller son enfant qui dormait. C'était un soir où la lune était pleine, de sorte qu'on y voyait comme en plein jour. Soucieuse, peut-être, d'éviter les commérages, ou par crainte qu'on ne donne l'alarme – Cervantès ne tranchait pas sur ce point –, elle le fit entrer.

Pour narrer la suite de son récit, le jeune homme devint si agité que le Grec le supplia de baisser la voix, car, si incroyable que cela semble, voici la scène exactement telle qu'il la raconta à son ami : madame de Montaigne s'était tue, et comme il hésitait, sa déesse passa autour de lui ses bras de neige et le réchauffa d'un doux embrasement. Lui, tout à coup, se sentit envahi de la flamme accoutumée ; une ardeur qu'il connaissait bien le pénétra jusqu'à la moelle et courut dans ses os frissonnants. On peut voir ainsi, quand la foudre éclate, s'ouvrir une fente de feu dont le zigzag parcourt les nuages. Pour finir, il lui donna les embrassements qu'elle attendait, et couché sur son sein, il s'abandonna au charme d'un doux sommeil.

Le Grec, ne pouvant démêler le vrai du faux dans ce récit extraordinaire, voulut lui faire jurer de ne jamais retourner sur la courtine. Mais Cervantès, un sourire de contentement sur les lèvres, s'était déjà couché et rendormi.

Une semaine s'écoula encore. Cinq mois s'étaient passés depuis leur installation dans la tour de monsieur de Montaigne. Le jeune homme aurait voulu y vivre le restant de sa vie mais, un matin, des archers qui avaient mandat pour la capture de certains évadés répondant au nom de Miguel de Cervantès Saavedra et Domenikos Theotokopoulos vinrent frapper à la porte. Ils trouvèrent les deux amis encore couchés dans le cabinet de travail et les saisirent au collet. Cervantès, ahuri, n'opposa pas de résistance mais le Grec, se voyant ainsi maltraité par ces vilains malandrins, empoigna du mieux qu'il put un archer à la gorge, tellement que, si ses compagnons ne l'eussent secouru, il eût plutôt laissé la vie que le Grec sa prise.

Monsieur de Montaigne, en robe de chambre, voulut s'entremettre, mais rien n'y fit : les deux fugitifs furent pris et enchaînés pour être ramenés à Bordeaux. Le Grec se laissa aller à des vociférations épouvantables, accusant leur hôte de les avoir vendus aux Mexicains, tandis que ce dernier, qui n'en pouvait mais, tentait de raisonner les archers en faisant valoir sa qualité de magistrat, et de conseiller du Prince, en vain. Cervantès, aux côtés de son ami, quitta la tour enferré, sous le regard de sa bien-aimée, la sans pareille Françoise, qui était accourue, affolée, avec tous les serviteurs du château, pour voir la cause de cette agitation. Ce fut la seule fois qu'il put la contempler d'aussi près, à la lumière du jour, soleil sous le soleil, et aussi la dernière.

8. *Comme quoi Cervantès traversa finalement la mer Océane*

Le retour à Bordeaux fut sans gloire, puisqu'on les jeta de nouveau en prison, où ils furent laissés un mois entier, dans l'attente, croyaient-ils, de leur exécution.

Le matin où l'on vint les chercher, ils recommandèrent leur âme à Dieu, pensant que leur dernière heure était arrivée. Ils allaient gravir les marches qui menaient au sommet de la pyramide, où le bourreau les attendrait avec son couteau rituel au manche orné d'un visage sculpté, et ce visage serait celui de la mort, et c'en serait fini d'eux et de leurs aventures et de leur vie terrestre, pour toujours.

Au lieu de quoi, ils passèrent devant la pyramide sans s'y arrêter, et furent menés jusqu'au château Trompette, siège du pouvoir royal, colossal promontoire de pierre avancé sur la Garonne, où on les fit attendre dans un couloir tapissé de boucliers en or.

Les gardes, des Mexicains armés de lances et coiffés de casques à plumes, refusèrent de répondre à leurs questions.

Après longtemps, on les fit entrer dans une vaste pièce décorée d'un gigantesque lustre en fer, suspendu comme une menace au-dessus de leur tête.

Devant eux se tenait un homme qui leur tournait le dos, coiffé d'un béret noir, debout derrière une lourde table de bois massif sur laquelle des papiers étaient éparpillés, regardant par la fenêtre qui donnait sur le port. À cette heure (comme, à vrai dire, à toutes les autres de la journée), l'activité des portefaix battait son plein sur les quais.

Cervantès donna un coup de coude au Grec : entassés dans un coin de la pièce, il avait reconnu les tableaux de son ami.

Sans se retourner, l'homme prit la parole : « Vous pouvez remercier votre protecteur, qui m'a fait apporter vos œuvres, et Dieu, qui vous a accordé quelques dispositions. »

Au ton impérieux, on reconnaissait sans peine qu'il s'agissait d'un personnage d'importance, et en effet : c'était l'amiral de Coligny.

Quand enfin celui-ci se retourna, il ramassa les papiers sur la table, qu'il agita sous le nez de Cervantès : « Un colloque de chiens qui parlent ? Amusant, ma foi. Et cette comédie du retable aux merveilles… Vous l'a-t-il lue, monsieur le peintre ? Non ? Laissez-moi vous conter l'argument : deux habiles charlatans font croire à des villageois qu'un retable enchanté n'offre la vue de ses trésors qu'à ceux qui sont vieux chrétiens de sang pur, exempts de toute ascendance juive ou maure. Bien sûr, ce n'est qu'une tromperie. Mais que croyez-vous qu'il arrivât ? Ô miracle ! Chaque villageois s'extasia avec force cris d'admiration devant les merveilles supposées du retable. »

Le premier conseiller du roi de France rit de bon cœur.

« N'est-ce pas là une plaisante fable ? »

Ni le Grec ni Cervantès n'osaient répondre. L'amiral caressait entre ses doigts l'épaisse chaîne d'or qu'il avait au cou : « Les grandes nations d'outre-mer, l'Empire mexicain sous la protection duquel s'est placé le royaume de France aussi bien que l'Empire inca d'Occident qui est son allié fidèle, celui du Cinquième Quartier et le nôtre, recherchent peintres et gens de lettres, car peinture et écriture sont deux domaines où ces empires formidables, si puissants soient-ils, ne peuvent encore se prévaloir de leur supériorité sur nous autres du Vieux Monde. Vous n'êtes pas tout à fait dépourvus de talent, c'est pourquoi vous partirez par le prochain navire, avec le tribut que la France doit à Mexico. Là-bas, vous serez vendus au plus offrant, et pourrez racheter votre liberté, si Dieu le veut. » Puis, d'un geste, il les fit emmener par les gardes. Le lendemain, ils étaient à bord d'un galion chargé de vin et d'hommes, qui cinglait vers Cuba.

Un jour, un vieux marin espagnol avait dit à Cervantès : « Si tu veux apprendre à prier, va sur la mer. » Cependant, la traversée, qui ne dura pas deux lunes, se déroula comme un rêve.

À bord, nos deux amis rencontrèrent un cordonnier genevois, un marchand mexicain, un juif de Salonique, un producteur de tabac haïtien, une princesse de Cholula qui voyageait avec son jaguar.

Tous leur vantèrent les beautés des pays d'outre-mer, leurs espaces infinis, leurs natures généreuses, leurs richesses abondantes, et les possibilités d'y rencontrer la fortune, pour peu qu'on y vienne sans projet séditieux.

Puis, un matin, la silhouette de Baracoa, capitale cubaine et carrefour des deux mondes, se découpa dans l'horizon. C'était une ville de palais, de palmiers et de cases en terre, où les chiens parlaient aux perroquets, où les riches marchands venaient vendre leurs esclaves et faire boire leur vin, où l'odeur de fruits inconnus parfumait les rues, où les nobles taïnos chevauchaient nus leurs pur-sang du Chili, arborant pour seules parures des colliers de perles rouges à dix-huit rangées et des bracelets en écaille de crocodile, où les mendiants eux-mêmes semblaient d'antiques rois déchus, avec des masques et des miroirs de cuivre et d'or sur la tête, où les magasins dégorgeaient tellement de marchandises que, le soir venu, des lézards à crête s'aventuraient dans les rues en quête de caisses à éventrer. On y parlait toutes les langues, on y aimait toutes les femmes, on y priait tous les dieux.

Le Grec, ébloui par ce torrent de couleurs, les nerfs agacés par cette effervescence babylonienne, fut pris d'un rire de forcené.

Levant les yeux au ciel, oublieux de son avenir incertain, Cervantès s'émerveilla des urubus à tête rouge qui volaient au-dessus de sa tête, et crut que toutes ces créatures-là étaient des fantômes de cette île enchantée, et que sans aucun doute lui-même l'était aussi.

Table

Le Livre de Poche s'engage pour l'environnement en réduisant l'empreinte carbone de ses livres. Celle de cet exemplaire est de : 250 g éq. CO₂ Rendez-vous sur www.livredepoche-durable.fr

PAPIER À BASE DE FIBRES CERTIFIÉES

Composition réalisée par PCA

Achevé d'imprimer en France par
CPI BRODARD & TAUPIN (72200 La Flèche)
en août 2020
N° d'impression : 3039700
Dépôt légal 1ʳᵉ publication : août 2020
LIBRAIRIE GÉNÉRALE FRANÇAISE
21, rue du Montparnasse – 75298 Paris Cedex 06

13/3834/2